GW00992189

Temps d'équilibres, temps de ruptures

XIIIe siècle

Ouvrages de
Monique Bourin-Derruau

Villages médiévaux en Bas-Languedoc.
Genèse d'une sociabilité. X^e-XIVe siècle
L'Harmattan, coll. « Les chemins de la mémoire », 2 vol., 1987

EN COLLABORATION AVEC R. DURAND

Vivre au village au Moyen Age.
Les solidarités paysannes du XIe au XIIIe siècle
Messidor-Temps actuels, 2e éd., 1988

Monique Bourin-Derruau

Nouvelle histoire
de la France médiévale

4

Temps d'équilibres,
temps de ruptures

XIIIᵉ siècle

Éditions du Seuil

EN COUVERTURE : Laon, Bibliothèque municipale XIIIe,
Décrets de Gratien. Mariage. Archives Dagli Orti.

ISBN 2-02-011555-7 (éd. complète)
ISBN 2-02-012220-0 (tome 4)

Avant-propos

Le XIIIᵉ siècle n'a plus la réputation dorée que lui fit l'historiographie des générations précédentes. Au terme du règne de Saint Louis, les années 1270 apparaissent à de nombreux historiens comme une flexure majeure ; alors l'acmé de la population, alors l'apogée de la prospérité : telle est l'opinion de la plupart des historiens actuels.

Non seulement la fin du siècle et la première moitié du XIVᵉ siècle sont perçues aujourd'hui comme le début d'un déclin, l'amorce d'un temps de crise, mais même le premier XIIIᵉ siècle n'a plus la cote d'amour dont il a longtemps bénéficié. Bien sûr, la prospérité de l'« heureux temps de Monseigneur Saint Louis » n'est ni discutable ni discutée. Mais le XIIᵉ siècle jouit d'une image plus flatteuse, siècle d'invention, siècle du grand progrès, par rapport auquel le XIIIᵉ ne serait que la mise en forme des acquis antérieurs. Pis même, la mise en ordre, avec ce qu'elle implique de castration.

Pareille désaffection renvoie à la conjoncture intellectuelle de ces dernières années. L'historien contemporain est, plus ou moins consciemment, sensible aux charmes vantés du libéralisme et de la créativité, dont il déplore la réduction au cours du XIIIᵉ siècle ; agacé aussi par une administration aujourd'hui étouffante, il a moins envie d'en admirer la progressive mise en place ; enfin, l'abondance alimentaire et la profusion consommatrice, qui caractérisent les pays occidentaux depuis les années 1960 et dont il perçoit les risques, le rendent moins apte à apprécier les charmes d'un XIIIᵉ siècle qui remplit les estomacs et voit se diversifier les productions.

Hors de mode, le XIIIᵉ siècle est le parent pauvre de la « médiévistique » française. L'intérêt porté dans les dernières décennies aux problèmes économiques ou sociologiques

a tourné les historiens vers la société féodale ou les crises du
XIVᵉ siècle et a donné naissance à une très belle série de mono-
graphies régionales centrées sur l'une ou l'autre de ces deux
périodes. L'histoire du XIIIᵉ siècle manque de ces piliers,
comme un pont suspendu entre les deux siècles qui l'en-
cadrent.

La nature de la documentation explique sans doute en partie cette lacune. Au XIIIᵉ siècle, l'écriture échappe au monopole de l'Église pour devenir l'instrument généralisé de la
gestion administrative ou patrimoniale. Entre les recueils de
chartes constitués par les établissements religieux de la période
antérieure et les registres de chancellerie, de comptes, de déli-
bérations, de notaires de la période suivante, le XIIIᵉ siècle
est une étape incertaine.

Les chroniques contemporaines ou à peine postérieures,
celles de Mathieu Paris, de Joinville, de Guillaume de Nangis ont inspiré aux historiens du XIXᵉ siècle ou du XXᵉ siècle
commençant de beaux récits, comme le volume que Charles-
Victor Langlois a consacré à cette époque dans l'*Histoire de
France* d'Ernest Lavisse, sous le titre *Saint Louis, Philippe
le Bel, les derniers Capétiens directs*.

D'admirables biographies ont été consacrées aux rois de
ce XIIIᵉ siècle. Certaines, anciennes, demeurent d'excellents
instruments comme celle que Charles Petit-Dutaillis a consacrée à Louis VIII. Plus récemment, la vogue des biographies a suscité d'autres synthèses : notamment un splendide
Philippe le Bel de Jean Favier, dont le succès a sans doute
joué un rôle dans le déclenchement de cette mode. A lui seul
Saint Louis en a inspiré trois, dont l'étude de l'historien américain W. Jordan, moins connue en France que celles de
Gérard Sivery et de Jean Richard. L'étude de John Baldwin
sur le règne de Philippe Auguste est plus qu'une biographie :
il faudrait bien que le public français puisse en disposer aussi
dans sa langue. On me pardonnera donc que la biographie
des rois me retienne assez peu.   .

Le XIIIᵉ siècle a également inspiré une étude de synthèse
à Marie-Thérèse Lorcin où les analyses économiques et sociales, jusqu'alors dispersées, ont été regroupées et exposées avec
une clarté et une concision remarquables. Sans avoir un objectif chronologique aussi précis, d'autres ouvrages consacrés

à l'histoire de la France rurale, urbaine ou religieuse ont mis à la portée des lecteurs les résultats des récentes recherches historiques. Plus récemment encore, Jacques Le Goff livrait ses réflexions sur l'histoire des structures politiques dans un volume d'une *Histoire de France*, consacré à l'État et aux pouvoirs.

J'ai donc essayé de mettre d'autres accents à ce XIIIe siècle. Deux essentiellement. L'un sans doute inspiré par mon intérêt pour l'histoire du Midi et par mon expérience d'enseignement. Celle-ci me montre l'ignorance où sont en général les étudiants des différences régionales. Il m'a donc semblé utile d'insister sur la variété des situations géographiques au XIIIe siècle.

Ce parti pris permet, sinon d'éviter, du moins d'amoindrir la difficulté d'écrire une histoire de la France médiévale. Quelle France? La France actuelle ou le royaume du XIIIe siècle, plus occidental et plus septentrional? A dire vrai, l'une ou l'autre suivant les cas.

Étudier certains phénomènes économiques et surtout intellectuels dans le cadre politique, peu contraignant, du royaume de France risque de fausser les perspectives, qui sont plus européennes que françaises. Diversités régionales au sein d'une évolution européenne : tel est mon propos. Sans doute n'ai-je pas choisi cette orientation sans un objectif très actuel : montrer, au seuil des réorganisations politiques qui devraient affecter l'Europe dans les années à venir, la part de la contingence dans la constitution de la France et de ses frontières.

Ces diversités régionales, loin de s'atténuer, se sont d'abord accentuées dans l'enrichissement économique et culturel que l'Europe occidentale a connu depuis le XIe siècle et même auparavant. Les possibilités nouvelles ont d'abord fait diverger les manières de construire, de se vêtir, de s'alimenter, de s'exprimer. C'est là que le premier axe de ce livre, celui des diversités régionales, rejoint le second, celui des transformations des comportements et des structures mentales. Le XIIIe siècle me paraît être une période où se transforment les modes de consommation et de communication.

Ces évolutions sont suffisamment lentes pour être étudiées dans le cadre global des années 1200-1330. D'autres, au rythme plus rapide, demandent à être fragmentées. Celui des fluctuations économiques en premier lieu, mais aussi celui des inflexions de la politique. D'où le récit de ces événements en deux parties, de part et d'autre d'une génération charnière qui occupe la fin du XIIIᵉ siècle. Les équilibres qui caractérisent le «siècle de Saint Louis» sont alors remis en question. Dans un cadre territorial de plus en plus ferme, l'État se fait plus pressant. Une France centralisée et parisienne naît d'une juxtaposition de régions, pour le meilleur et pour le pire.

Ce siècle est aujourd'hui considéré comme moins simple et prospère qu'on ne l'a cru et écrit jadis. Retournement précoce de la conjoncture ou crises inhérentes à l'ouverture d'une économie de marché? La situation économique et sociale du royaume mérite de retenir l'attention de part et d'autre de l'année 1300.

Pour décrire le XIIIᵉ siècle français, il m'a fallu sortir de mon champ habituel d'études. J'ai mesuré combien les avances récentes dans les domaines de l'histoire religieuse et intellectuelle, et même dans celui de l'archéologie, qui m'est plus proche, m'étaient peu familières. J'ai beaucoup appris de mes conversations avec Nicole Bériou, Christiane Deluz, Henri Galinié et Max Lejbowicz. J'espère ne pas avoir trahi leur pensée et les remercie de leur patience amicale. J'associe à ces remerciements mes étudiants : c'est devant eux que j'ai commencé à réfléchir au contenu de ce livre. Merci, aussi, à Agnès de son jeune savoir économique et sociologique, auquel j'ai eu le plaisir de confronter mes hésitations.

Au terme de ce travail, j'aimerais évidemment revenir sur certains choix, récrire certains passages. Mais je ne satisferais ainsi ni l'éditeur ni Juliette qui en attend avec impatience l'achèvement. C'est à elle que je le dédie.

1

Une diffusion nouvelle pour de nouveaux objets

Montaillou n'est pas un village bien doté par la nature : une moyenne montagne ariégeoise ne prédispose pas aux grasses récoltes. Au seuil du XIVᵉ siècle, on s'y nourrit convenablement, de mouton et plus souvent de porc fumé, de laitages, surtout, sous forme de fromage, de fèves, qui apportent les protéines en quantité raisonnable. La soupe aux choux ou aux poireaux avec du lard et du pain est l'ordinaire, et le pain de froment n'est pas si rare. Sans compter les appoints, importants, de la cueillette des noix, des champignons, du ramassage des escargots ou de la pêche aux truites.

Dans les milieux aisés des villes et assez généralement à la campagne, la fouille des dépotoirs révèle une consommation de viande non négligeable qui ne cesse de s'accroître depuis le début du XIIIᵉ siècle. L'alimentation se fait plus variée, et plus nombreux se font les ustensiles et le mobilier dans son ensemble.

Les textes de diverses natures et de diverses origines, aussi bien que les chantiers de fouilles, nous invitent à considérer le XIIIᵉ siècle, pris dans une large acception, jusqu'avant dans les années 1300, comme un temps où s'accroît ce que nous appelons aujourd'hui la «consommation».

1. Le souci de la nourriture est moins aigu

Le spectre de la disette ne semble plus présent comme par le passé. Le remplacement de la *gula*, la goinfrerie, par l'*ava-*

ritia comme le péché capital par excellence est l'un des signes
du recul de la sous-alimentation.

La littérature confirme cette impression. Les chroniques
d'abord, qui rapportent bien moins de disettes, non seulement
en France, mais dans l'ensemble de l'Europe, qu'aux époques
précédentes. Mais aussi le contenu des œuvres qui n'ont pas
d'intention historiographique, par exemple les fabliaux. Sans
doute n'émanent-ils pas des couches rurales et populaires et
n'en décrivent-ils sans doute pas les inquiétudes ; il reste que
l'atmosphère de cette littérature n'est pas à la pénurie, encore
moins à la disette. La nourriture est objet de plaisir plus qu'une
recherche gloutonne et désespérée, et ce plaisir de la bonne
chère n'est pas le fantasme festif d'une société affamée.

Enfin, les sources de la pratique, les archives des princes,
des monastères ou des villes ne racontent pas souvent au XIIIᵉ
siècle la nécessité d'importer de grandes quantités de grains
pour résoudre une pénurie aiguë et soudaine.

Il restera aux études futures d'ostéologie à vérifier si les
squelettes des tombes du XIIIᵉ siècle révèlent une amélioration sensible de la calcification et une diminution manifeste
du rachitisme et de la sous-alimentation.

Les disparités sociales doivent cependant être prises en
compte. Les institutions caritatives se multiplient au XIIIᵉ siècle : faut-il conclure à une paupérisation d'une part de la
population ? L'argument est à peser : leur accroissement
relève peut-être d'une attention plus marquée aux pauvres,
dont la situation apparaîtrait dans l'enrichissement global
comme plus insupportable que par le passé.

Il ne faut pas oublier non plus les inégalités régionales que
l'économie moderne a tant gommées. Ni l'évolution chronologique entre les années 1200 et les années 1340. Mais, globalement, beaucoup d'indices, et dans divers domaines,
laissent penser que le XIIIᵉ siècle a apporté à la majorité une
vie plus facile.

Les nouveaux produits de consommation.

Une part croissante de la population consacre à des dépenses non alimentaires des sommes d'argent également crois-

santes. Les progrès — si l'on veut bien considérer comme un progrès toute évolution rapprochant la vie quotidienne de nos standards de confort — ne sont pas propres au XIIIᵉ siècle. Ils se situent dans une périodisation très longue, pour une part prolongent les transformations du siècle précédent, pour une autre part apportent, notamment à la fin du siècle, des éléments tout à fait nouveaux. Les chantiers français consacrés au XIIIᵉ siècle sont encore trop peu nombreux pour qu'il soit facile d'échapper aux singularités des sites fouillés et à leur rythme propre de développement et d'enrichissement.

Prendre la mesure de ces progrès, de leurs limites, de leurs décalages est l'un des moyens d'aborder l'apport du XIIIᵉ siècle à la construction de la civilisation occidentale. L'habitat, gros œuvre et mobilier, est un champ d'observation essentiel.

2. Les progrès de l'architecture privée

Le dossier exceptionnel que constituent les enquêtes de l'inquisiteur Jacques Fournier, tel que l'a analysé E. Le Roy Ladurie, constitue à première vue un témoignage accablant. Des toits de chaume si peu solides qu'il suffit d'en soulever un pan pour observer l'intérieur de la maison ; un matériel culinaire insuffisant, qu'on se prête d'une maison à l'autre ; l'absence d'eau dans le village (les femmes font la corvée d'eau, cruche sur la tête), les poux, les vêtements achetés à la fripe et rares : le tableau n'est pas brillant. Pourtant, remis en perspective, il comporte déjà bien des progrès que confirment les fouilles, ici et là, et notamment celles du village provençal de Rougiers.

1. *L'architecture de la maison.*

Non pas dans la taille des maisons, dont l'emprise au sol ne se modifie pas substantiellement, mais dans l'organisation de l'espace. Chaque famille semble en effet disposer, du moins dans les villages méridionaux, d'un espace plus restreint : la division de l'héritage foncier se traduit dans la manière d'habiter. On découpe dans l'espace originel : chaque nouveau ménage, dans sa propre demeure, voisine donc avec celui de frères et de cousins, du moins si la maison originelle était assez vaste pour permettre cette subdivision de l'espace. Cette pratique n'est pas seulement contrainte démographique et financière, mais aussi choix de demeurer, séparément, côte à côte, dans l'ancienne maison familiale. Dans ces pays méridionaux, où les bêtes sont à l'écart, l'ampleur de l'habitat n'est pas déterminée par des impératifs économiques : le voisinage est plus important.

Dans des régions plus septentrionales, où se développent des formes d'habitat dispersé, le point de vue est autre ; la dimension de la maison et surtout des bâtiments d'exploitation y est au contraire essentielle. On voit s'y développer, surtout à la fin de la période, comme dans l'Angleterre de la même époque, le type de la ferme à cour carrée, promise à un grand avenir à l'époque moderne. Sans doute s'élabore-t-elle sur le modèle des granges monastiques, non sans emprunter peut-être aussi certains traits à la maison forte aristocratique.

Partout, le nombre de pièces augmente. Les maisons de paysans de Montaillou comptent, à côté de la pièce à vivre, qui est aussi la cuisine, la *foganha,* une ou plusieurs chambres. Et cette transformation, qui sépare le coucher des autres activités et commence même à couper la famille en plusieurs cellules — une chambre pour chacune d'entre elles —, est un indice fondamental des progrès de la vie privée, de l'intimité. Ce que le XIIe siècle avait apporté chez les châtelains d'Ardres apparaît timidement dans les milieux paysans du siècle suivant.

2. L'apparition de styles régionaux.

Dans le Midi, où l'espace est compté, l'extension se fait verticalement. Les maisons languedociennes ont une cave, le *sotoul*, et un étage. Ce qui était réservé au siècle précédent aux chevaliers s'est répandu, même si cet étage reste souvent le signe d'une certaine réussite économique. Une élévation qui n'apporte pourtant pas de techniques architecturales bien nouvelles : les maisons de Rougiers conservent à travers le XIIIe siècle les mêmes techniques de construction. La liaison avec l'étage y est maladroite, parfois une simple utilisation de la déclivité du site, par l'extérieur. En Ardèche, la pièce à vivre est déjà à l'étage, tandis que le rez-de-chaussée est occupé par une vaste pièce voûtée qui sert de cellier, d'étable et de boutique. Le type de ce qui va devenir la maison vigneronne de la France moderne est plus qu'esquissé.

Si le Midi élabore assez précocement la maison à étage, voire ce qui sera la maison vigneronne typique, la Bourgogne est alors fidèle à une extension horizontale : à Dracy, la pièce à vivre est en façade au rez-de-chaussée, ouvrant sur une pièce réservée à la vaisselle vinaire, et la réserve de grains au demi-étage sous le toit sert peut-être aussi de chambre. A des rythmes divers, c'est la lente élaboration de styles régionaux qui apparaît au cours du XIIIe siècle, et c'est là une nouveauté qui rompt avec l'uniformité des périodes passées.

Les procédés de construction révèlent ce compartimentage du royaume, trace des recherches de maçons locaux. Dans le Nord domine la maison à pans de bois, comme au logis seigneurial d'Hordain. Dans le Toulousain, aussi. Mais, sur les bords de la Méditerranée, la construction de pierre l'emporte pour les maisons, tandis que les annexes sont encore en pisé ou en bois à Montaillou. En l'absence de données antérieures, on ne peut pas dire s'il s'agit d'un progrès, analogue à ce que représente l'introduction de la pierre dans l'architecture des maisons de paysans anglais aisés à cette époque.

3. *Le passage à une construction de qualité.*

La couverture, en tout cas, progresse. Le Midi reste fidèle à la tuile ronde, largement répandue, comme en témoignent les fours tuiliers que possèdent la plupart des communautés villageoises méridionales au XIVe siècle. Dans le Nord se répand peu à peu la tuile à crochets, amenée à remplacer les toits de chaume, moins durables.

Progrès de la toiture, progrès du charpentage. La maison rurale n'est plus la «maison pour rien» des époques antérieures. Elle fait appel à des artisans spécialisés. Pour les réparations nécessaires, le curé d'un petit village de l'Aude fait appel à un maître maçon et à un maître menuisier locaux, entourés de manœuvres, hommes et femmes. Il les paie, le maître deux fois mieux que le manœuvre, mais celui-ci moins que l'ouvrier agricole. Il n'empêche : la construction fait désormais appel à des techniciens et elle se paie. Les belles caves de pierre qui apparaissent à Saint-Denis à partir du milieu du XIIIe siècle en sont un autre témoignage.

4. *Maisons des villes, maisons des champs.*

Différenciation régionale de cette nouvelle architecture rurale, mais, surtout, différenciation sociale. Les châteaux connaissent les premiers soins de décoration, mais les différences demeurent très faibles dans le monde rural : en Bourgogne, la grange seigneuriale du Mont et les maisons paysannes de Dracy ont les mêmes sols de terre, la même absence de cheminée, la même rareté des fenêtres.

En revanche, la modernité renouvelle les constructions urbaines de qualité. La maison du riche citadin s'ouvre sur l'extérieur par des baies multiples, mais encore réparties sur la façade sans souci de régularité, au gré de la disposition intérieure des pièces. Les premières loggias, qu'on peut clore par des volets de bois, datent de cette époque. Un nouveau style naît.

La maison urbaine se signale aussi par son confort. Les premiers carrelages font leur apparition à la ville. Les beaux carreaux émaillés restent, au début du XIVe siècle, l'apanage des châteaux et des monastères, voire des livrées cardinalices d'Avignon ; mais, à Nice, une maison de la première moitié du XIVe siècle montre un sol de brique, au rez-de-chaussée et à l'étage.

Le chauffage est rare dans la maison rurale : le foyer central, à même le sol, est encore la règle à la campagne, où les chambres ne sont pas chauffées. A Dracy, il y avait, peut-être, une maison pourvue d'une cheminée murale : le royaume de France manifeste à cet égard un retard certain sur les pays germaniques. Mais la fin du XIIIe siècle voit se répandre dans les villes de l'Est (de la France actuelle) les premiers poêles.

Un certain souci d'hygiène est aussi plus urbain que rural : il faut dire que le problème se pose intensément dans la promiscuité des villes qui se peuplent rapidement. Les latrines existent dans les châteaux, ou au fond du jardin du presbytère de tel village languedocien, au début du XIVe siècle. Mais c'est en ville seulement que l'organisation des dépotoirs semble répondre à un plan concerté. La décision, prise par Philippe Auguste, de paver certaines rues de Paris est célèbre ; mais bien des conseils municipaux manifestent le souci de la voirie et décident, malgré le coût de l'opération, de paver certaines rues. A Poitiers, une carrière spéciale y pourvoyait. Dans la plupart des villes du Midi, les autorités locales se préoccupaient de la propreté de la ville : une police communale devait y veiller et les amendes punir les contrevenants. Mais quelle efficacité réelle à ces règlements ? Les bonnes intentions des édiles renvoient, en négatif, aux comportements «décontractés» de la plupart des habitants, qui n'ont pas encore une vieille habitude de la vie urbaine.

Enfin, le milieu urbain rend plus urgent le problème de l'approvisionnement en eau et du creusement des puits. Non pour l'eau potable, car partout on se méfie de tout ce qui n'est pas eau de source. Le quartier de la Petite France, à Strasbourg, s'équipe en puits, hors les murs, dans le courant du XIIIe siècle, et le réseau y atteint une grande densité.

Le XIIIe siècle apporte donc une série de modifications de l'architecture ou de l'équipement des maisons, et c'est au milieu du siècle que semble se marquer une accélération de ces améliorations, qui vont toutes dans le sens d'une complexité plus grande et plus coûteuse.

3. Le goût des objets

1. Les nouvelles couleurs de la céramique.

L'équipement mobilier semble suivre un rythme voisin, dans tous les domaines, de la céramique au verre en passant par le travail des métaux.

Même si l'analyse des céramiques retrouvées dans les dépotoirs parisiens révèle la lenteur de l'évolution des formes et la faible créativité des potiers parisiens, il n'est pas indifférent que ce soit à la fin du XIIIe siècle qu'apparaissent les premiers grès en Normandie ou en Beauvaisis. Le perfectionnement des fours n'est pas en cause : les fours qui permettent de dépasser les 1 300 degrés nécessaires à la cuisson des grès sont connus dès le XIe siècle dans les pays rhénans et au début du XIIIe en Normandie. La fabrication nouvelle des grès répond surtout à la demande nouvelle des couches urbaines d'une vaisselle de table, pour laquelle on apprécie dureté et imperméabilité. De cette modernité urbaine la répartition des céramiques est un signe : alors que les campagnes du Bassin parisien n'ont encore guère que de la poterie grise, traditionnelle, au milieu du XIIIe siècle, en ville, les nouvelles céramiques rouges et grésées l'emportent de plus en plus nettement. Les productions des ateliers de Saint-Denis répondent à cette mode nouvelle.

L'évolution majeure est là : on utilise désormais, à côté d'une vaisselle culinaire dont les formes ne cessent d'ailleurs de se spécialiser et de se différencier, une vaisselle de table nouvelle et spécifique. Cette vaisselle manifeste l'avènement d'un souci décoratif affirmé. Sur les tables des maisons urbaines, les pichets de couleur vive résistent, par leur gaieté, à l'invasion des grès.

Cette vaisselle de table, on la fait parfois venir de loin. Dans le village provençal de Rougiers, la pâte claire vernissée qui s'introduit à partir de 1230 vient encore d'ateliers provençaux ou ligures. A partir de 1300, des céramiques de Barcelone, de Valence, de Malaga, de Pise et du Maghreb font leur apparition, avec leur profusion de décors bleus et lustrés.

2. Verres et clefs : la vulgarisation du luxe.

Au cours du XIIIᵉ siècle se généralise aussi l'usage du gobelet de verre et la mode du verre bleu. La multiplication des verreries, dont le village de Rougiers est lui-même un exemple, est attestée partout en Provence à la fin du XIIIᵉ siècle.

Les chandeliers se font plus fréquents, et les lanternes de fer ou de cuivre, qui étaient un luxe au début du siècle, se vulgarisent vers 1250.

Cette rapide « démocratisation » de pièces jusqu'alors luxueuses en modifie les caractères. Les boucles de ceinture, qui étaient, au début du siècle, rares et précieuses, se sont généralisées sous des formes plus communes et moins fines. Et le travail de l'os ou du bois tourné est désormais d'une facture plus sommaire. L'ornementation soignée est désormais réservée aux objets d'ivoire décoratifs ou religieux, que le site de Rougiers a livrés en une quantité surprenante pour le début du XIVᵉ siècle. Ces objets ne manifestent pas de perfectionnement technique : dès le début du siècle, les artisans révèlent une excellente maîtrise de leur travail. C'est la multiplication des objets qui constitue la nouvelle donne.

Cette multiplication, on la retrouve dans le nombre des clefs que livre un site comme Dracy. Des clefs toujours plus nombreuses, mais aussi plus perfectionnées. Après avoir inventé la serrure, on apprend, au XIVᵉ siècle, à fabriquer une clef que l'on peut retirer des deux côtés de la porte et aussi bien en position ouverte que fermée.

L'histoire du site de Rougiers incite à première vue à la prudence, car, après un déclin à la fin du XIIIᵉ siècle, ce village perché retrouve un dynamisme nouveau par l'installation d'une population de verriers au cours du XIVᵉ. Leurs habitudes et leurs goûts, ouverts sur un monde assez lointain, ne sont sans doute pas représentatifs du milieu paysan. Pourtant, cette installation d'un artisanat de qualité ne doit-elle pas être retenue pour plus exemplaire qu'on ne pourrait

le penser de prime abord? N'est-ce pas une évolution assez
commune? Il y a peut-être quelque artifice à vouloir n'observer à la campagne que le sort des populations aux activités
strictement rurales, en méconnaissant le renouvellement
qu'apportent au milieu villageois des activités nouvelles.

3. La civilisation de l'objet : signes et formes de la croissance.

Comme le note G. Démians d'Archimbaud, l'« abondante
moisson de données matérielles », « surprenantes par leur
abondance et leur luxe », à Rougiers mais aussi sur la plupart des sites du XIIIe siècle et du début du XIVe, doit être
analysée « en termes de progrès et de croissance ». Précisons-
en les formes et les limites. Il est bien probable qu'une partie de la population rurale n'en profite guère. En revanche,
la consommation de productions de luxe ne cesse pas, notamment en ville, bien au contraire. Et — c'est là sans doute
l'apport essentiel de l'archéologie — l'usage de produits
jusqu'alors réservés aux milieux dominants, sous des formes
désormais moins précieuses, révèle une amélioration du
niveau de vie de la majorité des habitants du royaume. Les
biens matériels sont à coup sûr plus répandus au milieu du
XIIIe siècle que vers 1200, mais aussi plus répandus vers 1330
que vers 1250.

Pas de découverte révolutionnaire dans les techniques de
production de ces objets, mais plutôt une manière à la fois
rationnelle et adaptée au marché d'utiliser toutes les possibilités offertes par les fours de potiers ou de verriers. Cette
démarche permet à la fois le perfectionnement des produits
et la fabrication en plus grande série. Néanmoins, c'est surtout par la multiplication des ateliers et des artisans que passe
l'accroissement de la production.

4. Rationaliser et spécialiser pour produire plus.

L'étude de l'habitat et de l'équipement domestique présente
un immense avantage : il ne dépend pas de la multiplication

des actes écrits. Le phénomène mesuré est indépendant de l'instrument de mesure. Mais il est bien évident que l'on retrouverait les mêmes caractéristiques de production et de consommation pour la plupart des objets de la vie quotidienne.

Par exemple pour les produits textiles. L'activité drapante se manifeste dans un nombre croissant de régions au cours du XIIIᵉ siècle, gagnant vers la Seine à partir des régions septentrionales, s'installant en Normandie, se développant rapidement en Languedoc; présente, finalement, dans les dernières années du XIIIᵉ siècle et le début du XIVᵉ dans la plupart des centres urbains. Mais aussi dans les campagnes; elle s'y est probablement implantée à un rythme peu différent des villes, mais l'abondance des textes et la conjoncture la font sortir de l'ombre à la fin du siècle, lorsque la production rurale est placée en concurrence des ateliers urbains.

Généralisée, mais souvent de moindre qualité. Les nouveaux centres ne se spécialisent guère alors dans la grande draperie. L'exemple de Reims est tout à fait éclairant : lorsque la ville doit trouver un complément à une industrie des toiles qui décline, c'est vers la fabrication des serges ou des draps de seconde qualité, destinés à l'ameublement, qu'elle se tourne.

5. Produire plus vite.

Pour cette production de quantité, on travaille plus vite. Le cardage remplace le peignage. Entre les deux planches garnies de chardons, puis de clous en quinconce, la carderesse brise les bourres de la laine et trie les déchets plus vite que la peigneresse. Même rapidité pour le filage au rouet, dont les premières mentions remontent à la fin du XIIIᵉ siècle. Ou encore pour le moulin à foulon, qui est connu depuis le XIᵉ siècle, et dont l'expansion remonte à la seconde moitié du XIIᵉ siècle, aussi bien autour de Beauvais, que de Chalon ou de Reims. Mais c'est à partir du XIIIᵉ que leurs mentions se font courantes.

Toutes ces techniques, même si le rouet, encore peu perfectionné alors, file moins bien la laine que la quenouille, sont

des rationalisations de la production. Cet effort de rationalisation est présent dans tous les domaines.

Ainsi en va-t-il aussi dans la taille de la pierre : on y a montré les progrès que représente à partir de 1200 l'élaboration
du «patron individuel» qui définit le plan de chaque pierre
à partir d'un profil et permet la préfabrication en série de
pierres moulurées identiques. L'emploi croissant du métal
dans l'industrie du bâtiment, à partir de 1235-1240, tient en
partie à cette nouvelle pratique. Le dessin architectural exact,
comportant non seulement les formes mais aussi les hauteurs
des assises, s'introduit dans la France du Nord, peut-être dès
1220 à la cathédrale d'Amiens, et appartient à ce même effort
de modernisation. Puis la pratique du patron individuel se
perd. Régression ? La pratique du plan à échelle et du plan
d'assises le rend désormais superflu : chaque assise est numé-
rotée en référence à un plan sur parchemin, et c'est désormais la tâche d'un nouveau métier, celui de l'appareilleur,
qui apparaît dans les documents à la fin du XIIIᵉ siècle, que
d'assembler au mieux les pierres disponibles.

6. Des réactions hostiles.

Cette rationalisation de la production se heurta à bien des
réactions hostiles, dont la justification exprimée n'est pas,
comme plus tard à l'époque du métier Jacquard, la crainte
des ouvriers de perdre leur travail. Mais la méfiance devant
la machine. La peigneresse savait, pensait-on, mesurer la
force de sa traction à la nécessité et éviter de casser les fibres.
Le foulage au pilon de bois donnait un travail moins précis
que le foulage humain au pied, qu'un long apprentissage permettait de contrôler parfaitement. La méfiance semble avoir
été surtout le fait des autorités des métiers urbains. Ainsi,
la grande ville refuse, au moins temporairement, certains
aspects d'une modernité dont elle est par ailleurs le centre
de diffusion. Dialectique du rationnel et de l'irrationnel, dont
nous trouverons dans les chapitres suivants bien des exemples.

2

La parole et l'écriture :
nouvelles formes de diffusion
pour une nouvelle culture

Les objets plus nombreux et venus d'horizons plus lointains qui s'achètent dans la France du XIIIᵉ siècle révèlent une circulation plus intense. L'élite de la société est mobile depuis longtemps ; mais la vulgarisation de la circulation participe de l'enrichissement du XIIIᵉ siècle. La vitesse des transports et leur capacité ont profité de nombreux aménagements des décennies précédentes. A l'époque de Saint Louis, on voyage à peu près aussi vite qu'au XVIIIᵉ siècle.

Cette communication des choses et des hommes n'est pas seulement matérielle. Elle est aussi transmission d'idées, de connaissances, par le signe iconographique, la parole et l'écriture, instrument de libertés et de contraintes. Dans la France du XIIIᵉ siècle se diffuse plus largement une culture réservée au XIIᵉ siècle à une infime minorité. Le phénomène est analogue, même s'il est moins vaste, à la multiplication des pichets, des pots et des gobelets de verre.

La notion de communication est évidemment plus large que celle de transmission des connaissances du savant vers son public et du puissant vers ses sujets. Elle couvre aussi l'expression des relations entre les individus et les groupes sociaux. Mais ce domaine est l'un des plus mal servis par notre documentation.

La communication entre les individus et les groupes reste certainement l'une des difficultés de la société du XIIIᵉ siècle. Les mentions de violences individuelles et de rixes collectives le montrent assez et leur accroissement à la fin du siècle souligne les limites du progrès dans ce domaine.

1. Formes et intensités nouvelles de la communication

Privée et écrite à la fois, la communication prend la forme de la lettre. Elle n'est nullement caractéristique du XIIIe siècle ; les échanges de correspondance entre ecclésiastiques sont là pour le montrer. Et elle demeure probablement très rare. Pourtant, le roman du XIIIe siècle en fait une médiation de plus en plus fréquente entre les amants. Sceaux violés, lettres substituées deviennent des ressorts dramatiques : fantasme littéraire peut-être. Mais Saint Louis n'a-t-il pas écrit, de sa main, à son fils aîné et à sa fille Isabelle de Navarre ses enseignements, porteurs d'une tradition royale qu'il voulait leur confier sur la fin de sa vie ?

L'échange de paroles entre les individus a-t-il pareillement progressé, et dans des tranches plus larges de la société ? La pratique recommandée de la confession a-t-elle été un modèle d'explicitation du comportement ? On peut en douter, tant elle a dû prendre la forme d'un rapport hiérarchique et d'une orthodoxie hégémonique.

1. Bavardages et conversations.

Les récits des accusés et des témoins de Montaillou révèlent le rôle des conversations dans la société des campagnes méridionales. Les veillées autour du feu dans la cuisine, d'où sont exclus les enfants déjà couchés, y sont fréquentes. On y boit un peu, mais sans excès. Plus que l'échange d'idées, on y goûte le talent du conteur. Les enquêtes des juridictions civiles contemporaines montrent bien l'inégale capacité à s'exprimer. Aux uns, notables surtout, l'aisance ; aux autres, une parole contrainte, voire inhibée. Sans doute en va-t-il de même sur la place où s'exerce l'essentiel de la sociabilité masculine. Plus libres semblent les bavardages des femmes, au moulin ou à la corvée d'eau ; ou des vieilles, qui s'épouillent au soleil d'hiver devant leur maison. Elles expriment toutes la même curiosité, faite en partie d'espionnage, mais surtout d'une circulation intense de l'information. Confidences ou conversations collectives, la parole est au cœur des relations interindividuelles, tout particulièrement des femmes.

Toutes ces conversations ne sont pas futiles ou oiseuses. D'où leur intérêt pour l'inquisiteur. Comme le note E. Le Roy Ladurie, la conversation « peut débuter au ras du sol pour s'élargir ensuite jusqu'aux grands problèmes de la philosophie et de la religion ». Ainsi, raconte tel villageois, plusieurs hommes blaguaient avec une femme, devant sa porte, sur la place du village et tout à coup, en regardant ses mains, l'un dit : «Ressusciterons-nous avec ces chairs et ces os? Allons donc. Moi, je n'y crois pas. » L'obsession de l'au-delà, du salut, alimentée sans doute par la prédication cathare, donne à certaines conversations le tour d'un débat sérieux. Est-il légitime d'étendre cette impression à d'autres contrées, au milieu urbain et à tout le XIIIᵉ siècle?

2. *Littérature et propagande.*

Plus que les échanges privés, que ni les documents ni les études n'éclairent encore bien, c'est la transmission collective de l'information qui a connu au XIIIᵉ siècle une accélération essentielle. La littérature en est l'une des formes. Longtemps, les historiens de la littérature française, fascinés par l'explosion des œuvres en langue vernaculaire au XIIᵉ siècle, ont donné du XIIIᵉ siècle une image peu flatteuse. Il est vrai que passé les années 1230, marquées par l'apparition des grands cycles romanesques (Lancelot-Graal, Tristan, Guiron le Courtois, et enfin le roman du Graal), la création romanesque marque le pas et le lyrisme courtois s'essouffle aussi. Mais, à supposer que l'inventivité littéraire retombe, il ne faut pas oublier que les œuvres du XIIᵉ siècle nous sont parvenues dans des manuscrits du XIIIᵉ; preuve que leur diffusion, du moins leur diffusion écrite, s'est intensifiée après 1200.

Quantité nouvelle, mais genres nouveaux aussi : le XIIIᵉ siècle voit s'élaborer d'autres formes littéraires.

3. Le discours moralisant.

La littérature allégorique commence à fleurir dans la première génération du XIIIe siècle. Elle acquiert rapidement le répertoire et les techniques qui vont être utilisés constamment aux deux siècles suivants, où l'allégorie devient une habitude de pensée et de langage. Longtemps dépréciée par la critique littéraire, très éloignée des goûts des générations qui nous ont précédés, elle reste difficile à lire et à interpréter. Retenons-en pour l'instant ce qu'en disait, au XIIe siècle, Alain de Lille : qu'elle réunissait plaisir et utilité, agrément et instruction[1].

Voici le maître mot : la volonté d'enseigner. Au XIIIe siècle, la chanson de geste elle-même est enseignement moral. Un théologien parisien de la fin du siècle en disait : « Il faut faire entendre ce genre de chanson aux personnes âgées, aux travailleurs et aux gens de condition modeste pendant qu'ils se reposent de leur labeur, afin qu'en apprenant les misères et les calamités des autres ils supportent plus facilement les leurs et que chacun reprenne avec plus d'ardeur son propre ouvrage. Par là ce chant sert à la conservation de la cité tout entière. » La littérature didactique et morale manifeste ainsi, avec plus ou moins de réussite, les soucis artistiques et pédagogiques.

4. Irruption de l'actualité.

Même des formes lyriques assez neuves, comme les vers de la mort et les congés appartiennent à cette veine de la rhétorique moralisante. Mais ils appartiennent aussi à un genre, très en vogue au XIIIe siècle, la poésie satirique. Dans la seconde moitié du siècle, cette satire, illustrée notamment par un Rutebeuf ou un Adam de la Halle, quitte la critique, somme toute assez conformiste, par laquelle elle dénonçait les divers « états du monde ». Bien sûr, quelques thèmes traversent les périodes : ni l'anticléricalisme, ni l'antiféminisme,

1. Daniel Poirion (111), p. 270.

ni la critique des «novelletés» ne sont des thèmes propres
au XIIIᵉ siècle. Mais d'autres sont plus nouveaux : le médecin qui ne vend que des remèdes de bonne femme ou l'homme
de loi cupide ; surtout, l'actualité envahit la poésie. Ce sont
ses contemporains arrageois qu'Adam de la Halle flétrit
quand il en prend congé : les allusions à tel ou tel se compre-
naient parfaitement à l'époque. Plus encore, les querelles universitaires, entre mendiants et séculiers, ont fourni la matière
de tout un ensemble de satires entre 1250 et 1270 : la tradition de la satire politique était née.

Sous ces deux aspects, pédagogie moralisante et satire de
l'actualité, l'évolution de la littérature révèle à quel point
l'Église pèse sur la création littéraire du XIIIᵉ siècle. Une
bonne part de l'invention laïque du siècle précédent est soumise par l'Église, intellectuellement triomphante, à un travail de synthèse critique.

2. La vigueur nouvelle de la prédication

L'Église et, dans une moindre mesure, la royauté procèdent à l'utilisation systématique et consciente des moyens de
communication culturelle et les perfectionne : c'est là l'une
des nouveautés du XIIIᵉ siècle. Le phénomène n'est pas exclusivement français, mais le rayonnement de l'université de
Paris contribue à lui donner une intensité particulière dans
le royaume.

L'instrument iconographique continue à être utilisé. Les
cathédrales qui s'élèvent, certaines très vite, au cœur des cités,
avec leurs vitraux et les sculptures des portails, les églises qui
sont reconstruites, agrandies, décorées contribuent à diffuser plus abondamment une pédagogie par l'image. Certains
l'expriment explicitement, comme ce dominicain disant aux
fidèles venus l'écouter que les images peintes sur les murs des
églises sont pour eux ce que les livres sont pour les clercs.

Pourtant, ce n'est sans doute pas dans les bâtiments ecclésiastiques qu'il faut chercher les formes nouvelles de transmission de la culture religieuse, spécifiques du XIIIᵉ siècle.

Par-delà les modifications des thèmes du programme iconographique et de la stylistique, le décor sculpté et peint reste fidèle au système de symboles des générations précédentes.

La nouveauté est ailleurs. D'abord, dans l'importance de la parole publique. Nous retrouverons dans un chapitre ultérieur ce sens de la propagande que manifeste le pouvoir royal au temps de Philippe le Bel, bien que le détail de ses chemins nous reste mal connu.

La prédication ecclésiastique prend une ampleur et une efficacité nouvelles : le XIIIe siècle la voit sortir des cloîtres, bien plus et bien mieux qu'au siècle précédent. La pression est en grande partie venue de la nécessité de combattre les hérétiques qui s'étaient saisis eux-mêmes de la parole et avaient par cette méthode abondamment répandu leur message religieux. Sans doute en usant d'une forme attrayante, spectaculaire peut-être, que les prédicateurs orthodoxes leur reprochent encore au XIIIe siècle, en l'accusant de gesticulations de jongleurs. De l'importance de cette parole, à une époque où elle est pourchassée, et où elle se cache dans les demeures des particuliers, les récits des paysans de Montaillou sont l'un des meilleurs exemples.

Instruire pour éviter les déviances : tel est le programme d'une période où la lutte contre l'hérésie passe au premier plan des préoccupations des autorités civiles et religieuses.

1. Les prédicateurs.

La nouvelle prédication de l'Église est pour beaucoup le fait des jeunes ordres mendiants, franciscains et dominicains, dont l'implantation commence dans le Sud du royaume. La révolution que représente dans l'histoire de l'Église la fondation de ces ordres est bien trop profonde et grave pour être assimilée à l'expansion de l'art de prêcher. Mais la conciliation consciente, dans leur vie, entre le siècle et l'ascèse, entre l'instruction de soi-même et l'éducation des autres, est un modèle trop fort pour n'avoir pas joué un rôle fondamental dans l'histoire de la prédication.

La prise de conscience de la nécessité de répandre, par l'action pastorale, le message de l'Église, est loin de se limiter aux nouveaux ordres. Le concile de Latran, en 1215, en est l'évidente manifestation. Dès les premières années du XIIIᵉ siècle, à la suite de Foulques de Neuilly, de nombreux ecclésiastiques s'étaient consacrés à l'activité pastorale. Ils offraient aux foules le spectacle surprenant d'hommes qui les haranguaient correctement vêtus, ni hirsutes ni barbus. Leurs discours montrent que cette vocation reposait sur l'idée de la nécessaire obéissance, à laquelle la prédication doit conduire le fidèle ; mais aussi sur la conscience nouvelle que la perfection spirituelle n'est pas réservée à la caste ecclésiastique et que les laïcs, bien que redoutables, ont des mérites égaux. Les prédicateurs vont donc désormais exercer leur art non seulement en latin pour un public de clercs, mais aussi en langue vulgaire pour les laïcs.

Des centaines de prédicateurs : évêques et cardinaux, chanoines séculiers et réguliers, cisterciens, dominicains et franciscains. Et beaucoup d'anonymes. Tous ont en commun la formation universitaire : la prédication est d'ailleurs au cœur de la formation et de l'activité universitaires. Son expansion est le premier volet de cet âge d'or de l'Université qu'est le XIIIᵉ siècle.

2. L'analyse de la société comme base de l'art de prêcher.

Des centaines de prédicateurs pour des milliers de sermons conservés. Pourtant, cette nouvelle parole de l'Église est difficile à connaître, car elle est un genre qui, par définition, échappe à l'historien : les sermons, nous les connaissons par l'écrit qui en reste, rédigé après coup par le prédicateur lui-même ou par un clerc qui prenait des notes, comme sans doute celui, anonyme, qui courut les églises et les chapelles de Paris pour le compte de Pierre de Limoges, entre octobre 1272 et novembre 1273. Notes prises en latin, sauf pour quelques formules savoureuses dont la traduction immédiate était trop difficile ; sermons réécrits en latin. Cette parole en langue vulgaire, la spontanéité des effets, plus encore la qualité des réactions du public, l'historien ne les saisit qu'à peine.

L'un des traits nouveaux de cette prédication est la recher-

che consciente d'une adaptation à l'auditoire. Un discours
plus savant pour les clercs, un discours plus moral pour les
laïcs. Mais le monde laïc n'est même pas confondu en un
tout : le principe du sermon *ad status*, c'est-à-dire adapté à
chaque « état », repose sur une perception fine des segmen-
tations de la société. Le recueil des sermons de Jacques de
Vitry illustre théoriquement et pratiquement cette conception
pédagogique : il les réunit dans les dernières années de sa vie,
vers 1230-1240, dans une intention propédeutique, pour les
mettre à la portée de clercs manquant d'instruction ou de
bibliothèque. « Il faut, écrit-il dans le prologue, proposer des
choses différentes à des gens différents » ; et parmi ses
soixante-quatorze discours « vulgaires », la moitié est destinée à des laïcs, classés suivant divers critères sociaux. Pauvres, pèlerins, gens mariés, vierges ou veuves : critère
spirituel. Chevaliers, marchands, laboureurs, marins, etc. :
critère socioprofessionnel. Jeunes garçons et adolescents : critère de l'âge. L'analyse s'affine encore, un peu plus tard, chez
Humbert de Romans, qui imagine deux cents auditoires types
différents.

3. *Retenir l'attention du public.*

Pour s'adresser à des laïcs, il faut, sans ostentation inutile, savoir user du geste, de la voix et du choix des mots.
Les prédicateurs du XIIIe siècle l'expriment dans les conseils
qu'ils donnent. Il faut aussi retenir leur attention par le sens
d'une anecdote pourvue de sens, donc convaincante. C'est
l'*exemplum*.

Lancée par les moines cisterciens vers 1220, reprise par les
ordres mendiants, la technique de l'*exemplum* atteint une
maîtrise parfaite avec Étienne de Bourbon et la publication,
au milieu du XIIIe siècle, de son *Traité théologique sur les
dons du Saint-Esprit*, qui en est un immense recueil. Les uns
usent du principe de similitude, comme celui de la cigogne
adultère mise à mort par les autres cigognes, d'où il est aisé
de tirer une règle de comportement pour l'espèce humaine.
D'autres ont valeur de généralisation : un personnage, soumis à la tentation, réagit bien et est récompensé ou inverse-

ment. Une bonne partie de l'inspiration des fables de La Fontaine s'y trouve déjà : aussi bien la grenouille qui veut se faire ausi grosse que le bœuf que le rat de ville et le rat des champs.

A la différence des orateurs antiques, les prédicateurs du XIIIe siècle utilisent l'*exemplum* plutôt à la fin de leur homélie, quand l'attention se fatigue. La rupture de ton, l'introduction du témoignage direct ou indirect du prédicateur, le caractère concret de l'historiette raniment l'intérêt du public.

L'*exemplum* est à la fois, suivant l'expression de J.-Cl. Schmitt, miroir de la culture du peuple et instrument de vulgarisation de la culture de l'Église. Et là est l'essentiel de cette dynamique culturelle introduite par la prédication. Elle est un discours d'autorité, elle est un discours de conviction, mais elle est aussi véhicule d'un savoir et d'une logique.

Charme de la narration, mais aussi apport d'un savoir. Notions d'histoire naturelle empruntée aux bestiaires écrits. Un anonyme normand affirme la rotondité de la terre. L'essentiel est cependant l'interprétation de l'Écriture : la prédication diffuse des bribes de culture scripturaire.

Une certaine éducation du raisonnement passe aussi par la prédication. Si le syllogisme n'est pas absent de la prédication aux laïcs, il n'en est pas la méthode fondamentale. Mais le souci d'une logique du récit est bien réel.

Avec plus de rigueur encore qu'aux siècles précédents, les superstitions sont moquées par ces prédicateurs, forts de leur sens nouveau de la preuve et du vrai. Leurs sermons sont une mine de renseignements sur les pratiques religieuses et les cultes populaires. Mais, sujets de leur ironie, elles leur apparaissent aussi comme dangereuses : transgression d'un ordre sacré. La prédication est la forme « douce » d'une chasse aux superstitions qui s'engage alors. L'un des moyens d'une dynamique culturelle qui allie sens de l'autorité et souci rationnel.

3. Temps d'écriture, temps de lecture

La quantité et l'efficacité des sermons s'accroissent bien sûr grâce au nombre et à la formation des prédicateurs, mais aussi grâce aux nouveaux instruments de travail que le XIIIe siècle met à leur disposition. L'art de la parole, qui s'ouvre sur une «culture de masse», s'appuie sur un développement tout aussi considérable de la culture écrite. Immense, mais réservé à une élite. C'est le second aspect de cet accroissement de la communication : l'invasion de l'écriture, avec ses conséquences qui dépassent très largement le domaine culturel et modifient tout aussi bien certaines formes de la vie économique que certains rapports sociaux et, d'une manière cruciale, les formes du gouvernement.

La progression de l'écrit n'est pas un phénomène nouveau, une rupture, mais le XIIIe siècle apporte plus qu'une inflexion de la courbe : une accélération considérable. Les actes de la chancellerie de Philippe Auguste se comptent par centaines, ceux de Philippe le Bel par milliers. L'écrit est partout, jusque dans les coffres des particuliers. Non seulement on écrit dans toutes les circonstances, mais on conserve les actes écrits. C'est au XIIIe siècle que l'Occident entre dans le temps du livre. Au siècle suivant, l'accélération se poursuit. Un exemple, cité par B. Guenée parmi d'autres, pour lequel le phénomène de mode n'est pas en cause, illustre le fait : il reste aujourd'hui 9 manuscrits des *Faits et Dits mémorables* de Valère-Maxime antérieurs au XIIIe siècle, 14 du XIIIe siècle et 113 du XIVe !

1. L'apparente victoire de l'écrit.

Une modification du rapport de l'oral et de l'écrit s'instaure au même moment, notamment dans le travail des savants. La lecture silencieuse, courante, devient la règle. Au milieu du XIIe siècle, saint Bernard composait en dictant ; un siècle plus tard, Thomas d'Aquin écrivait un brouillon. Le premier citait la Bible de mémoire, le second à partir du texte. La capacité de mémorisation des intellectuels de l'époque n'en demeurait pas moins essentielle à leur fonction : théologiens et juristes devaient pouvoir mobiliser dans le feu de la discussion toutes les références à partir desquelles ils argumentaient.

Les enluminures révèlent cette évolution du travail de l'écrivain. Jusqu'au XIIIe siècle, elles figurent l'auteur en train de dicter ; au cours du XIIIe, la représentation change : l'auteur écrit.

2. Un goût nouveau pour la langue vernaculaire : traduire.

La multiplication de l'écrit sous toutes ses formes n'est sans doute pas sans lien avec un rapport nouveau que l'Occident — le phénomène est loin d'être spécifique du royaume de France — établit entre le latin et la langue vulgaire, tel que l'a analysé S. Lusignan. Bien que le monde savant continue de s'exprimer en latin, des indices montrent que l'apprentissage en est long et difficile : la petite école continue d'utiliser la langue vernaculaire pour une part au moins de son enseignement. Par la suite, les clercs ne cessent pas d'utiliser la langue vulgaire pour certains niveaux de communication et la société savante demeure une société fondamentalement bilingue, voire multilingue. Même s'il n'y a pas encore de grammaire française, une certaine réflexion sur les structures de la langue se fait jour par la nécessité d'enseigner le latin à partir de la langue vulgaire. Enfin, la haute idée qu'ont certains clercs de la langue française — par rapport à d'autres langues ou dialectes — contribue aussi à modifier la relation du clerc et du latin.

La littérature latine, notamment l'inspiration poétique, disparaît dans les premières années du siècle, à l'exception des œuvres liturgiques. Le latin, à la remorque de la langue vernaculaire : il l'était déjà dans les actes de la pratique au XIIe siècle, il le devient même dans nombre d'œuvres savantes. Au moment où, en chiffres absolus, on écrit de plus en plus d'œuvres en latin, paradoxalement, la syntaxe de la phrase latine montre que cette langue professionnelle est contaminée par celle de la phrase française.

Alors, surtout dans la seconde moitié du siècle, un mouvement intense de traduction se dessine. Il correspond à la demande d'un public curieux, cultivé, mais non latiniste. Assez exigeant pour ne plus se satisfaire, notamment pour les œuvres historiques dont il est friand, d'adaptations littéraires. On traduit les œuvres préférées de la littérature latine, comme la *Consolation de la philosophie* de Boèce. Mais aussi des œuvres plus conformes au goût de l'époque, comme le *Secret des secrets*, où, sous une forme encyclopédique, sont juxtaposés des conseils politiques, des considérations sur la santé, un traité de physionomie. Le tout sous une attribution invraisemblable à Aristote ! Peu à peu, la qualité des traductions s'améliore : adaptations d'abord très libres, elles se font de plus en plus fidèles.

3. Lecteurs clercs et laïcs.

Un public multiple et multiforme pour une demande accrue d'ouvrages écrits naît. Par exemple, ces laïcs, nobles et bourgeois du Nord de la France, pour qui Philippe Mousket indiquait vouloir mettre en rimes, vers 1240, l'histoire des rois de France et ceux pour qui Primat, avec l'érudition comme elle se pratiquait à l'abbaye de Saint-Denis, compilait, en 1274, le *Roman des rois*.

Le livre n'est pas totalement absent des campagnes. A Montaillou, le curé Clergue a eu en main un petit livre, que chacun appelle à sa façon : il contenait un mélange de notations calendaires et religieuses, d'origine hérétique. Mais le livre y dispose d'un prestige immense ; sa faveur a rejailli sur les cathares, qui, les premiers, en ont introduit quelques exemplaires. Dans les bourgades de la région, il y a quelques laïcs alphabétisés. Et, à Pamiers, le clerc Arnaud de Vernholes lit Ovide.

Mais le lecteur reste avant tout un clerc ; et, parmi ces clercs, les universitaires, étudiants et professeurs, constituaient une masse toujours plus lourde.

4. Tout apprendre : sommes et encyclopédies.

Tous ces lecteurs ont en commun un immense appétit de savoir. Le XIIIe siècle est le temps des sommes. Les plus célèbres aujourd'hui sont les deux sommes de Thomas d'Aquin, la *Somme contre les gentils* et la *Somme théologique*. Mais il en est bien d'autres, qui, avec plus ou moins d'originalité, reprennent en totalité, sous une forme ramassée, selon l'ordre logique de chaque discipline, l'ensemble des questions agitées lors des enseignements.

La somme est l'un des aspects de ce goût encyclopédique, admiré pour d'autres siècles, souvent méprisé pour le XIIIe auquel son esprit didactique est reproché. La plus célèbre de ces encyclopédies est celle de Vincent de Beauvais, le *Speculum majus*. Ce miroir (*speculum*), où doit figurer tout ce qui est digne de la pensée (*speculatio*) est divisé en quatre parties : naturel, doctrinal, historique et moral (cette dernière n'étant pas de Vincent de Beauvais). L'œuvre est immense, rapportant l'ensemble des connaissances concernant le monde naturel, les sciences et l'histoire. Sollicitant Aristote et Pline, mais aussi expliquant comment construire une étuve et ce que sont les chiffres arabes. Œuvre de commande, elle lui fut demandée par le prieur de son couvent de Paris et nécessita le travail de toute une équipe de dominicains.

Ces encyclopédies sont des compilations, ni plus ni moins que bien des œuvres des siècles antérieurs. L'auteur réunit les travaux précédents qu'il admire, sans y changer un mot, afin que son propre texte jouisse d'autant d'autorité que l'auteur qu'il recopie. La méthode est décriée ; elle est pourtant, comme le montre B. Guenée, une construction où l'auteur manifeste son goût par sa manière de choisir et d'aménager cette « marqueterie » et son esprit critique par certains silences.

Mais l'immensité de l'encyclopédie suscitait aussi son contraire : l'abrégé, pour les laïcs vite las de la lecture et les clercs pressés. Vincent de Beauvais avait été sollicité de préparer un « livre manuel » en un seul volume à partir de son œuvre immense ; il y avait renoncé. Mais, dès 1271, Adam de Clermont rédigeait un abrégé du *Miroir de l'histoire*.

Sous ces deux formes, complète ou abrégée, le livre du XIIIe siècle apporte à ses lecteurs ce qu'il lui demande : une masse de connaissances généralement réfléchies.

5. *Pour une lecture rapide.*

Il fallait désormais copier plus vite des manuscrits plus maniables. Pour les laïcs riches et amateurs d'histoire, la mode était venue d'Angleterre, au milieu du siècle, d'enluminer les manuscrits. Mais la masse de la production de livres est fabriquée aux moindres frais. Pour en faciliter la copie, les ouvrages étaient divisés en cahiers ; plusieurs copistes travaillant chacun sur un cahier pouvaient ainsi copier en même temps à partir d'un exemplaire dont la valeur était dûment confirmée par une commission de docteurs de l'Université. Moins chers sans doute, diffusant un texte exact, mais encore peu nombreux. L'un des plus prestigieux collèges de Paris, celui qu'avait fondé, au milieu du siècle, Robert de Sorbon, n'avait en 1338 que 2 000 livres, dont plus de 300 usuels, attachés chacun par une chaîne : c'était la plus riche bibliothèque de collège, alimentée par un courant continu de donations. Au XIIIᵉ, il n'y avait encore ni bibliothèque d'université ni bibliothèque de collège.

Érudits, les universitaires devaient manipuler un plus grand nombre d'ouvrages de références. Pour faciliter le travail, on élabora des ouvrages spécifiques, comme les *Distinctiones* pour les auteurs de sermons. Inventées à la fin du XIIᵉ siècle, elles se multiplient à la fin du XIIIᵉ. Un certain nombre de mots y sont répertoriés avec les divers sens que lui donne l'exégèse scripturaire. Pour ce type de livres, comme pour d'autres, voisins, on invente alors le classement alphabétique, qui paraît pendant quelques décennies d'un emploi difficile jusqu'à ce qu'il triomphe vers 1275. Ainsi, Vincent de Beauvais conserva un ordre logique mais adjoignit à son *Miroir* une table alphabétique

Il fallait aussi lire vite : la technique de présentation des ouvrages se modifia. On prit l'habitude de partager les œuvres anciennes en chapitres et les chapitres des œuvres modernes en paragraphes, grâce aux pieds de mouche. C'étaient des sortes de C rouges ou bleus, barrés de deux traits, qui apparurent vers 1230 et se généralisèrent vers 1270. Quatre-vingts livres et 9 885 chapitres pour le *Miroir* de Vincent de Beauvais.

6. Vers une écriture cursive.

Il devenait aussi nécessaire d'écrire vite. D'où l'abandon
progressif de l'écriture qui avait triomphé dans les chancel-
leries au siècle précédent, la minuscule caroline, admirablement lisible parce que séparant chaque lettre et même
fractionnant la réalisation de chaque lettre en plusieurs fragments. Peu à peu, une écriture plus cursive s'introduit. Pour
que la main ne se lève plus entre chaque lettre, la séquence
d'écriture de chaque caractère va être modifiée. Sous des formes un peu différentes, l'évolution se manifeste dans la copie
d'ouvrages savants, mais aussi dans la masse des écrits de
la pratique administrative ou privée.

Dès le règne de Philippe Auguste, comme l'a montré
E. Poulle, la chancellerie royale modifie l'ordre de réalisation des diverses séquences pour chaque lettre et l'évolution conduit en quelques décennies à l'écriture semi-liée
de la fin du XIIIᵉ siècle, qui mène ensuite aux gothiques
cursives.

7. Le droit et le notaire.

L'évolution est plus nette encore pour tous ceux qui ont,
en quelque sorte, un usage privé de l'écriture : leur écriture
évolue sans le frein de la calligraphie, réservée aux actes officiels. Or le développement des facultés de droit et de médecine, parallèlement à celui des autres facultés, a « mis sur le
marché » toute une population de praticiens, pourvus de grades universitaires plus ou moins élevés. Toulouse, qui fut fondée en 1229 pour être une faculté de théologie, garante de
l'orthodoxie dans un pays d'hérésie, évolua sous la pression
locale vers un centre de droit actif. Montpellier, qui connut
un enseignement précoce et brillant du droit dès le XIIᵉ siècle, connut encore dans la seconde moitié du XIIIᵉ siècle une
brillante école juridique. Et de très nombreuses écoles, où
l'on enseignait sans doute le droit, fonctionnent à la fin du
XIIIᵉ siècle dans tout ce Midi, à Narbonne, à Béziers, à Carcassonne, à Albi, plus au nord à Riom. Dans le Nord du

royaume, Angers et Orléans étaient deux centres universitaires majeurs d'étude du droit.

Le médecin est un personnage connu, mais encore lointain : les bourgades méridionales en comptent un à la fin du XIIIe siècle, dont le titre révèle souvent la formation universitaire. Le gradué en droit est un peu moins rare. Mais, surtout, le notariat gagne en tout lieu. Moins vite dans le Nord du royaume. Mais à une vitesse inouïe dans le Midi. Au début du XIVe siècle, une bourgade de trois cents feux comme Pézenas comptait une bonne dizaine de notaires instrumentant au même moment. Qu'on imagine ce qu'il en était dans les villes ! Dès 1270, à la cour du vicomte de Narbonne, près de la moitié des témoins sont des juristes professionnels, conseillers juridiques ou notaires.

Les notaires n'avaient probablement pas d'autre formation que l'apprentissage chez un autre notaire ; du moins étaient-ils imprégnés d'une culture juridique peu théorique mais rigoureuse ; et de plus en plus teintée de droit romain. A. Gouron a fait remarquer que l'organisation municipale en consulat s'était répandue, de ville en ville, suivant les mêmes chemins que le droit romain ; dans les bourgades et les villages, l'implantation des consulats est à peu près contemporaine de l'arrivée du notaire, et si, dans ces premières années, il exerce rarement la charge de consul, du moins le voit-on participer systématiquement au conseil municipal. On ne peut plus s'en passer. Les villages protestent si une charge est supprimée : les mourants n'ont plus le temps de faire leur testament ! Nul doute qu'ils n'aient joué leur rôle dans la diffusion de nouvelles conceptions des rapports privés et publics.

8. La gloire nouvelle des universitaires.

La France n'est pas seule à connaître cette évolution ; ni seule ni la première. L'Angleterre l'a connue beaucoup plus tôt pour ce qui est de l'organisation de l'État. L'Italie du Sud, aussi. La spécificité de la France est cependant la place que les théoriciens, les intellectuels, les universitaires ont prise dans cette nouvelle civilisation écrite. La *common law* anglaise est élaborée par des professionnels politiciens ; dans le royaume de France, les facultés de droit ont beaucoup influencé la loi.

En nombre absolu, il est probable que c'est vers 1300 que l'université de Paris a atteint, pour longtemps, le nombre maximal d'étudiants. La courbe de croissance s'accélère pendant les premières années du règne de Philippe le Bel, dans les années 1280-1300 pour atteindre un maximum vers 1315[1]. Beaucoup d'étudiants sont français. Pour un chanoine de Cologne comme Alexandre de Roes, qui écrit à la fin du siècle, l'étude convient aux Français, car ils sont circonspects, observateurs et ont l'esprit clair.

En même temps que le nombre, le pouvoir des maîtres croît, l'un nourrissant l'autre. Et la confiance est grande dans la vertu du savoir et de l'intelligence. A la fin du siècle, Philippe de Beaumanoir affirme, dans les *Coutumes de Beauvaisis*, que la première qualité d'un bailli du roi est d'être « très bien connaissans » et d'un esprit subtil.

Savoir et puissance sacramentelle sont de plus en plus souvent identifiés. S'il est vrai que nombre des grands docteurs ont, encore au XIIIᵉ siècle, abandonné la philosophie au soir de leur vie pour se retirer au monastère ou se convertir à une religion plus mystique, la critique à l'égard des clercs non lettrés ne cesse de se développer dans les milieux ecclésiastiques. Le niveau des clercs est loin de baisser, mais les exigences montent encore plus vite. Un *litteratus* n'est plus seulement un clerc sachant lire et écrire le latin ; il lui faut un autre niveau d'instruction. Et les maîtres ont une conscience aiguë d'appartenir à une élite : de Guillaume d'Auvergne à Thomas d'Aquin, l'idée est sous-jacente que l'homme non instruit s'apparente à la bête.

Le clergé est marqué au XIIIᵉ siècle par la pénétration de non-nobles de grande valeur intellectuelle. Un exemple : Jacques Pantaléon, fils d'un cordonnier de Troyes, gradué en arts et droit canon à Paris, devenu chapelain d'Innocent IV et pape lui-même en 1261. Premier pape de naissance humble depuis deux siècles, et premier pape français depuis l'époque des papes clunisiens.

Comme l'Église, l'administration du royaume semble

---

1. Alexander Murray (107), p. 303.

devoir offrir aux étudiants des carrières chargées de gloire et d'honneur. Au terme du siècle, Guillaume de Nangis décrivait la structure politique de la France en reprenant l'image des trois pointes de la fleur de lis et des trois pouvoirs qui l'assurent : le clergé, la royauté et l'Université (*studium*). J'évoquerai plus loin l'importance des maîtres dans le gouvernement de la France; c'est la conscience de cette importance qui compte ici. Elle ne nourrit pas que les chimères arrivistes des jeunes candidats à l'étude. Elle fait aussi partie de la conscience populaire. Au point qu'en 1251, lors de la révolte des pastoureaux, telle que la rapporte Mathieu Paris, les rebelles s'en prennent à cette quintessence d'intellectuels que sont les frères mendiants, mais aussi aux universitaires d'Orléans.

Conclusion

L'usage accru de l'écriture, sous toutes ses formes, publiques et privées, administratives et savantes, répondait aux nouveaux besoins de la société, mais contribuait à modifier cette société. Ainsi en va-t-il, comme l'a montré J. Goody, de toute société où l'écrit est employé comme un mode de communication nécessaire. L'écrit stocke l'information plus longtemps et en traite une plus grande masse. Il est un moyen de contrôle d'une puissance sans commune mesure avec celle de la parole dite : contrôle d'une continuité, celle de l'espace et du temps.

L'écrit est générateur d'une bureaucratie. Ou plutôt de bureaucraties diverses : celle de l'État et celle de l'Église au XIIIe siècle, non sans rivalités entre elles. Il est aussi générateur d'idéologies où la différence entre public et privé prend une dimension nouvelle : la formalisation administrative qu'implique l'usage de l'écrit rend explicite cette différence. Les nouvelles formes de communication écrite sont donc au cœur de la modification de l'État qui est l'un des fils directeurs de l'histoire du royaume au XIIIe siècle.

Mais les changements des modes de communication engendrent aussi au sein de la société, entre les particuliers, entre les groupes sociaux, des réajustements qui ont autant de poids que l'évolution des modes de production. La preuve écrite remplace le témoignage oral ; la différence est évidente dans l'histoire des groupes sociaux. A l'individu qui la possède, l'écriture donne, comme à l'État, la puissance d'une mémoire décuplée, à la manière de l'informatique actuellement. En retour, ne pas y avoir accès a un effet dévastateur : les villageois en avaient une nette compréhension, qui voulaient leur notaire, à défaut d'écrire eux-mêmes.

Enfin, l'écriture donne à l'individu un nouveau mode de communication avec lui-même : l'*homo legens* apte à se considérer lui-même suivant une méthode réflexive. Paradoxalement, l'exigence de la confession ne peut se former que dans des milieux écrivants. Le développement de la subjectivité littéraire, qui renvoie au sentiment de l'individuel, et constitue, à côté du goût pour le savoir et la didactique, l'une des caractéristiques du XIIIe siècle, est aussi à mettre dans la perspective de l'écriture.

Puissance de l'écriture dans la société du XIIIe siècle, certes. Pourtant, le triomphe du texte écrit, quelle que soit sa nature, juridique, littéraire ou philosophique, n'est pas aussi net qu'il y paraît. L'écriture savante n'est plus celle des cloîtres, elle est celle des professeurs qui ont forgé leur méthode dans les « disputes » universitaires. Leurs livres sont le bilan d'un enseignement oral. L'universitaire est l'un des héros du temps ; l'autre héros du temps, souvent le même, d'ailleurs, est le prédicateur. C'est rendre son importance finale à la communication orale.

3

Recherches spéculatives et nouveautés techniques

En 1277, l'évêque de Paris, Étienne Tempier, condamna 277 propositions comme hérétiques. Condamnation salutaire selon Duhem, car elle permit de rompre le carcan de l'influence aristotélicienne dans le domaine scientifique et constituerait l'«acte de naissance de la science moderne». Destruction de l'élan novateur pour d'autres. Ni l'un ni l'autre, certainement. La condamnation ne concernait que le diocèse de Paris; même si Paris était l'un des centres de la recherche philosophique et théologique, même si cette décision décapita l'un des groupes les plus novateurs de l'université de Paris en chassant l'un des penseurs les plus en flèche, Siger de Brabant, elle ne peut pas porter pareille responsabilité. D'ailleurs, un dominicain parisien comme Gilles de Rome, proche du roi, se rétracta officiellement, mais, de fait, ne s'en soucia guère.

Les propositions condamnées ont été rédigées à la hâte, sous une forme sans doute outrée, déformée par leur brièveté; elles n'en constituent pas moins un répertoire commode de ces nouveautés, auxquelles une part de l'Église ne pouvait souscrire.

1. Les recherches des intellectuels

Le cadre du royaume de France n'est certainement pas le meilleur pour aborder ces «nouveautés» du XIIIᵉ, car le milieu intellectuel demeure au XIIIᵉ siècle «européen»; tous les grands maîtres ont une carrière complexe. Albert le Grand était allemand, Thomas d'Aquin d'origine italienne : l'un et l'autre, comme beaucoup d'autres encore, ont enseigné à Paris. Il n'est pourtant pas impossible de dégager certains traits particuliers à ce foyer intellectuel qu'est Paris.

1. Le patriotisme nouveau des lettrés.

Peut-être ce cadre « français » est-il un peu moins inadapté qu'au siècle précédent dès lors qu'on s'attache non plus seulement aux géniaux inventeurs, mais à la réception de leurs idées. La masse des petits clercs et des maîtres de moindre envergure qui ont participé au développement et à la diffusion de cette culture se forme aux écoles les plus proches. La multiplication des universités, notamment dans le Midi, l'éclat de celle d'Orléans réduisent l'attrait de Bologne.

Que les lettrés aient été plus nombreux et aient reçu leur formation dans des universités du royaume a dû jouer un rôle dans le développement de la conscience nationale française, nettement perceptible à la fin du siècle. A. Murray a indiqué comment la fierté de l'intellectuel se transfère en patriotisme. Comme le dit Pierre Dubois, que nous retrouverons dans les derniers chapitres de ce livre, « les Galli ont vrai jugement de la raison plus que n'importe quelle autre nation ». La superbe intellectuelle des Français est aussi un thème commun à beaucoup d'auteurs non français à la fin du XIIIe siècle. La fierté nationale apparaît dans le système de valeurs, non pas des plus grands penseurs du XIIIe siècle, mais d'une masse de lettrés. Plus tard, elle passa à des cercles plus vastes.

Ce développement du patriotisme ne fait pas partie des nouveautés choquantes pour un évêque français de la fin du XIIIe siècle. Il est lui-même marqué par un gallicanisme dont l'histoire politique du royaume montre la progression. Ce sont essentiellement des conceptions éthiques, métaphysiques et cosmologiques qui sont la cible de la censure épiscopale.

2. Contre le refus du monde.

Que l'on trouve le bonheur dans cette vie et pas dans une autre, que la continence n'est pas essentiellement une vertu, que l'homme après la mort perd tout ce qui est bon : ces affirmations, résumées, jusqu'à en être déformées, par la condamnation de 1277, révèlent l'importance des valeurs terrestres dans les milieux lettrés du XIIIᵉ siècle. Elles ne sont sans doute pas celles des grands maîtres théologiens, mêmes les plus provocants, de l'université de Paris. Plutôt celles de clercs contestataires, derniers rejetons du mouvement des goliards, comme un Rutebeuf. Toutefois, la seconde partie du *Roman de la Rose*, écrite vers 1270 par cette quintessence de clerc qu'est Jean de Meung, se fait l'écho de cette joie humaine de vivre revendiquée clairement. Elle s'appuie sur une perception différente de la nature et du monde, sur lequel l'esprit et la main de l'homme ont prise. Ce n'est pas tant le raffinement esthétique de la courtoisie que la confiance d'un esprit qui découvre sa force.

Force en matière de spéculation intellectuelle, mais aussi de fabrication artisanale. La valeur du travail est affirmée plus nettement qu'auparavant dans ces temps où s'impose le dynamisme de la ville : non plus de manière négative, afin d'éviter les risques encourus par l'oisif, mais comme un moyen d'assurer son salut en exerçant un travail qui concourt au bien commun. Suivant la formule de Jacques Le Goff, «au début du XIIIᵉ siècle, le temps des saints travailleurs est déjà en train de céder la place au temps des travailleurs saints». Peut-être, si l'on en juge par l'hagiographie, ce nouveau héros, le technicien habile, est-il vénéré en Italie plus qu'en France, où le savoir intellectuel occupe tout le devant de la scène. Rutebeuf, qui regrette tant de ne pas échapper à la pauvreté, est fier de ne pas être «ouvrier de bras».

Le reflux de l'idéal monastique du *contemptus mundi* ne porte pas en lui que sérénité. Avec lui, la mort n'est plus seulement redoutable par l'incertitude du sort que réserve l'au-delà ; elle se fait plus désolante, parce qu'elle contraint à quitter ce monde.

3. *Foi et raison.*

La découverte de la puissance du raisonnement n'est pas
propre ni au XIIIe siècle ni aux théologiens chrétiens. Les
intellectuels arabes et les milieux juifs l'ont connue aussi :
au XIIIe siècle l'opposition entre une école traditionaliste,
illustrée par Rashi et puissante dans le Nord du royaume, et
les écoles méridionales qui suivaient Maimonide rappelle les
conflits des intellectuels chrétiens. Il n'est pas impossible que
dans une ville comme Montpellier les rabbins « modernistes »
aient communiqué le cours de leurs réflexions à des chrétiens.
En revanche, au milieu du siècle, les maîtres de l'Université,
contresignant la condamnation du Talmud par le roi, révèlent la rupture de toute discussion possible.

Depuis le début du siècle précédent, les écoles parisiennes
cherchèrent aussi à bâtir, par la méthode dialectique, une
théologie rationnelle. La découverte progressive des traités
d'Aristote, de la science et de la médecine grecques et de leurs
commentateurs arabes a accentué cette tendance dans toutes
les disciplines du savoir. L'accélération est plus nette encore
après 1200 lorsque le « nouvel Aristote », c'est-à-dire la *Physique* et la *Métaphysique*, puis l'*Éthique* et la *Politique*, est
commenté à Paris. Cet enseignement, condamné à plusieurs
reprises par les autorités ecclésiastiques, s'était imposé vers
1240 : Aristote était alors librement étudié à la faculté des
arts, par laquelle commençait la formation de tout étudiant.

C'est peu à peu, vers 1250, à la suite des commentaires
d'Averroès, ce médecin, juriste et philosophe qui avait vécu
à Cordoue au milieu du XIIe siècle, que furent perçus clairement les problèmes que l'aristotélisme posait au chrétien.
Adopter la cosmologie d'Aristote limitait la toute-puissance
de Dieu. Accepter sa méthode philosophique, partir de la connaissance sensible pour aboutir à la compréhension de l'uni-
versel par l'enchaînement rigoureux des causalités était
contraire à l'inspiration augustinienne qui dominait et selon
laquelle la connaissance est une illumination venue de Dieu.

C'est une synthèse des deux conceptions qu'Albert le
Grand, puis Thomas d'Aquin tentèrent. A eux deux, ils ensei-
gnèrent près de vingt ans à Paris. Aussi est-il légitime de les

considérer comme des représentants de la recherche philosophique qui se pratiquait à Paris au XIIIᵉ siècle. Mais d'autres
courants de pensée coexistaient. Les uns, plus fidèles aux traditions augustiniennes, étaient représentés chez les séculiers
comme Guillaume de Saint-Amour et les docteurs franciscains. Les autres — parmi lesquels Siger de Brabant —, plus
radicalement aristotéliciens et moins éclectiques que Thomas
d'Aquin, mettaient en évidence les obstacles infranchissables
à une telle synthèse.

Plus de deux cents « erreurs » philosophiques ou théologiques furent donc condamnées en 1277 : Dieu n'est cause effi-
ciente que par rapport à ce qui existe déjà dans la matière,
le mouvement du ciel ne peut cesser, etc. La commission qui
avait préparé cette liste, composée de franciscains et de séculiers, visait principalement les averroïstes, mais aussi le
thomisme.

Au lendemain de la canonisation de saint Thomas, en 1325,
cette condamnation fut suspendue. Entre-temps, la fièvre philosophique était retombée. Ou, du moins, elle avait quitté
Paris pour l'Angleterre, où la modernité avait nom Guillaume
d'Ockham, qui remettait à l'honneur le nominalisme.

4. *La réflexion des scolastiques :*
un large domaine, de l'économie à l'astrologie.

L'âpreté de la condamnation de 1277 et l'aura des grands
théologiens du XIIIᵉ siècle risquent de faire oublier les avances dans les autres domaines. Certains pans entiers de la
culture savante médiévale sont restés au XIIIᵉ siècle hors
des préoccupations des universitaires : ainsi l'histoire, qui
demeure l'affaire des monastères ou des cours princières.
Mais la réflexion des théologiens ne s'est pas arrêtée à la
métaphysique. Ainsi, par la morale, mais aussi par Aristote,
ils viennent à l'économie. Diverses études que Jacques
Le Goff a brillamment mises à la portée des lecteurs français dans *La Bourse et la Vie* ont éclairé la réflexion des maîtres de la scolastique universitaire et des canonistes sur le
crédit et l'usure. La condamnation drastique du crédit est peu
à peu atténuée par la prise en compte arithmétique de son

taux et du risque encouru ; et la lente acceptation du capitalisme s'amorce lorsque le purgatoire offre un espoir de concilier richesse et salut ultime.

La confiance dans le savoir aboutit à un effet paradoxal : la diffusion des livres d'alchimie, parce que savoir et pouvoir sont étroitement liés. Et, beaucoup plus sérieusement, à l'étude de l'astronomie, elle aussi suspecte puisque limitant le libre arbitre, mais si précieuse à tous les hommes de pouvoir, ces « décideurs » qui devaient trancher sans les épais dossiers actuels. La vogue de l'astronomie explique celle du manuel de vulgarisation qu'est le *Traité sur la sphère* de Sacrobosco.

2. Scientifiques, ingénieurs et techniciens

Dans l'ensemble, les maîtres des universités du royaume s'intéressent moins aux disciplines scientifiques qu'aux spéculations philosophiques. Et l'esprit expérimental ne les caractérise pas. Il se développe, semble-t-il, à Oxford beaucoup plus qu'à Paris, encore que des études récentes révèlent des liens plus étroits qu'on ne le pensait entre les recherches oxoniennes et parisiennes au début du XIVe siècle. De même, les progrès très sensibles de la chirurgie sont introduits en France à partir de méthodes de praticiens italiens.

1. Le domaine expérimental.

Dans le domaine scientifique et expérimental, les recherches furent surtout menées en dehors de l'Université. Des machines compliquées, équatoires et turquets, dont les noms ne sont familiers qu'aux historiens des sciences, sont élaborées ou étudiées pour faciliter les calculs astronomiques dans la seconde moitié du siècle ; en même temps que le souci d'établir des tables astronomiques de plus en plus précises. Il n'est pas impossible que les célèbres tables alfonsines, jadis attribuées au roi d'Espagne, aient vu le jour dans les milieux de l'astronomie parisienne au début du XIVe siècle, ceux-là même où enseignaient le Polonais Bernard de Verdun et Guillaume de Saint-Cloud. Le traité de Pierre de Maricourt sur le magnétisme est considéré comme un excellent travail scientifique qu'il écrivit lorsqu'il participait, peut-être comme ingénieur militaire auprès de Charles d'Anjou, au siège de Lucera, en 1269. La plupart de ces chercheurs restent des isolés, à qui a manqué la force de l'institution universitaire pour assurer la diffusion de leurs découvertes. Ou l'impulsion personnelle qu'avait donnée Frédéric II aux intellectuels réunis à la cour de Palerme.

2. *Théorie et pratique ne s'ignorent pas.*

L'isolement des scientifiques et l'orientation philosophique des universitaires n'excluent pas tout intérêt au savoir appliqué. Albert le Grand se plaisait en compagnie des artisans. Mais il est vrai que cette synthèse est mieux réalisée dans d'autres milieux que celui des intellectuels parisiens : ils ont peu à mettre en face de l'intérêt de l'Anglais Grosseteste pour l'optique et la verrerie ou des mathématiciens italiens pour l'arpentage. Et Pierre de Maricourt était en relation avec l'Anglais Roger Bacon.

En sens inverse, le souci pédagogique qui saisit aussi les techniciens les conduit à élaborer des manuels où leur savoir est théorisé et à conceptualiser leur pratique. Ainsi en va-t-il de l'architecture. Depuis les recherches de Panofsky, l'art gothique tel qu'il se forme au temps de Suger est compris comme l'expression du désir de clarté et de lumière auquel s'efforcent aussi les maîtres de la scolastique du XIIIe siècle. Cette inspiration transforme le maître maçon en architecte. Un Pierre de Montreuil l'a bien compris qui se fait désigner dans son épitaphe comme « maître » en pierre. L'architecte « ordonne par la parole », dit un prédicateur contemporain. Mais, surtout, il dessine, non pas un plan coté, mais un projet destiné à faire connaître ses intentions aux commanditaires du bâtiment.

L'album de Villard de Honnecourt est d'une importance capitale pour situer l'architecte, proche de l'ingénieur. Dans ses carnets, le mécanisme de la scie hydraulique voisine avec une machine de guerre et des croquis d'élévation de la cathédrale de Reims. Il inaugurait ainsi une tradition de manuscrits techniques qui se poursuivit jusqu'à l'*Encyclopédie*. Ses dessins d'architecture ne sont pas des relevés sur le terrain, peut-être des copies de dessins qu'il trouva à la fabrique de la cathédrale de Reims vers 1250, comme on en fit aussi à Strasbourg un peu plus tard. L'*Album* serait un recueil de modèles pour le travail des architectes.

3. Les développements techniques

Connues par des mentions textuelles éparpillées ou de rares représentations graphiques, les inventions techniques sont plus fréquentes au XIIIᵉ siècle qu'on ne le croit parfois. Il est vrai que les grands progrès énergétiques sont antérieurs et que le royaume de France ne semble pas bénéficier d'un dynamisme particulier. Toutefois, des études en cours montreront probablement que la rationalisation industrielle se poursuit dans des monastères cisterciens, comme celui de Fontenay. Elle se manifeste aussi dans le domaine de l'activité textile où, de l'aiguille métallique du cardeur au perfectionnement du métier à tisser horizontal, les efforts d'accroissement de la productivité sont manifestes. La brouette, les boutons, les lunettes pour presbytes, le miroir de verre et le papier, voilà pêle-mêle quelques inventions durables du XIIIᵉ siècle, à côté de projets plus échevelés et peu utiles.

Ces «inventions» ne sont-elles pas en fait des importations d'Extrême-Orient?

4. L'accroissement du monde connu.

De fait, le XIIIᵉ siècle prolonge l'humeur voyageuse du XIIᵉ siècle de manière plus systématique. Dans la découverte de l'Extrême-Orient, les envoyés de Louis IX, André de Longjumeau et Guillaume de Rubrouck, un dominicain et un franciscain, voisinent avec des Italiens plus célèbres : mais, en Italie, les intentions marchandes des Polo s'ajoutent au projet missionnaire d'un Plan Carpin ou d'un Pordenone.

Dans ce domaine, progrès techniques et conceptuels sont étroitement mêlés : l'amélioration de la boussole et l'élaboration des premières cartes marines qui s'ajoutent aux itinéraires raisonnés, les portulans, vont de pair avec une recherche physique et trigonométrique. Les sujets du roi de France y sont un peu à la traîne des autres peuples de la Méditerranée occidentale, Aragonais et Italiens. A partir de 1250, les intellectuels intègrent vite à leurs connaissances les données des voyageurs et perfectionnent l'image du monde. Mais Bacon mieux encore que Vincent de Beauvais.

3. Les autres

Quelle diffusion pour ces nouveautés ? Un blocage devant l'innovation ne pourrait-il pas expliquer l'impression de stagnation, vers 1270, que soulignent de nombreux historiens, après deux siècles où furent adoptés peu à peu tant de transformations techniques ? Il n'y a pas de réponse simple à cette question.

1. *Le goût du chiffre.*

Il est un domaine où une partie non négligeable de la population semble avoir accompagné l'élite, c'est celui du chiffre. Pour Jacques Le Goff, le XIIIe siècle est celui de l'«obsession comptable». Elle a envahi les milieux du savoir et ceux de la politique : les comptes du royaume sont là pour en attester. Sans doute est-elle moins profondément implantée qu'en Italie : ici, les milieux «littéraires» l'ont intégrée, beaucoup moins dans le royaume. Comme le fait remarquer A. Murray, la chronique de Salimbene est pleine de données chiffrées, tandis que l'éloge de Paris de Jean de Jandun, deux générations plus tard, n'en comporte pas la moindre.

Pourtant, la mentalité arithmétique s'impose : les enquêtes que multiplient les rois et les princes auprès de leurs
sujets, pour établir leurs droits, mais aussi pour juger du
bien-fondé de la concession d'une foire ou du démembrement d'une judicature, révèlent que, dans le Sud du
royaume, les notables villageois fréquentent les chiffres
pour être précis, et non pour produire une impression de
masse. Les nombres font partie de leurs structures mentales
et de leurs mémoires. Mais il leur est plus facile de compter
de l'argent ou des troupeaux que les jours et les années, et
surtout que de mesurer l'espace : ils ne déclinent leur âge
qu'approximativement.

En revanche, les réactions des sujets du roi de France
devant les mutations monétaires du règne de Philippe le Bel
sont là pour attester que les mécanismes économiques sont
particulièrement étrangers à la plupart des milieux : toutes
les mesures royales n'étaient pas l'expression de la malhonnêteté des hommes au pouvoir — nous le verrons plus
loin —, mais elles furent incomprises et mal acceptées, même
de ceux qu'elles ne lésaient pas.

2. Esprits forts et superstitions.

Plus encore que l'habitude du chiffre, le bon sens, cons-
cient et résolu, n'est pas absent des milieux paysans. Fortes
têtes et hardis penseurs étaient nombreux dans la région de
Montaillou, au seuil du XIVe siècle. Les mystères de la religion chrétienne ne satisfaisaient pas le paysan habitué à
démasquer la ruse. Et la ferveur de certains pour les statues
de la Vierge, qui ne sont après tout qu' «un petit bout de bois
dépourvu d'yeux, d'oreilles et de bouche véritables», est
ridicule. A sa manière, le XIIIe siècle paysan est raisonneur.

Cependant, les signes d'une tendance inverse ne sont pas
absents, surtout du Nord du royaume, aussi bien le courant
mystique dans les monastères (cisterciens, notamment) que
les bouffées millénaristes. Ces aspirations rassemblent temporairement une part de ceux qui trouvent mal leur place
dans la société, autour d'idéaux teintés d'archaïsme plutôt
que réunis par les ferments des futures révoltes.

Dans les Dombes, au milieu du XIIIe siècle, un culte était rendu à un saint lévrier, qui avait sauvé des morsures d'un serpent l'enfant de son maître : sur sa tombe, on portait les enfants malades, puis on les plongeait dans l'eau froide de la proche rivière; les paysans pensaient que des faunes diaboliques avaient substitué une créature malingre à leur enfant sain et qu'ils en obtiendraient restitution par ce bain. Jean-Claude Schmitt a montré la probable naissance de ce culte vers les années 1100. Il répond au besoin ressenti d'une descendance solide et mêle une imitation du baptême à une antique idolâtrie dans un mélange qui scandalisa l'inquisiteur. Pour le dominicain Étienne de Bourbon qui le rapporte, il est diabolique.

À Montaillou, on croit aux devins et aux revenants; en attendant le Jugement dernier, les morts courent le jour et veillent la nuit dans l'église. Les dames, jadis puissantes et désormais errantes, mais toujours belles, ne sont pas encore ces sorcières que les siècles suivants feront surgir. Les démons existent, sous terre, en enfer, mais ils ne sont pas trop envahissants. Les morts, en revanche, sont proches. Pour une clientèle en majorité féminine, Arnaud Gelis de Pamiers et d'autres «armiers» assurent lien et aide réciproques entre morts et vivants.

3. Le renouvellement des dévotions.

Croyances anciennes et nouveautés chiffrées, tel est le mélange surprenant qu'offre l'étude des structures mentales «populaires». Évolution spontanée ou pénétration d'un modèle extérieur?

Le sentiment religieux est l'un des terrains où la documentation porte l'étude. L'efficacité de la prédication mendiante a fait pénétrer une religion centrée sur la passion du Christ et une exigence d'effort individuel vers le salut que symbolise la confession auriculaire. N'y a-t-il pas d'autres relais des nouveautés spirituelles?

L'exemple de Montaillou est encore une fois éclairant : on n'y a encore vu ni prêcheur ni mineur. L'angoisse du salut est omniprésente, sous une forme fortement christianisée. Certes, dans ce village ariégeois, on ne croit guère au purgatoire, qui a pourtant plus d'un siècle. On n'a pas non plus un sens très aigu du péché et de la culpabilité individuelle. La honte et la référence à un consensus moral sont beaucoup plus déterminantes. Le mystère de l'eucharistie et la passion du Christ ne résument pas la religion des Montalionais. Être un bon chrétien, c'est, pour la plupart, payer ses dîmes et faire des pèlerinages. Mais il est déjà des fidèles, des femmes surtout, chez qui s'exprime l'émotion de la nouvelle dévotion.

Conclusion

Le XIIIᵉ siècle français a donc apporté à la culture européenne son contingent de nouveauté. Une tonalité où certains voient la sérénité du beau Dieu d'Amiens, et d'autres, les crispations du clergé conservateur. Quel que soit l'angle de leur étude, les historiens y trouvent la nouveauté : le Purgatoire qui préfigure l'acceptation du capitalisme, les scolastiques qui annoncent Léonard de Vinci ou les ingénieurs qui enfantent la technique de l'époque moderne. Mais, comme le fait remarquer Jacques Le Goff, «un système… n'en remplace un autre qu'au bout d'une longue course d'obstacles» : le système de pensée et de valeurs du XIIIᵉ siècle n'est pas plus mûr pour une ouverture massive au capitalisme qu'il ne l'est à la révolution copernicienne, ou à l'abandon de la recherche des causes profondes pour celle d'une simple compréhension fonctionnelle des choses. Quelques années plus tard, Nicole Oresme envisagea comme un jeu que la terre tournât sur elle-même, mais, pour aller au bout de son idée, il lui aurait fallu renier la cosmologie d'Aristote.

4

Multiple France :
le Nord et le Midi

La dynamique politique du XIIIe siècle français, c'est à l'évidence la construction du royaume comme une unité. Les titres que les historiens ont donnés aux ouvrages ou aux chapitres qu'ils ont consacrés au royaume au XIIIe siècle le disent assez. *La Formation de l'unité française,* d'Auguste Longnon, à laquelle répond «Le rassemblement capétien», de Georges Duby. Les récents travaux de Colette Beaune consacrés à la *Naissance de la nation France* ont montré les progrès de la conscience nationale dans l'imaginaire de l'élite sociale et politique. Avant de reprendre ces perspectives unifiantes, que l'avenir a, il est vrai, justifiées, il me paraît essentiel de prendre aussi conscience du fait inverse : que le royaume est infiniment divers et que la conscience régionale ou locale l'emporte encore dans l'ensemble du royaume.

Les élèves des écoles parisiennes affirmaient que «les Anglais étaient buveurs et ridicules, les Français vaniteux, mous et efféminés, les Allemands furieux et obscènes dans leurs banquets, les Poitevins traîtres et attirés par la fortune, ceux de Bourgogne brutaux et sots, les Bretons légers et inconstants, les Lombards avares, et paresseux [...], les Flamands excessifs, prodigues, mous comme le beurre». C'est du moins ce que prétend le prédicateur Jacques de Vitry au début du XIIIe siècle. L'image n'est pas flatteuse. On en retiendra surtout que l'espace est européen et perçu comme un agrégat de régions, appuyées parfois sur l'idée d'un pays (ainsi pour la Bourgogne). Se sent-on vraiment breton ou poitevin, comme plus tard cadet de Gascogne ? Le sentiment est plus probablement négatif : c'est à partir de l'autre, étranger, que l'on sent différent, que s'amorce la conscience régionale. Le royaume englobe des pays de traditions diverses. Et cette diversité, l'évolution économique et sociale du XIIIe siècle ne l'a pas gommée, qui entraîne les uns vers les chemins d'une croissance encore facile, tandis que d'autres se heurtent déjà aux difficultés de la poursuivre et d'autres enfin restent à l'écart des grands échanges.

1. De la notion de marche
à celle de frontière

A l'avènement de Philippe Auguste, le royaume de France ne couvre pas l'espace de la France actuelle. Il n'est pas «hexagonal», mais plutôt rectangulaire, s'étendant des bouches de l'Escaut aux Pyrénées, excluant à l'ouest la Bretagne et ne dépassant pas, vers l'est, les cours de la Meuse, de la Saône et du Rhône. Au-delà, ce sont les terres d'Empire.

1. Un concept anachronique,
celui de «frontières naturelles».

Rien de «naturel» dans ces limites : ces fleuves ne bornent qu'exceptionnellement le royaume, et la limite s'est établie plutôt en deçà de la Meuse et au-delà de la Saône. D'ailleurs, il est sans doute anachronique de concevoir les fleuves comme des frontières au XIIIe siècle. Une étude récente d'Odile Kammerer a bien montré que le Rhin, devenu par la suite la frontière nationale par excellence, toute chargée d'affectivité, était, tout au contraire, le trait d'union de toute la région de l'Oberrhein, Alsace et pays de Bade. Avant d'être canalisé et de constituer un trait unique et essentiel dans le paysage, il divaguait en une multitude de chenaux : on le passait aisément en seize lieux, ponts ou gués. Jusqu'au XVe siècle, il est une artère de transit au milieu d'une zone agricole féconde.

La ligne de crête des montagnes ne fonctionne pas non plus comme une frontière : un milieu montagnard s'y est constitué, très différent des bas pays ; de part et d'autre de la crête, les cols unissent les vallées, plus proches entre elles que deux vallées d'un même versant. Ainsi la frontière avec la Navarre se situe-t-elle au nord de la ligne de crête. Et, à l'intérieur des terres d'Empire, la Savoie est l'exemple célèbre d'un comté qui coiffe les deux versants des Alpes.

Si le concept, nationaliste et déterministe, de frontière naturelle n'a pas de sens au XIIIe siècle, celui d'aire de civilisation n'en est pas dépourvu. Ainsi en va-t-il de l'expansion du royaume vers l'est, en Lorraine. Elle s'est, certes, appuyée sur des rapprochements culturels au sein de l'aristocratie et des pressions politiques, mais ils ne sont que des épiphénomènes révélant l'hétérogénéité de la Lorraine partagée entre deux aires de civilisation différente. Formes de la mise en valeur, structures de la propriété, institutions politiques : la Lorraine romane et la Lorraine germanique diffèrent très sensiblement. La frontière linguistique s'est bloquée sur la zone de contact entre les deux civilisations. Elle en est le signe, et non la cause. Tout n'est pas hasard politique, simple rapport de forces ou d'éclat culturel, dans la modification des frontières du royaume entre 1200 et les premières années du XIVe siècle.

2. *Le poids de l'histoire :* *les frontières carolingiennes.*

Ces modifications de frontières sont mineures. Pour l'essentiel, la frontière du royaume, c'est encore, au début du XIIIe siècle, la limite héritée du partage de 843.

Cette limite linéaire du royaume n'est pas un tracé abstrait, comme le conçoit un esprit actuel, mais une succession de rivières, ruisseaux, routes et arbres que les populations locales, nobles et non nobles, connaissent avec précision et savent suivre dans le paysage, même si elle n'est pas matérialisée par des bornes ou d'autres signes. Cette limite n'est d'ailleurs pas seulement celle du royaume ; elle sépare aussi les diocèses et les comtés.

3. Marches et limites féodales.

Cette vieille frontière n'est pas oubliée[1], mais elle s'est peu
à peu vidée de son sens, attaqué, dissous par des structures
où le lien personnel l'emporte sur la territorialité. Une frontière féodale s'est surimposée. L'espace carolingien est devenu
une mouvance, et le royaume de France est désormais un
ensemble de comtés et de châtellenies dont le seigneur prête
hommage au roi. Tout transfert de vassalité déplace donc,
sinon la limite du royaume, du moins celle de la suzeraineté
royale. La limite du royaume n'a guère plus de poids que
n'importe quelle autre limite.

D'ailleurs, dans ce système, toute limite est, par essence,
difficile à poser, puisqu'elle est à la fois affaire d'espace et
de personnes. Comment définir en une emprise sur le sol au
tracé linéaire la puissance sur un groupe de fidèles et une
masse de dépendants ? La notion synthétique de frontière,
appuyée sur une vision cartographique, est totalement anachronique : il faut attendre 1525 pour que soit dessinée la
première carte de France. Le terme même de frontière est un
anachronisme. On dit encore « marche ». C'est le terme
qu'emploie Philippe IV à la fin du XIIIe siècle. Il évoque une
bande de territoires assurant le contact avec les États voisins
et la défense en profondeur du royaume. Lorsque, peu à peu,
le mot « frontière » s'introduit dans la langue des serviteurs
du roi, dans les premières années du XIVe siècle, pour désigner, comme l'a montré R. Dion, la partie la plus menacée
du royaume, c'est encore au pluriel qu'on l'emploie.

4. Rois des Francs ou roi de France ?

Pas plus qu'il n'est borné, au seuil du XIIIe siècle, par une
limite efficace, le royaume n'a de cohésion territoriale. Si,
pour les grands vassaux, la fidélité au roi a un sens, il n'est
pas sûr que ce sens se traduise pour eux par une conception
de type territorial, qui intègre leur fief à l'espace de la France.

1. Bernard Guenée (219).

A cette époque, le terme *Francia* est rarement utilisé pour désigner l'ensemble du royaume. Si le roi d'Angleterre est depuis longtemps déjà appelé ainsi (*Rex Anglie*), il faut attendre 1254 pour voir le roi des Francs (*Rex Francorum*) être remplacé par le roi de France (*Rex Francie*). Toutefois, au seuil du XIIIe siècle, comme l'a récemment montré C. Beaune, l'expression *Francia tota* est peu à peu remplacée par le seul mot de *Francia* pour désigner l'ensemble du royaume.

La France commence à prendre consistance, mais dans quels milieux? Combien, en dehors des intellectuels et des proches du roi, ont ce concept en tête?

5. Vers une nouvelle notion de frontière.

Une série d'enquêtes à la fin du XIIIe siècle, notamment sur les limites nord-est du royaume, révèle un souci nouveau de borner le royaume. Ces enquêtes répondent à celles qui, depuis la fin du XIIe siècle, et surtout dans le courant du XIIIe, cernent les limites des finages villageois, avec cette même précision concrète, appuyée sur des éléments naturels, ruisseaux, sommets d'une colline, ou aménagés par l'homme, et plus ou moins durables, routes ou grands arbres. Ce souci, si répandu alors, de borner l'espace transforme peu à peu la notion de frontière et redonne une signification au souvenir des limites anciennes du royaume.

Sans doute cette nouvelle attention procède-t-elle du désir de dénombrer avec précision les ressources du royaume : cette volonté, qui n'est pas si neuve, est au cœur des principales transformations de l'administration. Mais l'arithmétique des moyens financiers et militaires ne serait pas possible sans une maîtrise, géométrique, de l'espace. Nous touchons là à ce qui caractérise le XIIIe siècle : l'extension d'une démarche intellectuelle, appuyée sur la précision de l'écrit, partagée par un nombre croissant d'habitants du royaume.

Des frontières anciennes, localement connues mais incertaines vues de loin, marches plus que véritables frontières, une cohésion territoriale faible, tel se présente le royaume de France au seuil du XIIIe siècle. Cent ans plus tard, au moins pour une partie de la population, cette situation a sensiblement évolué. La précision des limites et l'homogénéité politique se sont accentuées de conserve dans une phase d'expansion des pouvoirs du roi. Comme l'écrit un conseiller de Philippe le Bel, Guillaume de Plaisian, en 1307 : « Les frontières [*fines*] de la France s'étendent jusqu'au Rhône [...] Tout ce qui est à l'intérieur de ces frontières est du roi, du moins pour ce qui est de la protection, de la haute justice et de la domination. » La situation concrète, extension foudroyante du domaine royal, efficacité croissante de l'administration, s'est imposée à une réflexion philosophique beaucoup moins « nationale ».

2. Le Nord et le Midi du royaume : deux mondes qui se connaissent mal

L'un des paradoxes de la naissance de cette frontière du royaume est qu'elle borne un espace aussi hétérogène dans les faits que dans les consciences. Cette diversité régionale sera l'un de nos fils conducteurs de l'économie et de la société du royaume. Mais, au-delà des variétés, une différence majeure s'impose, qui oppose la France du Midi et celle du Nord.

Sans doute pourrait-on distinguer dès l'aube du XIIᵉ siècle d'autres oppositions régionales. Ainsi, Jean Yver a montré les parentés entre les diverses coutumes de l'Ouest de la France et leur césure commune d'avec les coutumes « françaises ». Mais, d'une part, elles sont loin d'avoir atteint leur état définitif au seuil du XIIIᵉ siècle : elles vont encore s'influencer l'une l'autre et se rapprocher pendant toute la fin du Moyen Age. D'autre part, dans cet Ouest, dès lors que l'on quitte le domaine juridique pour analyser les autres aspects de la civilisation, les points communs se font rares : les pays de vigne s'individualisent, ceux d'habitat groupé aussi, les régions plus urbanisées, enfin, se distinguent de celles qui sont restées plus rurales. Il est difficile de sentir l'Ouest du royaume comme un espace autonome, même s'il a été soumis au même maître, le Plantagenêt.

Entre Nord et Sud, les disparités s'affirment avec vigueur. Les géographes ont analysé et cartographié les critères qui différencient dans un passé proche leur civilisation : limite climatique de répartition des pluies et de végétation, manière de construire et de couvrir les toits, limites du droit coutumier et du droit écrit, langue d'oïl et langue d'oc. Du sud-ouest au nord-est, des Charentes à la Bourgogne, les limites ne se recouvrent pas : une zone de marche les sépare à l'intérieur de laquelle l'extension des divers éléments des deux cultures a fluctué.

Déjà, au XIᵉ siècle, un moine bourguignon, Raoul Glaber, invectivait les Aquitains, les habitants de cette immense province qui recouvrait presque toute la partie méridionale du royaume. Sans foi ni loi, ridicules et indécents. C'était là l'expression d'une opposition radicale entre gens du Nord et gens du Midi.

Au seuil du XIIIᵉ siècle, il ne fait aucun doute que le contraste demeurait grand. Les chevaliers septentrionaux qui participèrent à la croisade des Albigeois, entre 1209 et 1228, n'avaient pas meilleure opinion : leur historiographe, le moine cistercien Pierre des Vaux de Cernay, ne manque pas une occasion de parler de leur félonie et de leur hypocrisie. Et les chroniques anglo-normandes adressent à l'aristocratie aquitaine les mêmes critiques que jadis Raoul Glaber.

Pourtant, dans certains domaines, l'écart semble s'être réduit, notamment dans certains aspects des modes de vie de l'aristocratie. Dès le milieu du XIIᵉ siècle, la poésie courtoise a gagné les cours septentrionales. Et le vocabulaire des liens féodaux a pris le chemin inverse, influençant les serments méridionaux, comme André Debord l'a montré pour les Charentes. Le terme de vassal, jadis inconnu dans le Midi, y devient d'usage courant.

Mais les échanges culturels se limitent aux plus hautes strates de la société. Dans les autres milieux, gens du Nord et du Sud ne se rencontrent guère. Les foires de Champagne assurent la rupture de charge des marchandises : les draps flamands sont plus fréquents dans la vallée du Rhône que les marchands d'Arras ou de Douai.

Les mouvements migratoires ne font pas plus communiquer le Nord et le Sud, même après la conquête royale. Les

Limousins et les Auvergnats ignorent le Bassin parisien, les montagnards de l'Oisans n'ont pas trouvé le chemin des plaines de la Saône ni même de la région lyonnaise. Et les *Francigena* du Nord sont aussi exceptionnels dans les pays du Midi. On descend le Rhône ; du Poitou, on va vers la Navarre et la Galice : les grands axes de circulation sont ceux de la migration, dans un sens nord-sud, mais l'origine de la migration n'est jamais très septentrionale. On migre aussi beaucoup d'ouest en est, d'Aquitaine vers le Languedoc méditerranéen et la Provence, pourtant plus peuplés que l'Agenais ou le Toulousain. En somme, les migrations s'inscrivent pour l'essentiel à l'intérieur de la langue d'oc ou de la langue d'oïl. L'obstacle linguistique est-il si fort ?

1. Langue d'oïl et langue d'oc.

De l'embouchure de la Garonne jusqu'au sud de la Bourgogne, on parle d'oc. La différence est évidente aux oreilles des hommes de cette époque. Est-elle une barrière d'incompréhension ?

La limite n'est pas définitivement fixée : après 1180, dans le courant des XIIIᵉ et XIVᵉ siècles, la Saintonge, le comté d'Angoulême et le Nord du Bordelais ont abandonné la langue d'oc, sans doute parce qu'aux confins des deux parlers s'étendait une zone fragile où la langue d'oc était fortement contaminée par le dialecte poitevin. De la même manière, dans la partie est du royaume, entre les deux langues s'insérait le pays intermédiaire du franco-provençal.

Entre gens de langue d'oc et de langue d'oïl, les témoignages d'incompréhension se rencontrent fréquemment dans les documents à partir du XIVᵉ siècle, moins auparavant. Lacune des sources ? Les nombreux critères de différenciation des deux langues, établis par les linguistes, sont pour la plupart apparus assez récemment et proviennent surtout de l'évolution que le français a connue après le XIIIᵉ siècle. Dans une pratique très orale de la langue, détachée de la précision que donne et qu'exige l'écriture, ne se comprenait-on pas plus aisément qu'on ne l'a fait par la suite ? On peut en tout cas supposer qu'un *pidgin french* du commerce permettait la communication linguistique nécessaire aux échanges commerciaux.

S'il y avait bien deux aires linguistiques différentes, il y a peut-être quelque anachronisme à en surestimer le poids, du moins à l'origine du XIIIᵉ siècle. Il est d'ailleurs peu probable que la communauté linguistique soit un préalable absolu à la naissance d'une conscience régionale ou nationale. A preuve le comté de Flandre, où se manifeste une précoce et solide unité politique : la Flandre maritime parle le flamand, le reste du pays s'exprime en wallon.

2. *Deux civilisations rurales.*

Tout aussi profondes que les différences linguistiques, moins évidentes, mais plus irréductibles, puisque des siècles d'existence commune au sein d'un même État, la France, ne les ont pas fait disparaître : les différences entre les campagnes du Nord et du Midi. Leur civilisation agraire diffère profondément.

Dans le Midi, on construit en pierre et l'on couvre de tuiles creuses ; dans le Nord, la tradition est la terre, torchis ou pisé, et l'on couvre de branchages, de bardeaux ou de chaumes. Dans le Nord, on stocke les grains à l'air libre, dans des greniers ; dans le Midi, le silo reste une solution traditionnelle d'emploi très courant.

Au nord, dans la France des plateaux limoneux, se développe une céréaliculture de plus en plus intensive à laquelle correspond une alimentation de bouillies et de pains. Si le seigle règne partout sur les sols acides et pauvres, le Nord s'oriente vers un cycle triennal où l'orge de printemps et l'avoine alternent, comme blés de mars, avec les blés d'hiver et l'année de repos. Le Midi reste majoritairement fidèle au rythme biennal ; la sécheresse de printemps et la pauvreté des sols, en dehors des zones les plus basses, exclut en général le développement de céréales de printemps. On y sème à l'automne le froment et surtout l'orge d'hiver, de plus en plus souvent en mélange. La nouveauté, ce sont surtout les mils, au cycle végétatif très bref, mais ils n'ont pas révolutionné la céréaliculture méridionale comme le fit, dans le Nord, la multiplication des emblavures de printemps.

Médiocre dans la céréaliculture, l'agriculture méditerranéenne excelle dans le jardinage. Même si elle ne se convertit pas comme la proche Catalogne à la même époque à une horticulture irriguée, elle exploitait autant qu'elle le pouvait les bords des moindres cours d'eau pour compléter les céréales d'une alimentation de légumes divers.

Les techniques de l'élevage diffèrent aussi. Ici, dans les garrigues et les landes, prédomine l'élevage ovin. Au nord, le porc, qu'engraissent les glands de la chênaie.

Avec de telles différences techniques, on conçoit qu'il ne soit pas si simple pour le paysan de migrer d'une partie de la France à l'autre.

La morphologie des villages est révélatrice de ces différences qui opposent non seulement les modes de mise en culture et l'économie rurale, mais aussi toute la société des campagnes. Il est vrai que, dans le Nord comme dans le Midi, le village est devenu une forme dominante de l'habitat rural. Mais celui des plaines septentrionales est moins tassé, plus ouvert sur l'horizon des cultures : au milieu des maisons, les cours et les jardins font alterner les parcelles construites et les espaces dégagés.

Le *castrum* méridional est tout autre. Bien que subsistent encore des régions d'habitat dispersé en hameaux, ou, comme on les appelle, en mas, ainsi en Rouergue, le *castrum* est presque de règle dans les contrées méridionales. Ses caractéristiques sont plus homogènes que celles des villages de la moitié nord de la France. Le *castrum* est bâti sur un site de hauteur et domine le paysage ; il est enfermé dans une enceinte qui l'apparente à une ville en miniature ; il est normalement organisé autour d'un château seigneurial avec lequel il a créé des rapports topographiques variés mais toujours étroits. Alors que, dans les villages du Nord, l'église est un pôle fondamental du village et que le château est bâti à l'écart, dans le Midi, le rapport est inverse. Le paysage villageois exprime deux différences fondamentales des sociétés méridionales et septentrionales :

- dans le Nord, l'écart entre le plat pays et le milieu urbain est très tranché ; les villages méridionaux, en revanche, essaient d'imiter les villes voisines ;

- dans le Midi, la société est plus laïque; dans le Nord, l'influence de l'Église est plus marquée.

3. *La puissance économique des villes septentrionales; la force du modèle urbain dans le Midi.*

Que l'écart soit moindre entre villes et campagnes dans le Midi que dans le Nord, on le comprend aisément. Le réseau urbain y est très dense, pour l'essentiel hérité de l'époque romaine. Si Montpellier, Narbonne, Toulouse ou Bordeaux y connaissent une expansion spectaculaire, la plupart des villes restent proches des villages voisins. La classe dominante y est encore, au seuil du XIIIᵉ siècle, un patriciat noble et bourgeois. La noblesse, en effet, n'a pas cessé de résider en ville. Sa fortune, morcelée en plusieurs parts de seigneurie, réparties en divers villages, ne l'attache guère plus à l'un qu'à l'autre, et son hôtel urbain, pourvu de sa tour, exprime tout aussi bien sa place éminente dans la société que son logis villageois. Certains ne répugnent pas, tel le Toulousain Pons de Capdenier, à faire fructifier leurs avoirs en prêtant à intérêt. Noblesse et bourgeoisie constituent ensemble le groupe de prud'hommes qui représentent la ville auprès du seigneur.

Ces villes méridionales ne sont pas engagées dans des combats de «libération». A quelques exceptions près, comme Lodève ou Le Puy, qui, en ce seuil du XIIIᵉ siècle, s'opposent violemment à leurs seigneurs. Leurs libertés sont médiocres, à peine en avance sur celles des gros villages voisins. Le modèle n'est pas si éloigné qu'il ne puisse être imité.

On a souvent fait du régime municipal des villes méridionales, le consulat, l'une des différences majeures entre villes du Nord et villes du Sud, le gouvernement collégial des consuls s'opposant au gouvernement solitaire du maire septentrional. L'essentiel n'est pas là, car, pour les unes comme pour les autres, c'est le fonctionnement global du système qui compte. Or, partout, le pouvoir profond est au conseil qui entoure le maire ou les consuls. On les appelle conseillers dans le Midi, échevins dans le Nord : les uns et les autres sont le vrai rouage de l'organisation municipale.

Mais la différence de terminologie a son importance : elle

montre bien un Nord conservant un vocabulaire carolingien et un Midi appartenant à une aire municipale méditerranéenne, prenant naissance en Italie. A cet égard, d'ailleurs, le Sud-Ouest appartient à une autre aire dont les conseillers s'appellent jurats et élisent un maire.

La différence est ailleurs. Elle est dans la force d'émancipation des villes septentrionales, qui expriment ainsi le dynamisme de sa bourgeoisie. Les villes du Midi ont de pâles franchises en comparaison de celles du Nord. Des franchises acquises plus tard, de manière plus ou moins subreptice. Bordeaux, entre 1199 et 1206, sans que les circonstances en soient connues, acquiert un gouvernement municipal, élu à partir de 1224. A Montpellier, en 1204, c'est encore le seigneur qui, par l'intermédiaire de son bayle, préside le tribunal et c'est encore lui qui en choisit les assesseurs. Seule Toulouse, dans les dernières années du XIIe siècle a acquis une autonomie qui l'apparente aux villes du Nord.

Bien peu de bourgeois méridionaux ont une puissance économique comparable à celle de leurs homologues flamands ou artésiens. Sans doute la draperie, une draperie de qualité à cette époque, se développe-t-elle vivement, mais les entreprises les plus hardies, celles du capitalisme lointain, sont rarement le fait de marchands locaux, et la force des marchands italiens, dans une ville comme Saint-Gilles, par exemple, semble limiter les entreprises des commerçants indigènes.

Si, plus qu'au nord, la civilisation que la ville méridionale a su créer est imitée par les moindres villages, c'est sans doute parce que le fossé y est moins profond que dans les provinces septentrionales, où s'édifie la vraie fortune de la ville bourgeoise.

4. L'inégal poids spirituel de l'Église.

Partout l'Église, riche, est contestée. Certaines régions septentrionales connaissent cette situation de conflit latent, ou parfois ouvert, avec les ecclésiastiques. A Laon, au XIIIe siècle, les vieux ressentiments sont loin d'être éteints. Mais cet anticléricalisme semble nourri par la seigneurie ecclésiastique et cristallisé dans la lutte pour les franchises.

Dans le Midi, il a une tonalité plus générale, exacerbée en Languedoc. Nobles et roturiers sont également atteints. La restitution des dîmes pour les nobles, la condamnation du prêt à intérêt pour les riches citadins, le poids de la dîme qui pèse non seulement, comme les droits seigneuriaux, sur les cultures, mais aussi sur le cheptel et qu'aucun aménagement des taux ne vient amoindrir sont autant de sources de conflit avec l'Église. Sans doute existent-elles aussi dans le Nord, mais elles y semblent ressenties avec moins de virulence.

5. *L'hérésie méridionale.*

De l'anticléricalisme à l'hérésie, le pas est plus grand qu'on ne le croit souvent. Bien peu l'ont franchi. Les alarmes des hommes du Nord et de l'entourage pontifical ne doivent pas faire surestimer le nombre des cathares militants. Lorsque Pierre des Vaux de Cernay, ce cistercien de la région parisienne, envoie au pape son récit de la croisade des Albigeois, il prétend que la «lèpre de l'hérésie» avait entièrement contaminé le pays, de l'Atlantique au Rhône et même au-delà. En fait, la zone touchée est circonscrite à une partie du Languedoc aquitain, et, même là, il n'y avait probablement pas plus de 10% de «croyants». A Béziers, la première ville conquise par l'armée croisée, on ne dénombrait probablement guère plus de deux cents hérétiques notoires. Et les partisans de l'Église sont restés nombreux.

L'hérésie est loin d'être répandue dans l'ensemble des milieux sociaux : tout au long du XIIIe siècle, elle touche peu les classes populaires, rurales ou urbaines et ne cesse d'être une affaire de notables. C'est sans doute ce qui contribue à la rendre si dangereuse aux yeux de l'Église romaine. En bref, l'hérésie n'est en rien, comme on le croit parfois aujourd'hui, un fait général du monde occitan.

Pourtant, il est vrai que, dans le Nord, les foyers hérétiques sont sans commune mesure avec ceux du Midi. Le danger y existe ; l'installation de tribunaux de l'Inquisition l'indique, mais les petits groupes hétérodoxes n'ont pas constitué pour l'Église une menace d'une gravité comparable à la situation méridionale. Un chevalier hérétique à Nevers, en

1200, quelques « cathares » dans le Soissonnais, en 1204, les disciples d'Amaury de Chartres, à Paris, les hérétiques de Strasbourg, en 1211 : on ne quitte guère le milieu clérical, et nulle part le fond du dogme chrétien ne paraît mis en question comme par les fidèles du catharisme méridional.

Le Midi était atteint par des doutes en matière de dogme. La médiocrité des écoles théologiques méridionales au XIIe siècle les a certainement aggravés chez des esprits exigeants. Pas de talents célèbres dans les écoles monastiques ; rien qui ressemble non plus aux écoles cathédrales du Bassin parisien et à leurs subtiles discussions théologiques. Les maîtres ne manquent pas, mais c'est l'enseignement du droit et de la médecine qui se développe, à Montpellier bien sûr, et aussi dans bien d'autres villes du littoral. La laïcisation de la culture se manifeste par l'importance précoce de la langue d'oc dans l'écrit : dans la littérature, mais aussi pour la rédaction des chartes, de nombreuses régions méridionales l'ont adoptée.

A cette tendance des élites lettrées correspond un état d'esprit latent dans la population : une soif de comprendre clairement. Les mystères du christianisme échappent aux âmes simples, mais soucieuses d'une certaine cohérence. Malgré ses propres complications, le dualisme cathare avec ses deux dieux, le principe du Bien et celui du Mal, permet de résoudre aisément ce qui reste l'énigme majeure pour les esprits non frottés de théologie au seuil du XIIIe siècle : qu'un Dieu bon et tout-puissant permette tant de malheurs sur terre. A la fin du siècle, c'est encore cette incompréhension qui filtre dans les propos des montagnards ariégeois du village de Montaillou lorsque l'évêque de Pamiers, dans sa tâche inquisitoriale, les interroge.

6. *Juifs et chrétiens dans le Midi et ailleurs.*

C'est peut-être à cette intégration un peu différente du christianisme à la civilisation méridionale qu'il faut attribuer la situation assez particulière des juifs dans le Midi. Non qu'une partie importante des populations n'ait pas manifesté son hostilité aux juifs. Ainsi, à Narbonne, lors de la fête du

Pourim, en 1236, commença une émeute populaire contre les juifs, que les autorités locales, le vicomte et les consuls réprimèrent rapidement.

Les princes méridionaux entretenaient en effet de bonnes relations avec les juifs, dont ils utilisaient les compétences administratives et financières. Ils ne répugnaient pas à leur confier des fonctions publiques, et les croisés ne manquèrent pas de leur en faire grief. Il en allait tout autrement dans le Nord, où le roi de France avait prononcé la première expulsion des juifs dès 1182, suivant l'exemple du roi d'Angleterre. Sans doute ces expulsions furent-elles de courte durée, mais les mesures prises à l'encontre des juifs ne cessèrent de se durcir jusqu'au grand autodafé des livres talmudiques organisé sur ordre de Saint Louis, en 1242. Au même moment, la conquête du Midi par les chevaliers du Nord et son intégration politique, très stricte désormais, au royaume, modifiaient les conditions d'existence des juifs dans le Midi. Mais les seigneuries qui gardaient un peu d'autonomie, comme celle de Narbonne ou de Montpellier, recevaient des juifs venus des domaines royaux et continuaient à leur assurer une relative sécurité, qu'elles leur faisaient payer fort cher d'ailleurs. Or ces seigneuries avaient été, quelques années auparavant, les auxiliaires des croisés, les tenants fidèles de l'orthodoxie. Leur attitude conciliante à l'égard des juifs ne provenait donc pas de la tiédeur de leur catholicisme, mais bien d'une spécificité méridionale des relations avec les juifs.

Même si, dans le Midi, comme dans le Nord, la situation des juifs n'a cessé de se détériorer au cours du XIIIe siècle, il est révélateur que la première accusation de meurtre rituel contre les juifs n'apparut qu'en 1247 dans le Midi rhodanien, alors que, dès 1171, elle avait donné lieu à un massacre de juifs à Blois. Et encore a-t-on tout lieu de penser que cette accusation, assortie d'une condamnation du Talmud, provient tout droit d'une influence étrangère à la région : cette semaine de Pâques-là, des franciscains prêchaient dans cette bourgade de Valréas et tant de fantasmes nordiques s'y trouvent réunis brutalement qu'on doute que les indigènes les aient connus ou découverts d'eux-mêmes.

Sans doute le moindre coût du crédit dans le Midi explique-t-il aussi la moindre hostilité des populations locales à l'égard

des juifs. Si l'usure était définie par une ordonnance de Philippe Auguste, en 1218, comme un taux supérieur à 43%, on
est loin du compte dans le Midi où le taux des prêts entre
juifs et chrétiens devait être voisin de 20%.

Moindres bénéfices financiers des prêts et moindres tensions : on comprend que nulle part ailleurs que dans le Midi
les juifs n'aient eu des activités aussi diversifiées et autant
de propriétés immobilières.

7. *L'individualisme méridional.*

Quels que soient les domaines des divergences entre le Nord
et le Midi, les campagnes ou les villes, la vie intellectuelle ou
les aspirations religieuses, le dénominateur commun de ces
différences est sans doute l'individualisme méridional.

Le régime juridique, notamment successoral, en est l'une
des manifestations les plus claires. Ce n'est pas sans raison
que les chevaliers français, emmenés par Montfort, lorsqu'ils
ont tenté de constituer un État languedocien aux lendemains
de la conquête de la croisade ont voulu modifier radicalement le régime juridique du Midi et cherché à imposer un
droit du Nord. Il a parfois été dit qu'il s'agissait de lutter
contre le régime juridique méridional qui dissolvait les patrimoines et les devoirs des fiefs en partageant à égalité entre
les enfants. C'est ne pas tenir compte du régime dotal qui
permet d'exclure les filles de la succession et de la liberté testamentaire qui permet d'avantager l'enfant que l'on veut,
beaucoup plus facilement que dans bien des régimes coutu-
miers du Nord. La différence la plus nette n'est pas là : elle
est dans la pratique du testament et la liberté qu'elle laisse
au testateur. Bien que la pratique testamentaire révèle, dans
le Midi comme ailleurs, de fortes solidarités familiales, le droit
a incontestablement une nette tonalité individualiste.

Individualiste, aussi, l'éthique courtoise où l'amour se
développe toujours hors du cadre familial et où, même s'ils
sont des stéréotypes, les sentiments du troubadour-amant sont
exaltés comme sujets uniques du poème.

Individualiste enfin l'aménagement des finages villageois.
S'il y a bien quelques solidarités collectives conduisant à

l'achat de quelques grands prés par la communauté villageoise ou à la négociation commune avec le seigneur pour garantir aux villageois l'usage exclusif des landes et des quelques bois, le principe général n'est pas celui qui se met en place peu à peu dans les campagnes du Nord. L'assolement triennal obligatoire que des villages des plateaux picards organisent pendant le XIIIᵉ siècle n'a aucun équivalent dans le Midi. Aucun remembrement collectif ; pas de berger commun, pas de contraintes de culture, mais une surveillance par des gardes champêtres dont le seul but est que personne ne puisse nuire à la propriété d'autrui. Sauf pendant la courte période où, entre la moisson et les semailles d'automne, les terres sont ouvertes à tous pour la pâture, le droit de l'individu ne le cède en rien devant celui de la collectivité. C'est plus une réflexion sur l'intérêt d'une administration collective que des solidarités intenses qui ont conduit à mettre au point des «gouvernements» de village, et cela avec un retard certain sur les régions précoces du Nord.

Deux civilisations, l'une méridionale, l'autre septentrionale cohabitent donc dans le royaume de France. Au nord et au sud, on ne parle pas la même langue, on habite différemment, on cultive et on s'alimente différemment, on partage différemment son patrimoine entre ses enfants, on ne nourrit pas le même rapport avec Dieu et la religion.

Certains historiens ont récemment opposé Nord et Midi sur le terrain de la prospérité. C'est peut-être juger une civilisation à l'aune de l'autre que de ne pas percevoir la richesse des plaines méridionales, une richesse qu'attestent encore les soldats anglais du prince Noir aux lendemains de la peste noire, lorsqu'ils découvrent avec stupéfaction les délices de la vie en Languedoc. L'intensité de la circulation monétaire dans tous les milieux y révèle une modernité assez répandue, mais à laquelle il manque peut-être l'accumulation de richesses entre les mains de quelques grands entrepreneurs. Les faiblesses de la civilisation méridionale, on ne les lit guère avant le XVᵉ siècle.

8. *Les différences s'accentuent au XIIIᵉ siècle.*

Entre Nord et Midi, les différences ne s'atténuent pas dans
le cours du XIIIᵉ siècle. Les progrès du droit et de l'administration les ont, tout au contraire, accentuées.

Il est traditionnel d'opposer les pays de droit écrit et de
droit coutumier et de faire de cette différence l'une des lignes
de partage entre les civilisations du Nord et du Midi. Or c'est
en 1251 qu'une ordonnance royale établit explicitement la
division du royaume entre ces deux formes de droit.

Au même moment, la diffusion de l'acte écrit et son utilisation par des milieux de plus en plus larges vont aussi con-
crétiser un mode d'enregistrement différent des transactions
foncières et des contrats : dans le Midi, le notaire est un officier public dont les actes sont authentifiés par son propre
sceau, tandis que, dans le Nord, il est un tabellion qui doit
recourir à une juridiction pour donner à ses actes une valeur
légale.

Au fur et à mesure que naît la fiscalité, l'opposition
s'accentue entre des pays méridionaux où s'impose peu à peu
un régime de taille dite réelle et l'assiette personnelle des
régions du Nord. Dans le système méridional, c'est la possession foncière qui est la base d'imposition, suivant des taux
proportionnels à la valeur des terroirs. Lorsque le système
se fixe, vers la fin du XIIIᵉ siècle, certains biens, ceux qui
appartiennent à des nobles, sont exempts de taille ; les autres
la doivent, quand bien même ils passeraient ensuite dans un
patrimoine noble.

Ces différences fiscales révèlent des rapports sociaux différents. Dans le Midi, la terre et l'individu qui la possède
n'ont pas nécessairement le même statut : la noblesse n'est
plus assez forte pour rendre noble la terre qui entre dans son
patrimoine. La distance sociale s'est atténuée, non pas seulement dans les villes où s'étale la richesse bourgeoise, mais
dans l'ensemble du pays.

Même dans le domaine de la circulation des hommes, il
n'est pas sûr que le XIIIᵉ siècle voie s'accélérer les rencon-
tres des hommes du Nord et du Sud. L'échange des marchandises, épices et draps notamment, est de plus en plus entre

les mains de marchands italiens et les commerçants méridionaux se font moins nombreux en Champagne au fur et à mesure qu'avance le siècle.

Dans tous les domaines, de l'administration villageoise à la langue, les différences de civilisation entre le Nord et le Sud s'aggravent, au fur et à mesure que les modes de vie se précisent et se font plus subtils. Il est pourtant un domaine où les rapprochements, pour brutaux qu'ils ont été, sont indéniables : c'est le domaine politique. Le Midi est entré sous l'autorité du roi de France entre 1210 et 1230. Cette annexion a amené des hommes du Nord à des postes clefs dans le Midi ; plus tard, elle a conduit des Méridionaux à la cour du roi. Pouvait-on sentir les prémices de cette évolution dès le détour du siècle ?

9. Une annexion préparée ?

Les rois de France ont eu le souci de ne pas laisser se périmer les droits de la mouvance royale sur les églises et les grands vassaux méridionaux. Philippe Auguste a pris sous sa protection les abbayes de Sarlat en Périgord et de Figeac en Quercy, ainsi que l'évêché de Maguelonne. Mais du comte de Toulouse, il écrit au pape, à la veille de la croisade dite des Albigeois : « Sachez bien que dans toutes les guerres que nous avons menées, nous n'avons reçu aucune aide, ni de lui, ni des siens, alors qu'il tient de nous l'une des plus grandes baronnies du royaume. » C'est là réaffirmer les droits de la mouvance royale, mais aussi en constater l'inefficacité. Quant aux autres vassaux, notamment les vassaux gascons, on ne sait rien des prétentions du roi à leur égard. Au total, comme l'a calculé Charles Higounet, le Midi, dans son ensemble, ne représente que 2,5 % de l'activité diplomatique de Louis VII et 0,8 % de celle de Philippe Auguste.

L'attitude du roi à l'égard de la croisade est d'ailleurs éclairante : combien de tergiversations et de reculs avant d'autoriser ses barons à y participer ? Le fils du roi, Louis VIII, ne participe à la croisade que lorsque les dangers septentrionaux sont conjurés, après la bataille de Bouvines.

Plus que du roi lui-même, c'est donc de chevaliers septentrionaux qu'est partie l'expansion française vers le Midi, suivant eux-mêmes les intentions de la diplomatie pontificale. Se sont taillé des seigneuries dans le Midi pour s'y établir durablement, outre quelques Normands, deux Picards, un Bourguignon et un Angevin, des chevaliers d'Ile-de-France.

Le Midi avait-il une conscience aiguë de ses liens politiques avec le roi ? Les chartes méridionales mentionnent très régulièrement le règne du roi de France. De 1170 à 1209, plus de 90% des chartes rédigées entre l'Armagnac et le Rhône, en langue d'oc, portent mention du roi. Mais les auteurs de ces chartes sont des clercs, et les clercs entretiennent avec le roi de France des liens particulièrement étroits.

Au même moment, tout près de là, le roi d'Aragon a cessé, depuis 1181, de dater ses chartes par l'année du règne du roi de France, même quand elles concernent la Catalogne ou le Roussillon qui appartiennent au royaume. Au même moment aussi, le monde aristocratique méridional ne s'occupait en rien des affaires du Vermandois ou de Champagne. On s'y intéressait aux complications des héritages gascons. Ou bien aux grandes manœuvres qui opposaient le roi d'Aragon, le comte de Toulouse et le duc d'Aquitaine et aux conflits féodaux qu'elles entraînaient. Le Midi regardait de l'autre côté des Pyrénées, beaucoup plus qu'au nord de la Garonne et du Massif central.

Les historiens ont différé sur les ressorts profonds qui intégraient le Sud de la France au royaume. Pour Charles Higounet, si la noblesse méridionale manquait de perspectives septentrionales, le pays était loin d'avoir rompu les amarres avec le royaume ; le rapprochement, l'annexion même étaient dans l'ordre des choses. Pour Y. Renouard, le sort des armes et le hasard de quelques existences humaines décidèrent parmi d'autres possibles. Assurément, en tout cas, la situation politique était plastique.

5

Croissance démographique et développement économique : variations régionales d'un thème général

Au début du XIVe siècle, le royaume de France est un pays densément peuplé. L'atteste notamment l'*État des paroisses et des feux*, ce document fiscal d'ensemble élaboré dans le domaine royal. Dans le cadre du royaume ou dans celui de la France actuelle, divers documents locaux conçus suivant les mêmes principes confirment cette impression de plénitude démographique. Étendue à ses frontières actuelles, la France des années 1320 comptait environ 20 millions d'habitants. Depuis le début du XIIIe siècle, en une centaine d'années, on s'accorde à penser que la progression avait été voisine de 150%. D'autres pays européens ont sans doute connu à cette époque des dynamismes démographiques encore supérieurs, mais la densité du royaume de France est sans conteste la plus forte.

1. L'urbanisation du royaume.

Dans le poids démographique global, celui des villes ne cesse de croître au XIIIe siècle. La part de la population rurale passerait, suivant les estimations de G. Sivery[1], d'environ 90% de l'ensemble au début du siècle à environ 85% à la fin. On peut gloser longuement sur une évaluation qui souffre de bien des faiblesses : l'évaluation démographique elle-même aussi bien que la sempiternelle bataille concernant la défini-

---

1. Gérard Sivery (228).

tion des villes et la liste des agglomérations à retenir au chapitre de la population urbaine. Ces chiffres n'en sont pas moins éloquents pour exprimer à la fois la part toujours essentielle de la population rurale et l'accroissement de la population urbaine.

Le développement de la population urbaine est, au XIIIe siècle, moins malaisé à suivre que celui des campagnes voisines. Certes le temps des créations est passé : Aigues-Mortes est un cas exceptionnel et les bastides aquitaines fondées au XIIIe siècle sont restées au mieux de grosses bourgades. Mais, suivant une vitesse et des rythmes qui leur sont spécifiques, toutes les agglomérations ont connu une vive croissance qui prolonge et accélère celle du siècle précédent. Le phénomène est vrai aussi des bourgades.

L'extension de la surface bâtie, faubourgs débordant des murailles, enceinte agrandie, témoigne unanimement de la croissance des villes. Le début et la fin du XIIIe siècle sont l'un et l'autre marqués par la construction de nouveaux murs à Metz. Au milieu du siècle, le nouveau tracé des murs de Lille augmente de près d'un quart la superficie enclose.

2. *Des régions peu peuplées entre des zones de forte densité.*

Ces données globales, un royaume fortement peuplé et urbanisé, recouvrent de sensibles différences régionales. La France connaît en effet plusieurs niveaux de densité : les régions qui comptent moins de 8 feux au kilomètre carré, celles qui en comptent de 8 à 12, celles qui en comptent entre 12 et 20 et, enfin, les exceptions qui crèvent le plafond des 20 feux au kilomètre carré. Pour être plus concret, on peut compter environ 5 personnes par feu. Les quatre catégories deviennent donc : moins de 40 habitants au kilomètre carré, entre 40 et 60, entre 60 et 100, et plus de 100.

A vouloir être concret, on est évidemment beaucoup plus critiquable, car, si un dénombrement très précis de deux villages des Corbières en 1306 montre un feu voisin de cinq habitants, corroboré par d'autres évaluations, il en est d'autres qui font douter que cette valeur soit générale. D'une région à l'autre, d'un milieu à l'autre, la composition du foyer est éminemment différente.

Il est bien d'autres faiblesses à toute évaluation démographique, même au début du XIVe siècle : les dénombrements, successifs et rapprochés dans le temps, de certaines châtellenies ou de certains villages fournissent des chiffres ou bien trop identiques pour être justes, ou bien trop différents pour qu'on y ait procédé de la même manière et suivant les mêmes critères. Le dénombrement n'a pas alors un but statistique, mais fiscal ou militaire. Il n'empêche ; quelle que soit la fragilité de toute évaluation démographique à cette époque, il faut la tenter en gardant en mémoire son caractère très approximatif.

Dans la première catégorie, celle des pays peu peuplés : le Massif central (surtout dans sa partie méridionale et montagneuse). Le Périgord, le Quercy et l'Agenais et la Gascogne royale, c'est-à-dire l'essentiel du Sud-Ouest. Le Berry. Les montagnes méditerranéennes comme les Corbières. Le Dauphiné, qui ne fait pas partie du royaume, connaît, à l'exception des vallées très peuplées, une densité voisine de celle du Massif central.

Dans la deuxième catégorie : le Toulousain, qui dépasse à peine la barre, et le Bas-Languedoc, sensiblement plus peuplé. La Saintonge. Il faudrait sans doute adjoindre à cette catégorie le Poitou, la Touraine et l'Anjou, pour lesquels les documents manquent. A l'est du royaume, la Bourgogne se situe vers le milieu du groupe. La Normandie, plus peuplée, connaît de belles densités rurales et dépasse même de peu la barre supérieure. Le Nord du Bassin parisien et la Picardie appartiennent à cette *upper-middle-class*.

Seule entre 60 et 100 habitants au kilomètre carré : la région parisienne.

Enfin, au sommet de la pyramide des densités, la région de Senlis et le Valois. Et, naturellement aussi, les comtés du Nord (même si l'*État des feux* ne compte pas les paroisses du comté de Flandre) : il est habituel aux historiens de les qualifier de fourmilière humaine à cette époque.

Concernant le taux de croissance du XIIIe siècle, qui a conduit aux densités du premier XIVe, les opinions divergent considérablement d'une région à l'autre et d'un historien à

l'autre. Dans l'*Histoire de la population française*, H. Dubois
en a fait la synthèse : le dynamisme démographique se serait
arrêté assez tôt dans le Nord et peut-être en Provence, tandis que la croissance aurait continué dans le Midi et le Sud-
Ouest. Ce serait donc, alors, entre 1250 et 1270, au sommet
de la courbe de croissance de la population des régions septentrionales, que la différence démographique aurait été à
son maximum entre le Nord et le Sud-Ouest. Le tableau de
la démographie française, tel qu'on peut l'établir pour le
deuxième quart du XIVe siècle, serait donc à réviser pour le
premier XIIIe siècle en aggravant les contrastes entre un Bassin
parisien aux fortes densités précoces et une France méridionale et moyenne au développement plus tardif.

3. *Des migrations fidèles à d'anciens schémas.*

La croissance démographique du XIIIe siècle n'a pourtant
pas systématiquement régularisé les inégalités régionales : les
migrations ne se sont pas faites essentiellement des zones denses vers les zones les moins peuplées, corrigeant ainsi les «ano-
malies» de la répartition démographique antérieure. Il est vrai
que quelques régions vides se sont peuplées dans le courant
du XIIe siècle, attirant les colons dans de nouveaux sites,
comme la Brie ou les confins occidentaux de la Bourgogne,
ou les régions de marais drainés, mais la population a surtout continué à s'entasser dans les pays de vieille mise en
valeur et de bonne réputation. L'extension du terroir agricole sur les friches et les landes a laissé peu de traces spectaculaires dans l'ensemble de la documentation, tandis que
l'installation de nouveaux habitants dans des zones plus difficiles a exigé le recours à l'écrit et attiré l'attention des historiens. Mais il ne faut pas s'y tromper, les anciens schémas
de répartition de la population ne sont pas bouleversés. Beaucoup de rééquilibrages sont sensiblement postérieurs.

L'exemple des campagnes chartraines est éclairant, où, au
milieu du XIIIe siècle, la répartition de la population demeure
peu différente de celles des périodes plus anciennes : les terres fortes continuent à être presque vides d'hommes, tandis
que les versants et les plateaux perméables aux sols légers ras-

semblent les fortes densités humaines. Pourtant, la répartition de la population n'est pas seulement adaptation rationnelle à la pédologie et aux techniques agricoles, moins encore
à la capacité nourricière d'une région : le fantasme du « bon
pays » fonctionne encore pleinement, poussant les hommes
de l'Ouest vers les terres céréalières du Bassin parisien, pourtant déjà pourvues d'une population bien dense. Il en va de
même des paysans du Conflent et de la Cerdagne partant vers
les plaines peuplées du Roussillon ou du Narbonnais; et les
bastides de la Gascogne toulousaine qui s'édifiaient encore
n'ont pas retenu les paysans attirés par les richesses du Bordelais.

4. *Les inégalités microrégionales.*

Une étude de la répartition démographique conduite à
grande échelle ne doit pas cacher qu'au sein d'une même
région la répartition de la population aussi bien que de la
richesse est loin d'être régulière. Pour s'en tenir à la densité
démographique, un peu moins difficile à quantifier que la
richesse, quelques documents permettent de mesurer ces phénomènes en Normandie dans les premières décennies du XIIIe
siècle. Ils montrent combien une densité moyenne calculée
à l'échelle de la province, voire des diocèses, déformerait la
réalité, masquant le poids humain des régions maritimes et
des zones de campagne : la densité y est plus de deux fois
supérieure à ce qu'elle est dans le pays de Caux ou dans la
région de Vire. A l'intérieur du Perche, dans un milieu aux
activités exclusivement rurales, la densité varie dans un rapport de 1 à 12 d'une paroisse à l'autre, et en Beauce, où les
conditions de l'agriculture sont plus homogènes, de 1 à 3.
Un peu plus tard, au seuil du XIVe siècle, les dénombrements
de G. Fourquin manifestent les mêmes inégalités démographiques dans la région parisienne. Même à l'échelle régionale, tout est diversité dans la démographie du XIIIe siècle.

5. De fortes densités comme signe extérieur de richesse.

Pas plus au XIIIe qu'auparavant, la hausse démographique n'est le *deus ex machina* d'où provient l'enrichissement : elle est l'un des éléments qui l'accompagne. Associée à des défrichements, elle crée un nouveau rapport avec l'espace et la nature, et permet d'atteindre un seuil de densité démographique à partir duquel de nouveaux équipements s'imposent et sont rentables. Jointe à l'intensification du travail agricole, elle engendre une main-d'œuvre susceptible de développer de nouvelles activités secondaires et tertiaires.

Le XIIIe siècle hérite du XIIe une démographie hiérarchisée, où densités rurales et réseau urbain se correspondent. Avec les régions les moins peuplées coïncident un habitat souvent dispersé et un semis lâche de pôles qui méritent le qualificatif d'urbains plus par leurs fonctions tertiaires, religieuses et politiques, que par leur chiffre de population et leur activité commerciale ou artisanale. Le second degré de l'échelle est celui des régions où, au milieu d'une population rurale plus dense, s'intercale un réseau de bourgades dominé par une (ou, rarement, plusieurs) ville(s). Quelques régions ont dépassé ce stade et connaissent un véritable réseau urbain, liant les productions régionales aux trafics lointains. Pas plus que dans la répartition régionale ou micro-régionale, le XIIIe siècle n'a entraîné de révolution dans cette hiérarchie. Tout au plus, il a vu telle ou telle région en franchir un degré.

6. La hiérarchie démographique correspond à peu près à celle de la richesse économique des régions.

La France est loin d'être également riche. L'expansion, commencée depuis près de trois siècles dans certaines régions, s'est développée à des rythmes divers. Et sans doute se surimposait-elle à des régions déjà très inégalement productives. G. Sivery a analysé ces disparités avec beaucoup de soin et de clairvoyance dans les doléances recueillies par les enquêteurs royaux, vers le milieu du siècle, auprès des populations des provinces nouvellement conquises. Aux environs de 1200, ces disparités sont déjà en place et elles constituent la trame du royaume.

Dans l'ensemble, la carte des régions riches est à peu près superposable à celle des fortes densités de population telle que l'a établie H. Dubois. Superposable aussi à la carte de la densité de population urbaine telle qu'A. Guerreau et Jacques Le Goff l'ont dressée à partir de la répartition des couvents d'ordres mendiants, en la recoupant avec celle des villes appelées à participer aux assemblées du royaume au début du XIVe siècle. Et les grandes lignes de cette répartition demeurent peu modifiées jusqu'au XVIIe siècle.

7. *La richesse d'une région.*

Sans doute faut-il s'entendre sur le concept de richesse et le comprendre dans un sens global, comme une sorte de produit régional brut élevé, qui n'exclut pas une part de population très pauvre au sein d'une région où les biens sont généralement abondants. Cette richesse régionale repose partout sur le même entrelacement de développement démographique, d'augmentation de la production agricole, de circulation de monnaie, d'urbanisation et d'échanges, auquel s'intègre le développement d'un travail artisanal professionnel. La période centrale du Moyen Age n'a guère connu de systèmes agraires extensifs conduisant à une accumulation générale de richesse. Pas plus qu'elle n'a connu d'urbanisation qui n'aille de pair avec un développement de l'économie rurale. Le progrès est intensification de la mise en valeur. Et l'augmentation de la population urbaine, du moins dans la plus grande partie du XIIIe siècle, n'évoque pas l'urbanisation famélique et galopante des pays du tiers monde actuel. La richesse, en ce sens, est synonyme de modernité.

La connaissance que nous avons des diverses régions est malheureusement aussi inégale que leur richesse et leur participation aux processus de développement : en règle générale, avec quelques exceptions dues à la conservation ultérieure des documents, les sources écrites sont d'autant plus abondantes que l'économie régionale est avancée, tant il est vrai que l'utilisation de l'écriture est l'un des signes et l'un des moyens du « progrès » aux XIIᵉ et XIIIᵉ siècles.

A l'est, la Lorraine ; à l'ouest, le Poitou, la Vendée et le centre de la Bretagne ; les pays de montagne que sont les Ardennes, de grandes parties du Massif central, le Jura méridional et les Alpes, notamment méridionales ; au sud-ouest, une grande part de la Gascogne : tels sont les pays « maigres » ou médiocres. En schématisant : un centre pauvre, entouré d'une auréole riche, elle-même bordée par des marges pauvres. Ou bien encore, pour reprendre l'expression de Bernard Chevalier, l'outre-Seine et le croissant méridional de Lyon à La Rochelle comme terres d'abondance.

La répartition géographique de la prospérité n'évolue pas si vite qu'elle ne garde l'essentiel de ses traits au cours du XIIIᵉ siècle. Certaines régions entrent avec un peu de retard dans cette phase heureuse ; bénéficiant de structures sociales plus souples ou d'une situation mieux adaptée aux nouveautés économiques, elles gardent un dynamisme qui s'ébrèche ailleurs avant la fin du siècle. Ainsi Lyon ou Chalon, à l'est ; ou Bordeaux, à l'ouest ; ou bien encore la Flandre septentrionale, tandis que s'essoufflent les centres de la Flandre méridionale. De même le Midi toulousain, dont l'essor rural fut tardif, mais incontestable, dans la seconde moitié du XIIIᵉ siècle : le nombre des habitants et l'importance des revenus ecclésiastiques — ainsi que la nécessité de récompenser une clientèle toujours plus vaste — justifient qu'au seuil du XIVᵉ siècle le pape Jean XXII subdivise les diocèses, beaucoup plus en France du Sud qu'ailleurs en Occident (1317). Les processus de cet *aggiornamento* sont essentiels dans une étude de la France au XIIIᵉ siècle. Mais, dans l'ensemble, la cartographie de l'opulence régionale demeure stable à travers toute la période.

6

Les chemins divers
du développement des campagnes

Pendant la plus grande partie du XIIIe siècle, si les hommes s'amassent en certaines régions, c'est qu'ils y ont trouvé et aménagé une économie à forte productivité, qui dégage des surplus après avoir nourri suffisamment l'essentiel de la population. Dans la plupart de ces régions, l'agriculture a été la ressource première : il n'y a pas, au XIIIe siècle, de régions qui tirent leurs richesses de la seule activité artisanale ou commerciale. Pourtant, nulle part les cultures non vivrières n'occupent, au XIIIe siècle, plus de 20% de l'espace cultivé. Et, dans cette ouverture sur les circuits commerciaux, chaque région a connu ses spécificités : l'intensité de l'ouverture, son rythme, ses formes. L'omniprésence de la céréaliculture donnait aux paysages médiévaux et au genre de vie paysan une réelle uniformité, mais le XIIIe siècle accentue les diversités régionales.

1. Nouveaux traits de la croissance des campagnes

1. Retombée ou persistance des défrichements ?

Le XIIe siècle est le siècle d'une immense croissance de l'espace agricole. Partout, plus ou moins vite, se sont ouvertes d'innombrables entreprises, collectives ou individuelles, de défrichement. Les premières années du XIIIe siècle appartiennent encore à cette époque. Ainsi, en bordure de la forêt de Dreux, le village de Chérisy a encore mis en culture quatre

cents arpents dans le premier quart du XIIIᵉ siècle, soit un
sixième de la surface de la commune actuelle. Entre 1210 et
1250 se situe la seconde vague des défrichements picards, celle
des grandes entreprises au cœur des forêts. Mais, passé 1260,
dans ces pays de l'openfield, finis les grands quartiers
d'essarts et les villeneuves. De la Picardie au haut Poitou en
passant par l'Ile-de-France et la Beauce, la chronologie de
cette retombée n'est pas très différente.

Dans cet Occident désormais peuplé et constructeur, l'arrêt
des vastes entreprises, conduites par les autorités seigneuriales, laïques et ecclésiastiques, aux dépens des forêts, dans les
pays d'openfield, correspond aussi à la volonté de préserver
les forêts qui subsistent. Elle ralentit le zèle des défricheurs
et surtout le bon vouloir des seigneurs de qui dépend l'autorisation d'essarter.

Il est cependant des régions, comme les contrées méridionales, où les contraintes collectives demeurent légères, où
l'expansion démographique est encore vive et où les villageois
continuent de défricher. Dans la deuxième moitié du XIIIᵉ siècle, les habitants des villages mettent en culture de nouvelles
terres, souvent malcommodes et éloignées des terroirs conti-
gus au village, qu'ils ont soigneusement réorganisés autour
de leurs jeunes villages au siècle précédent.

2. Le problème des bastides.

Dans le Sud-Ouest, la construction des bastides appartient
encore, il est vrai, à cette grande activité créatrice de nouveaux villages qui caractérise ailleurs le XIIᵉ siècle. Parti de
l'Albigeois vers 1220, le mouvement s'amplifie à partir de
1250, s'essouffle vers 1320 et s'achève vers 1340. Dans cet
espace bien défini qui ne dépasse pas le Bordelais, le Périgord, le Quercy, le Rouergue et le seuil du Lauragais, ces fondations font suite à un ralentissement de la colonisation au
cours du XIIᵉ siècle. Chronologie aberrante dans l'histoire de
la mise en valeur? Originale, il est vrai, si on la compare strictement avec celle des pays céréaliers du Bassin parisien. Mais
Ch. Higounet a fait remarquer que d'autres régions, comme
par exemple le Piémont, ont connu un phénomène compa-

rable au XIIIᵉ siècle. D'ailleurs, les bastides affectent plus le peuplement que la mise en valeur elle-même ; elles ne sont pas fondamentalement des entreprises de défrichement. Les bastides ont surtout regroupé une population rurale encore éparpillée ; elles ont un but fiscal et politique autant qu'agricole.

3. *Le drainage des marais.*

La conquête de nouvelles terres n'a pourtant pas complètement cessé, mais elle s'est déplacée des forêts vers les zones à bonifier et à drainer. On cite souvent comme exemple le paysage spectaculaire de l'étang de Montady, près de Béziers, qui, aujourd'hui encore, bien qu'abandonné, marque le paysage local. En 1248, des bourgeois de Béziers et des seigneurs proches se sont associés pour faire drainer un petit étang circulaire : du centre vers l'extérieur, de très nombreux fossés ont découpé l'espace en pointes triangulaires, conduisant l'eau dans un canal d'évacuation, qui traverse l'éperon calcaire d'Ensérune en tunnel. Deux mètres de hauteur, une voûte maçonnée en plein cintre, près d'1,5 kilomètre de longueur, l'entreprise est audacieuse mais de faible ampleur. Depuis plus d'un siècle, on pratique l'assèchement des zones amphibies à une échelle bien plus vaste sous la houlette du comte, en Flandre maritime ou dans les marais de Saint-Omer. Une bonne partie du littoral atlantique est occupée à conquérir de nouvelles terres, quoique, là aussi, dans le marais poitevin notamment, le grand élan retombe après 1240. L'aménagement des levées de la Loire qui protègent le val contre les hautes eaux, entamé en Anjou sous Henri II, se poursuit en amont. Au seuil du XIVᵉ siècle, il a atteint la Loire saumuroise, et, entre les tertres habités longtemps, sur les « turcies » se sont bâties de nouvelles maisons alignées.

L'aménagement de l'espace ne conduit pas seulement à assécher des marais, maritimes ou non. Il s'adapte avec plus de subtilité aux conditions du pays. Dans les Dombes, les marécages sont aménagés en réservoirs susceptibles d'être vidés à l'ouverture d'une vanne. Pendant deux ans en général, l'étang est en eau, on y pêche, et la vase tapisse et amende le fond. Puis, vidé de son eau, l'étang est cultivé, les pauvres sols morainiques ayant été améliorés pour quelques années. Cette exploitation du pays, tout à fait originale, est mise en place dans le courant du XIIIᵉ siècle et se prolonge au siècle suivant.

4. *Un nouvel habitat dispersé,* *signe d'entreprises individuelles.*

Lorsque cessèrent les grandes entreprises de défrichement, un essartage individuel prit le relais, qui s'insinua dans les espaces incultes, plus réduits qu'au siècle précédent. Il donna naissance à un peuplement intercalaire dispersé, moins facile à repérer que les villages neufs du siècle précédent.

L'exemple venait dès le XIIᵉ siècle des granges monastiques, suivi par nombre de petits aristocrates, qui élevèrent, hors des villages, souvent autour d'une maison forte, une exploitation cohérente. Suivi aussi par quelques grands bourgeois : ainsi pratiqua entre 1275 et 1325 le patriciat messin.

Suivi également, et sans retard, par des familles paysannes. En Brie, lorsque après 1225 les fondations de villeneuves eurent cessé, de nouvelles exploitations furent encore créées, mais en ordre dispersé. En Normandie, au seuil du XIIIᵉ siècle, l'opposition que décrivait le poète Wace peu aparavant, entre «ceux du bocage» et «ceux du plain», ne distingue pas deux régions, l'une bocagère et l'autre de champs ouverts; mais, plus probablement, des terroirs de mise en valeur ancienne et intense, d'habitat groupé, et d'autres plus récents, encore enserrés par la friche arborescente, où s'installent de jeunes hameaux. Même dans les régions d'habitat très concentré, comme la Provence, le XIIIᵉ siècle au moins (et peut-être déjà le siècle précédent) a connu de semblables exploitations. En Bas-Languedoc, ce sont des mas, aux limites du territoire cultivé et de la garrigue, tenus par des paysans plus pasteurs que cultivateurs.

5. De nouvelles formes de vie pastorale.

C'est au même moment, dans le courant du XIIIe siècle, plus probablement dans la deuxième moitié, que s'invente une nouvelle vie pastorale dans les montagnes. On le savait pour l'Oisans depuis les travaux d'André Allix. Les conclusions d'une étude minutieuse, archéologique et historique, conduite par G. et P.-F. Fournier dans le centre du Massif central, en confirment la généralité en montrant la variété de ces nouvelles exploitations de la montagne. Les montagnes à moutons, Aubrac et monts Dôme, accueillent les troupeaux, transhumants ou proches, venus des plaines. Dans le Cantal et les monts Dore, au-dessus d'un habitat permanent qui atteint des altitudes aujourd'hui abandonnées, les cabanes estivales alignées, burons construits alors en bois, attestent de l'intensité de la vie pastorale. La photographie aérienne livre les traces de leurs ruines, difficiles à dater, mais les textes montrent que certaines remontent à la deuxième moitié du XIIIe siècle.

Des seigneurs laïcs, et, plus rigoureusement encore, des établissements ecclésiastiques, comme les prémontrés de Saint-André, constituent, à partir de 1250, de grands domaines cohérents, composés d'une grange installée dans la montagne et, plus haut, de vastes pacages pour l'été. Locations, achats, inféodations diverses ont été conduits, ici comme dans les plaines céréalières, avec patience et ténacité, pour constituer des exploitations d'un seul tenant. Les burons abritaient les bergers et les troupeaux extérieurs à la région, occupés au «traitement complexe des produits laitiers», beaucoup plus exigeant que les activités des pâtres des troupeaux ovins. Les seigneurs autorisaient l'usage des forêts à ces occupants estivaux, mais ils étaient réticents à toute autre utilisation ou aliénation de la forêt. Ils étaient beaucoup plus enclins à louer, puis à vendre leurs herbages : ici aussi, la forêt était, depuis longtemps, remplacée par des landes, et ses lambeaux étaient précieux.

6. Une première extension du bocage.

Il reste aussi de nombreuses régions où les friches sont encore étendues. En Bretagne, on estime qu'au seuil du XIVe siècle la moitié des terres était encore occupée par la lande. Comme dans d'autres régions atlantiques ou ingrates, le XIIIe siècle apporte un sensible accroissement des cultures, avec habitat dispersé et bocage. Le regroupement n'est pas venu ici : ni une seigneurie activiste, ni un besoin d'aménagement collectif de l'espace, ni le désir de s'installer auprès d'un artisanat qui n'existe guère, faute d'une clientèle dans ce pays si peu dense, ne l'ont imposé, ni plus tôt ni alors. A chaque cellule paysanne, plus ou moins ramifiée, une clairière dans la lande, faite de terres cultivées suivant un rythme médiocre. Ce tènement, c'est le ran breton, analogue à l'infield de la Grande-Bretagne.

De forme ellipsoïdale, le ran regroupe terres et maisons, protégées par une haie-talus, dans une mise en valeur très lâche. Comme l'ont montré les géographes et notamment A. Meynier, le bocage se répand au fur et à mesure que croît la population : les espaces vacants sont appropriés et aussitôt enclos, puisque l'enclos est la marque juridique de l'appropriation de la terre défrichée. La relation qui est souvent faite entre le bocage et l'élevage est plus tardive, de l'époque où, au XVe ou au XVIe siècle, ils envahissent ensemble d'anciens pays de champs ouverts. Dans les régions où il se développe au XIIIe siècle, il est encore le signe d'une mise en valeur polyculturale, traditionnelle, peu dense, et non pas celui d'une conversion à une agriculture du profit, fondée sur les produits de l'élevage.

7. Avances et retards de la croissance : la variété des rythmes régionaux.

L'expansion des terres cultivées a donc changé au cours du XIIIe siècle. Elle s'est déplacée vers des régions qui étaient, semble-t-il, restées en marge de l'essor précédent et s'y est manifestée parfois sous des formes originales et nouvelles, plus souvent sous la forme classique de défrichements. Les régions où l'essor est ancien et celles qui, seulement au XIIe siècle, cessent d'être le domaine du peuplement et de la mise en valeur clairsemés ont des profils très différents. Pour n'en rester qu'à un point de vue strictement économique, ni l'ouverture sur les marchés extérieurs, urbains ou étrangers, ni l'accroissement de la productivité de la terre et de l'agriculteur, ni le risque de mauvaises récoltes ne se posent dans les mêmes termes en Picardie ou en Bretagne.

Il est toute une série de régions qui, pendant tout le XIIIe siècle, à des titres divers, ne voient pas se modifier profondément leur économie traditionnelle. Rien n'est plus difficile actuellement que d'en faire le portrait. Les textes manquent, les résultats de l'archéologie sont encore trop peu denses. Et les historiens ne s'y sont guère intéressés : il est plus attrayant de chercher les transformations que les stagnations. Même dans les zones les moins modernes, l'historien des XIIe et XIIIe siècles est essentiellement attentif aux signes d'un mouvement, à toute trace d'utilisation des espèces monétaires, aux indices de modernisation des techniques agricoles. S'il est vrai qu'en effet, dans toutes les régions, de telles transformations sont décelables, on risque, à les regarder sous le microscope, de gommer le trait dominant : la permanence des archaïsmes.

Le Berry est l'une de ces régions que les chemins de la modernité ignorent encore vers 1260. Guy Devailly l'a décrit encore presque entièrement rural : des productions diverses, polyculturales et vivrières, des échanges avec d'autres régions limités au sel et à quelques produits de luxe destinés aux officiers royaux et aux dignitaires ecclésiastiques. On vient d'achever à Bourges une magnifique cathédrale, entreprise dans les toutes dernières années du XIIe siècle ; elle suppose qu'on a rassemblé pour l'ouvrage des sommes considérables. Mais le reste de la ville ne semble saisi ni de grandes transformations de l'espace bâti ni d'une dynamique de l'extension. Tous les ingrédients nécessaires à une économie d'échanges paraissent réunis, mais on en lit à peine les premiers pas.

D'autres régions, comme la Bretagne, même littorale, les Ardennes, la Sologne, n'ont pas encore atteint le seuil d'activité qui précipite l'ouverture de l'économie régionale vers des formes commerciales et urbanisées.

8. Des formes diverses de «sous-développement».

Il existe aussi un autre type de «sous-développement», pernicieux à long terme, celui où les capacités spécifiques de la région commencent à être exploitées, sans qu'une proportion suffisante des populations locales soit impliquée. Ou bien les capitaux sont surtout extérieurs à la région, et la main-d'œuvre employée est «étrangère»; ou bien une minorité de grands seigneurs et d'établissements ecclésiastiques, éventuellement accompagnée d'un petit nombre de marchands, participe seule aux «progrès».

J.-L. Sarrazin a analysé, pour le marais poitevin, cette situation dont il fait l'une des causes de l'échec final de l'entreprise de bonification. L'essentiel est, ici, non pas de lutter contre la mer, mais d'évacuer par des canaux l'eau douce qui encombre les terres. La maîtrise de l'eau y commence avec beaucoup de retard sur la Flandre : difficultés techniques dues à la vase argileuse poitevine, émiettement de l'autorité politique, urbanisation très modérée de l'arrière-pays, faiblesses des solidarités paysannes, bref, moindre développement de la région. Les vieilles écluses et les anciennes levées n'avaient d'autre fonction que de permettre une utilisation extensive, de chasse et de pêche, du marais.

L'assèchement commencé par les cisterciens vers 1180 modifia l'équilibre hydraulique du pays; il fallut drainer en amont des opérations cisterciennes. La paysannerie n'en profita guère : les communautés d'habitants ne s'organisèrent ni pour creuser ni pour entretenir les chenaux : rien de comparable aux wateringues des pays flamands. Nombre de paysans-entrepreneurs furent expulsés du mouvement pour permettre des entreprises de plus grande envergure. Une partie de la petite aristocratie y participa dans un premier temps; certains succès y créèrent de sensibles reclassements. Mais les opérations se révélèrent rapidement trop coûteuses pour elle : endettement auprès des établissements religieux, puis vente des droits. La maîtrise de l'eau se concentra en définitive entre les mains des abbayes, surtout cisterciennes, qui n'eurent pas l'autorité suffisante pour éviter une multiplicité de conflits et faire assurer l'entretien du système de drainage. Cette tentative d'intensification, mal partagée, ne supporta pas la retombée générale de la prospérité à la période suivante.

2. L'élevage et le développement économique

De la même manière, pour l'essentiel, les revenus de la vie pastorale de montagne échappèrent à la paysannerie locale et ne nourrirent pas un processus de développement local. L'élevage, ovin ou bovin, a rarement permis l'enrichissement global d'une région.

Il y a, certes, quelques exceptions à cette dure réalité sociale de l'exploitation pastorale. Ainsi, dans les Alpes de haute Provence, jusque vers la fin du XIIIᵉ siècle. Thérèse Sclafert a décrit ces grands troupeaux montagnards venus hiverner dans les plaines et le dynamisme de nouvelles foires qui s'ajoutent à celles des très anciens lieux de passage. Les habitants de la région y offraient certains produits de l'élevage, bétail et peaux, mais peu de laine. Ils y achetaient le bois travaillé, le fer, le drap.

1. Bourgeois ou nobles?

Le prix du bétail augmenta beaucoup, semble-t-il, dès la fin du XIIᵉ siècle. De tout le bétail. Peut-être les prix triplèrent-ils pendant le XIIIᵉ siècle dans le Nord de la France. L'élevage, comme activité spéculative, est pratiqué par des bourgeois. Au XIIIᵉ siècle, les baux à cheptel cachent souvent des prêts à intérêt très élevé, consentis par des marchands urbains à des paysans en difficulté. Messins ou Languedociens, Flamands ou Provençaux, nombreux sont les riches habitants des villes qui investissent de l'argent dans l'élevage. Peut-être n'est-ce pas une situation universelle : les patriciens de Tournai étaient des habitués de baux à cheptel et possédaient couramment des troupeaux de plus de cent bêtes ; Michel Colzaet, bourgeois de Saint-Omer, donna en 1312 un troupeau de mille quatre cents moutons à nourrir à l'abbaye de Clairmarais. Mais dans d'autres villes, comme Gand, le fait était plus rare. Et A. Verhulst[1] doute de l'ampleur du rôle joué dans ce domaine par la bourgeoisie urbaine. Jehan Boinebroke, le fameux marchand drapier de Douai, était beaucoup moins producteur qu'il n'était acheteur de matière première, et, au fur et à mesure qu'avance le XIIIe siècle, la séparation s'affirme, dans les activités du marchand flamand, entre la possession de troupeaux et le commerce des laines.

La noblesse, les abbayes et autres institutions ecclésiastiques — de manière générale, la grande propriété — ont sans doute dominé, comme fournisseurs, le marché des produits de l'élevage. Les immenses troupeaux de la commanderie de Sainte-Eulalie, adaptés aux déserts des Causses, constituent un cas d'une ampleur exceptionnelle. Mais, vers 1230, les beaux troupeaux seigneuriaux d'Ile-de-France comptaient couramment plusieurs milliers d'animaux.

2. *Les faiblesses de l'élevage paysan.*

Mais les paysans ne participèrent guère à cette spéculation. Ils ont, il est vrai, multiplié les « baux à cheptel », aux clauses diverses, notamment pour l'élevage ovin. En général, le bailleur apportait une bonne part du troupeau, l'éleveur, une part moindre ; le contrat était conclu pour quelques années, et, lorsqu'il s'achevait, le croît du bétail était partagé. Mais l'ouverture sur une économie monétaire qu'offre l'élevage au simple berger comme au paysan, propriétaire-éleveur de son bétail, ne semble pas souvent s'introduire dans un processus d'investissement paysan, du moins dans les régions où cette activité est la principale ressource monnayable.

La montagne ariégeoise de Montaillou n'offre pas une impression d'aisance et de large ouverture monétaire. On y pratique à la fois la transhumance et l'élevage ovin séden-

1. Adrian Verhulst (168).

taire. On y tond la laine et on y fabrique des fromages. Si l'argent circule parmi les bergers, si la possession de bétail participe de la supériorité économique et sociale de quelques familles, l'élevage n'argente guère la vie des Montalionais. On achète du sel, de l'huile, quelques objets de fer, plutôt rares : peu de chose, somme toute. La vente de la laine produit pourtant d'importants revenus réguliers, car une toison de brebis vaut à elle seule le tiers de la brebis tondue ; la vente d'agneaux ou de brebis permet d'acheter des vivres, les mauvaises années ; et quelques produits artisanaux, mais fort peu, car les femmes filent et tissent la plus grande part des vêtements et l'artisanat local demeure très modeste. Curieux élevage, monétarisé et de subsistance à la fois.

Les paysans souffrent de plusieurs handicaps pour participer à un élevage spéculatif. Le manque de terres, prés, pâtures et landes diverses. Manque de capitaux, aussi. L'élevage peut assurer de confortables revenus à qui le pratique suivant une rationalité financière : ainsi, en 1320, pour son domaine de Roquetoire, Thierry d'Hérisson avait acheté 160 moutons, dont il se défit l'année suivante, après en avoir vendu la laine, l'opération globale lui ayant rapporté un bénéfice de 100% du prix d'achat. Mais, pour le paysan qui revend le bétail au rythme de ses besoins d'argent, l'élevage est loin d'être aussi rentable. Il conviendrait de vérifier à quel prix les grandes exploitations vendaient et à quel prix les maquignons et les marchands de laine achetaient aux paysans. Comme le pense G. Fourquin, ils devaient priver les paysans d'une bonne part des bénéfices.

En bien des régions, l'élevage introduit une certaine souplesse dans le budget paysan, d'autant plus essentielle que l'exploitation familiale est étroite. Il y fonctionne comme une épargne temporaire plus que comme un moyen d'accroissement durable des richesses.

3. Les ressources de la céréaliculture

La céréaliculture est omniprésente au XIIIᵉ siècle. Avec une infinité de nuances, dans la nature des céréales cultivées, les méthodes de travail, la qualité des rendements. Est-elle le fondement de la croissance économique?

1. La modernisation des méthodes dans le Nord de la France.

L'amélioration des techniques agraires est encore d'actualité dans un siècle qui poursuit l'évolution commencée à la période précédente. A la fin du XIIIᵉ siècle, ces méthodes semblent avoir atteint un niveau qui — Guy Bois l'a montré en Normandie — ne se modifie plus jusqu'au XVIᵉ siècle au moins. Un outillage plus performant, pour l'essentiel déjà connu au siècle précédent, s'est généralisé.

Les campagnes chartraines offrent de ce progrès un exemple intéressant parce que moyen. Ici, le cheval, au labour rapide et puissant, remplace le bœuf, au cours du XIIIᵉ siècle; la charrue, plus lourde, plus ferrée, et pourtant plus mobile, se répand; le marnage se généralise pour amender les sols, et le froment se fait plus fréquent, réduisant la part des céréales moins fines. La rotation triennale, qui fait se succéder, par tranches de trois ans, sur une même parcelle, blé d'hiver, blé de mars et un an de repos, est attestée et générale.

En revanche, l'organisation des finages en soles homogènes n'est pas encore aménagée, peut-être sa nécessité n'est-elle pas encore ressentie. Il est vrai qu'elle exige un remembrement de longue haleine, pour que chaque exploitant dispose de parcelles régulièrement réparties dans chacune des trois soles. Robert Fossier a montré en Picardie la mise en place des trois soles, avec une réduction progressive du nombre des quartiers qui composent chacune d'elle, dans la deuxième moitié du siècle. Cette solution collective répond au manque d'espaces incultes pour la pâture, puisqu'elle permet d'utiliser pour le bétail la sole de repos. Ce système qui caractérise le Nord de la France d'Ancien Régime s'invente donc vers 1250, peut-être sur le modèle de granges monastiques comme la grange cistercienne de Vaulerent, près de Senlis, et sur incitation seigneuriale.

L'intensification de la céréaliculture a même atteint sur des exploitations modèles la suppression de l'année de repos. Sur les domaines artésiens de Thierry d'Hérisson, au début du XIVe siècle, quatre labours précèdent les semailles et les légumineuses, vesces et pois occupent les trois quarts du trémois, c'est-à-dire de la sole réservée aux blés de printemps. Ces fourrages, de cycle végétatif court, présentent le double intérêt d'offrir un aliment au bétail et de reconstituer le sol, qui peut parfois supporter la suppression de l'année de repos.

En revanche, le Midi n'a certainement pas suivi ces progrès. L'aménagement du terroir y reste limité à un système de compascuité qui ouvre les terres vides à tous les troupeaux des habitants du village, à charge pour chaque berger de le surveiller et à celle de l'autorité compétente d'entretenir un corps de gardes champêtres. Il y a des formes de céréaliculture intensive; les fourrages viennent ici dans des terres spéciales, les ferragines, sans repos. Mais cette parcelle n'est pas spécifique du XIIIe siècle; bien au contraire, elle paraît plutôt en recul par rapport au siècle précédent. Dans ces climats marqués par la sécheresse de printemps, l'avoine ne peut pousser : son cycle végétatif est trop tardif. L'animal de trait ne peut donc être le cheval, mais seulement les bœufs, quand ce ne sont pas des ânes. Et l'araire n'a pas cédé la place, autant que plus au nord, à une charrue plus lourde, labourant en profondeur et retournant le sol en même temps qu'elle l'aère. Pourtant, la Provence semble exporter assez régulièrement des blés au XIIIe siècle, notamment vers Marseille et Gênes. Ce n'est pas là l'un des moindres paradoxes de la céréaliculture.

2. Des régions régulièrement exportatrices.

Toutes les régions semblent être capables d'exporter des blés, si l'on en juge notamment par les tarifs des péages. Ainsi en va-t-il du Forez, qui ne semble pourtant pas spécialement bien doué pour ce genre de culture. Il est probable que, pour certaines régions, il s'agit d'exportations occasionnelles, mauvaises récoltes ailleurs ou moissons locales particulièrement abondantes, compensées par des importations d'autres années. Nullement capables de tirer un enrichissement régional durable, ces transports de blés sont tout au plus révélateurs d'une ouverture des échanges qui régularise l'approvisionnement.

Certaines régions sont-elles, à l'inverse, des greniers à blé, où une production régulièrement supérieure aux besoins des producteurs alimente un courant exportateur? Ainsi en va-t-il autour des villes que l'arrière-pays doit nourrir. La densité de population urbaine est telle en certains lieux qu'il faut y faire venir les blés de beaucoup plus loin. Peut-être le Toulousain avait-il cette fonction pour le Bas-Languedoc, car un réseau serré de moyennes et petites villes en faisaient l'un des pôles urbains de la France. Ainsi en allait-il à coup sûr autour des Flandres : les terres limoneuses du Bassin parisien septentrional se prêtaient, avec leur population rurale dense et leurs qualités pédologiques, au développement d'une céréaliculture moderne. De même, toute une couronne, large, autour de Paris. De même, l'Alsace pour les villes rhénanes. On ne conçoit guère cette modernisation céréalière sans un approvisionnement urbain à satisfaire.

3. *Le poids des investissements.*

La modernisation de la céréaliculture est sans doute un trait assez général de l'agriculture des plaines du royaume au XIIIe siècle. Dans les régions de pointe, elle représente une somme considérable d'investissements, qui nourrissent la présence d'artisans au village.

L'utilisation généralisée du fer dans l'outillage ne se conçoit pas sans la forge ni le forgeron. En Picardie, un peu plus de la moitié des mentions de «fèvres» date d'avant 1180, mais l'autre moitié d'après 1250, lorsque s'équipent ainsi des régions qui n'avaient pas participé à la première vague. Les outils de fer sont désormais plus accessibles à un plus grand nombre de paysans.

La construction des moulins, à eau, puis, peu à peu, à vent, coûte cher. Comme leur entretien, elle est affaire de techniciens. Leur multiplication au cours du XIIIᵉ siècle s'accompagne d'une chute de leurs prix et de leurs revenus. Peut-être du simple fait qu'ils deviennent plus fréquents. Peut-être parce que les moindres ruisseaux en sont équipés et qu'il doit s'agir de toutes petites machines. On est même surpris de voir dans le Midi tant de minuscules cours d'eau, actuellement à sec une bonne partie de l'année, pourvus de leur moulin. Comme la forge pour l'outillage et la ferrure des animaux, le moulin, plus fréquent, met à la portée d'un nombre croissant de paysans la possibilité de produire plus, sans le goulot d'étranglement que représente la mouture des blés. Il est aussi une source de dépenses qu'il faut pouvoir assumer, surtout quand la fréquentation du moulin est rendue obligatoire par le seigneur qui le construit. La construction d'une multitude de moulins est, en tout cas, un énorme effort d'équipement des campagnes, même s'il s'agit là, pour le constructeur, d'une bonne affaire.

D'un moulin, en effet, on peut attendre dans la Picardie des années 1250 un rapport de 20 à 25 % l'an, soit trois fois plus que ce qu'à la même époque on pouvait attendre des terres données à rente. Et le meunier, même après avoir payé son dû au propriétaire du moulin, vit dans une aisance parfois insolente pour les autres paysans.

Ces progrès sont-ils suffisants pour précéder l'accroissement démographique ? Affaire de rendement lorsque, dans les régions les plus céréalières notamment, les essarts se sont ralentis : à eux de croître plus vite que la population.

4. La difficile évaluation des rendements.

A la fin du XIIIᵉ siècle et au début du XIVᵉ, les rendements ne nous sont accessibles que pour des exploitations seigneuriales, presque exclusivement ecclésiastiques. En Beauce, dans les granges de l'abbaye des Vaux de Cernay, en 1297, le rendement est de 7 pour 1 pour les blés d'hiver et de 5 pour 1

pour l'avoine. A peine inférieur à celui des bonnes terres arté-
siennes ou à celui de l'abbaye de Saint-Denis à la même
époque.

Les rendements sont-ils comparables sur les terres paysannes? Nous n'avons aucun moyen de les approcher. On reste
stupéfait devant l'impression de pulvérisation de l'exploitation que donnent, dès les premières décennies du XIIIe siècle, les régions où l'essor démographique est déjà ancien.
Comment de telles exploitations nourrissent-elles leur
homme? Il n'est pas impossible qu'outre des activités complémentaires, de louage ou d'artisanat, la survie de ces exploitations soit due à un travail extrêmement intensif. Elle
assurerait à la petite propriété familiale des rendements supérieurs à ceux de l'exploitation seigneuriale : la «norme» de
rendement sur la grande exploitation n'est pas nécessairement
celle des quelques hectares tenus par un paysan.

Au prix d'un certain gaspillage de temps, la productivité
du sol est peut-être supérieure, dans les exploitations paysannes, aux chiffres communément admis. On s'expliquerait
mieux alors que l'atmosphère familiale n'indique pas pour
cette période d'intenses conflits ni entre générations ni entre
frères, situation difficile à expliquer si toute bouche à nourrir ne fait que réduire, de sa ration alimentaire, le produit
net de la famille.

Pour ces exploitations, suréquipées en main-d'œuvre, le
problème de la modernisation technique passe au second plan.
Pour d'autres, le coût de l'acquisition et de l'entretien des
nouveaux outils de la céréaliculture implique une sorte de
course en avant qui ne dégage sans doute pas de profits immédiatement perceptibles. Il faut une exploitation d'une certaine
envergure pour rentabiliser le nouvel outillage.

5. Une modernisation élitiste.

Il est peu probable que les investissements les plus utiles
à l'intensification des travaux céréaliers, coûteux, aient été
accessibles à une grande partie de la population. En Picardie, où les calculs sont possibles, à la fin du XIIIe siècle,
c'étaient au maximum 25% de la population qui pouvaient

participer à cette modernisation avantageuse, un cinquième de la population paysanne, la noblesse laïque et les établissements ecclésiastiques. Mais ceux-là possédaient plus de la moitié du sol. On conçoit qu'ils aient pesé lourd dans la balance et que l'agriculture céréalière, au moins dans le Bassin parisien, ait pu engendrer une accumulation non négligeable de richesses et de capital.

Les salaires des ouvriers agricoles nous sont mal connus avant l'extrême fin du siècle. A part de temps ou à temps complet, les salariés devaient pourtant représenter une proportion importante de la population paysanne. Le salariat temporaire est sans doute le complément, indispensable, des très petites exploitations. Le niveau des salaires est donc un point essentiel, et du niveau de vie des campagnes, et de la redistribution des revenus agricoles. De rares indices laissent à penser qu'il n'est pas misérable dans les campagnes de cette époque : c'est dans la logique de la largesse que tout seigneur se doit d'avoir pour ses serviteurs et servantes. Au milieu du siècle, tel villageois languedocien avoue avoir préféré abandonner une petite exploitation pour se louer et en avoir tiré de meilleurs gains. C'était très probablement une situation assez générale.

6. *Le prix des grains.*

Pour mesurer la prospérité que la céréaliculture peut apporter à une exploitation et à une région excédentaires, il faut évidemment aussi tenir compte du marché des grains.

L'évolution des prix des blés a été l'objet d'appréciations contradictoires. Pour l'Angleterre, des séries de prix permettent d'analyser avec une certaine précision leur évolution : après une période d'envol, la courbe continue à monter, plus lentement à partir de 1225, et, au total, il faudrait peut-être envisager un niveau quatre fois supérieur en 1320 de ce qu'il était en 1180. En France, les documents, beaucoup moins denses, ont permis à G. Sivery[1] de souligner de grandes disparités régionales. La hausse des prix semble trois

---

1. Gérard Sivery (229).

fois supérieure dans le Nord de la France à ce qu'elle est dans le Midi. De multiples raisons, tant démographiques qu'alimentaires, expliquent assez bien cette évolution divergente.

Quelles régions et quelles catégories sociales ont pu fonder un réel enrichissement sur les profits de la céréaliculture? Il faudrait connaître les cours des autres produits alimentaires et artisanaux pour en juger avec une certaine vraisemblance. Il n'est pas impossible que le différentiel de hausse ait favorisé essentiellement les exploitations du Nord de la France et celles de la proximité des villes.

Et surtout les exploitations dont la taille justifie l'acquisition coûteuse d'un matériel moderne. Non pas tant les grandes exploitations dont les frais de main-d'œuvre sont élevés et la productivité parfois basse, mais celles qui sont à l'optimum d'utilisation de la main-d'œuvre et du train de culture. Parmi elles, notamment, certaines exploitations familiales. C'est en ces termes que s'analysent les reclassements sociaux dans le monde des céréaliculteurs du XIIIe siècle.

4. La France viticole

Aggravant les inégalités sociales, coûteuse dans son effort de modernisation, la céréaliculture n'en a pas moins été l'une des formes du développement rural du XIIIe siècle. D'autres cultures rémunératrices ont modifié l'économie régionale qu'elles ont ouverte sur une économie d'échanges en donnant naissance à des structures sociales différentes de celles, contrastées, des régions à forte céréaliculture. La vigne et les cultures maraîchères et industrielles se cultivent à la main, sur de petites surfaces : elles développent la moyenne paysannerie et limitent la pauvreté des brassiers. C'est un autre type de développement.

Au XIIIe siècle, la vigne est probablement le synonyme le plus fréquent de la richesse des campagnes. Aller de vignoble en vignoble, c'est presque alors faire le tour de France des bonnes régions.

La répartition de la viticulture est assez différente de celle d'aujourd'hui. Il est vrai que de grands vignobles occupent des régions qui ne cultivent plus la vigne aujourd'hui, parce qu'elles sont jugées trop septentrionales pour fournir le vin assez alcoolisé qu'on goûte actuellement ; inversement, des zones actuellement consacrées à la vigne, comme les Corbières, en étaient presque dépourvues. Certaines régions constituent un vignoble peu célèbre, mais pourtant important. L'Angleterre et les pays du Nord sont acheteurs d'un vin de qualité, auquel le transport et le commerce apportent une grande valeur ajoutée. Au seuil du XIIIe siècle, ce marché est en pleine mutation.

1. Les vignobles du royaume.

Les vignobles les plus précocement ouverts au négoce sont évidemment ceux des régions les plus septentrionales parmi les zones productrices : *vignoble de Laon et de Soissons*, dont l'extension en direction du Beauvaisis donne de médiocres résultats, mais révèle les capacités d'expansion du marché ; *vignobles d'Alsace et de Moselle*, qui ne cessent de se développer pour alimenter les villes rhénanes ; *vignobles de France*, c'est-à-dire des environs de Paris, dont le noble Morillon faisait, à la fin du siècle, les grands vins blancs des clos seigneuriaux, tandis que le Gamay faisait des vins rouges plus abondants mais moins appréciés.

A l'est, les *vins d'Auxerre* sont célèbres depuis le siècle précédent et la description qu'en fait le franciscain italien Salimbene, lors de son voyage en France, est justement célèbre, car il y révèle sa surprise devant une région qui, à l'en croire, pratiquerait déjà la monoculture de la vigne. Au même moment, les *vins de Bourgogne* n'ont pas encore la célébrité qu'ils acquièrent à partir du XIVe siècle, mais déjà ceux *de Beaune* tranchent, si l'on en croit le chroniqueur Guillaume le Breton, par leur force, sur des vins plus faibles qu'on produit ailleurs.

Les *vins de Loire*, les uns destinés au marché septentrional et transitant par Paris, les autres s'écoulant vers l'ouest nous rapprochent de cet autre marché essentiel : l'Atlantique, c'est-à-dire le voyage par bateau vers la Flandre et l'Angleterre. C'est un marché beaucoup plus récent que celui des vins parisiens : il prend son plein développement entre 1150 et 1250. L'*Aunis* et la *Saintonge* avaient connu au temps de l'«empire Plantagenêt» un succès intense. L'une de nos meilleures sources pour connaître les qualités respectives de ces divers vignobles au temps du «bon roi Philippe» (Philippe Auguste, certainement) est la *Bataille des vins*, un fabliau qu'écrivit Henri d'Andeli : les *vins du Poitou* y sont décrits sur les tables nordiques, de l'Écosse au Danemark, en passant par celles de l'aristocratie anglaise et des bourgeois flamands. Les privilèges concédés aux marchands du nouveau port qu'est La Rochelle contribuent à expliquer ce succès et le trafic du vin est au cœur de l'expansion du port.

Des circonstances politiques semblent avoir facilité l'entrée sur la scène du grand commerce d'un nouveau vignoble : celui des *vins de Gascogne*. Sans doute était-il connu pour la qualité de ses plants depuis longtemps. Mais, à la fin du XIIIe siècle, il ne parvenait encore ni en Flandre ni en Angleterre. La conquête du Poitou par le roi de France dans la première décennie du XIIIe siècle lui donna un coup de fouet. Les Bordelais, restés fidèles dans le péril à leur duc, le roi d'Angleterre, et ceux de quelques villes voisines plus modestes surent exploiter de nouveau le privilège et surtout remplacer en Angleterre les vins qui venaient précédemment du Poitou. La première cargaison connue est à Bristol en 1214; dès 1230, la production suscitée par le marché anglais ne cesse de s'accroître et le vignoble s'avance le long du Lot et du Tarn. Les fûts descendent les rivières, aménagées dans la seconde moitié du XIIIe siècle, sont embarqués à Bordeaux ou à Libourne, déchargés à Bristol ou à Londres et dans quelques autres ports anglais.

Les marins qui les transportent sont basques, bretons, anglais. Les Bordelais sont aux deux extrémités de la chaîne : producteurs et négociants. Les églises des villages bordelais, construites en grand nombre dans un style roman saintongeais, archaïque si l'on veut, au cours de ce XIIIe siècle, expriment aujourd'hui la richesse de la région.

A La Rochelle et aux vins poitevins, le marché flamand;

au Bordelais, le marché anglais : ce Sud-Ouest viticole connaît un beau XIIIe siècle.

Les *vins languedociens* font pâle figure après la gloire des vins poitevins et gascons. Leurs marchés sont moins riches : ils n'ont pas la chance d'être le Midi proche des hommes du Nord. Si la vigne est fréquente dans les zones basses, dont les sols lourds ne peuvent être cultivés qu'à la main, le premier XIIIe siècle n'est pas une grande période de plantation. La conjoncture méridionale est bien différente de celle des vignobles parisiens, bourguignons ou atlantiques. La région n'en appartient pas moins à la France viticole, qui fait vivre, dans une relative aisance, une population dense.

Il faudrait enfin ajouter un grand nombre de petits vignobles, célèbres comme celui de *Saint-Pourçain* ou moins glorieux, suffisant pour créer une aire d'aisance en leur sein.

2. La richesse des vignerons.

Le vin n'est que partiellement consommé sur place et il alimente, presque partout où il est produit, un courant d'échanges. Le vin est un produit agricole cher ; cher à la production d'abord, tant il exige de travaux divers. On accepte de l'acheter cher, car il est signe de distinction d'une table ; et il est aimé du peuple, qui, partout où il le peut, en fait son premier luxe et son principal plaisir.

Il voyage donc vers la ville proche : bien que le clos de vigne soit la parcelle que soigne avec amour le bourgeois soucieux de boire son propre vin, les tavernes urbaines drainent une bonne part de la production des alentours pour une consommation populaire beaucoup plus fréquente qu'on ne l'a longtemps pensé, lorsqu'on assimilait trop vite tout vin à un article de luxe. On pensait jadis que les ouvriers flamands n'avaient jamais eu les moyens de consommer ce produit lointain et cher ; on pense aujourd'hui qu'on le buvait dans le Nord de la France, à la maison et au cabaret. En tout cas, près des zones de production, la consommation de vin était courante. Sans doute les petites gens des villes consomment-elles un vin de médiocre qualité, sans rapport avec les fameux fromentels blancs. Pourtant, ce marché urbain n'a cessé de se déve-

lopper au cours du XIIIe siècle, parce que les villes et les bourgades pesaient d'un poids démographique de plus en plus
lourd et parce que la consommation de vin s'est popularisée.

Le vin est aussi un produit qui s'exporte au loin : c'est
même cette spectaculaire exportation qui est la partie la mieux
connue du commerce des vins, bien mieux que la distribution à la proche taverne. A Saint-Omer et dans les avant-ports
que sont Calais et Gravelines, on suit l'irrésistible progression de l'arrivée des vins, venant de Rouen ou de La Rochelle
et faisant de la pauvre Gravelines de 1157 un «opulentissime»
port au début du XIIIe siècle ; puis les privilèges des marchands poitevins et gascons, en 1262, racontent à leur tour
l'arrivée des Gascons sur ce marché toujours plus actif.
L'accroissement de ce négoce profite surtout au marchand,
mais il crée aussi sur les lieux mêmes du vignoble une aisance
rare dans les campagnes contemporaines. Les vignerons de
l'Atlantique sont parmi les plus favorisés des paysans au XIIIe
siècle.

On conçoit que les conditions du transport, et notamment
du transport lointain, aient déterminé l'essentiel de l'empla-
cement des vignobles, beaucoup plus que les aptitudes pédologiques, voire climatiques. Mais le facteur humain est
fondamental dans l'histoire d'un vignoble. Il faut sans doute
déjà une certaine accumulation de richesses dans une région
pour qu'elle puisse accorder une grande place aux vignes.
Outre la connaissance technique très spécifique qu'elle
requiert chez le paysan, la plantation de vigne ne peut se faire
sans une certaine habitude de la vente des produits de la terre
et surtout sans un pécule initial : les moyens d'assurer les frais
de plantation, puis de passer les premières années sans récolte
ni revenus.

Il faut aussi à un vignoble un environnement proche susceptible de consommer du vin : aucun vignoble médiéval ne
vit exclusivement de vente lointaine. Habitudes alimentaires
qui se modifient lentement, mais surtout petite aisance indispensable à l'achat de ce produit. Un vignoble se développe
difficilement quand manquent ces conditions : ainsi en va-
t-il du vignoble nantais pendant le XIIIe siècle. Sans doute les
vignes se font-elles plus nombreuses à la périphérie de Nan-
tes à cette époque, mais la Bretagne — un marché potentiel

parce que son climat la rendait inapte à la viticulture — était trop pauvre pour être cet appui proche et solide dont un jeune vignoble a besoin. Le vignoble implique une certaine aisance pour naître et à son tour affirmer la richesse d'une région.

3. *Une culture dévoreuse de travail.*

Cette richesse, la culture de la vigne l'apporte à beaucoup, même si elle est relative lorsque ce sont des brassiers qui la cultivent. Elle est loin d'être une culture spécifique des exploitations seigneuriales, ecclésiastiques notamment, comme elle l'était un siècle plus tôt. Elle s'est démocratisée, et notamment pour produire des vins de consommation courante aux abords de la ville.

De plus, la vigne permet des densités exceptionnelles tant cette culture soignée, même sur les parcelles des paysans, exige un travail intensif. Au XVIIIe siècle, on y voyait pour le dynamisme d'une région l'équivalent d'une manufacture : c'est déjà le cas au XIIIe siècle.

Les brassiers des clos ne bénéficient pas tous d'une situation aisée . Mais le travail de la vigne est pour l'essentiel celui d'un homme sur une petite parcelle. Le travail à façon sur la vigne d'autrui apporte un complément au paysan trop petit propriétaire. Il intègre le producteur de vin aux circuits commerciaux. Il donne de la souplesse aux structures économiques locales. L'investissement se mesure non pas en équipement coûteux, mais en travail et en temps.

Ces fortes densités de vignerons, propriétaires ou ouvriers, à leur tour favorisent l'éclosion d'activités secondaires et tertiaires. La relation est réciproque, d'ailleurs : les bourgades et les villes cultivent la vigne avec une affection spéciale. Il y a entre la vigne et la ville, au XIIIe siècle, des liens intimes.

4. *Une culture de liberté.*

Plus riche que bien d'autres, plus proche de la ville, l'habitant de ces régions de vignobles est aussi un homme plus libre. Bien des raisons à cette liberté. Peut-être le prix élevé de la

vigne et la précoce circulation monétaire. Peut-être aussi le
contrat de complant : un propriétaire apporte la terre, l'autre
partie assure les frais de plantation et le travail, presque sans
fruit, des premières années. Lorsque la vigne est adulte, la
parcelle est partagée : le vigneron garde, soit en alleu, soit
en tenure, une part plus ou moins vaste de la parcelle qu'il
a plantée. Au XIIIᵉ siècle, le complant, un contrat de très
ancienne pratique, n'a pas disparu ; c'est encore ainsi que
croît le vignoble nantais, suivant des normes de plus en plus
favorables au vigneron. Il assure en permanence une redistribution de la propriété et fait des vignobles des zones où
petites parcelles et petite exploitation dominent.

   Cette liberté ne signifie pas que le prélèvement seigneurial
sur les parcelles en vigne est inférieur à ce qu'il est sur les
champs ; bien au contraire. La redevance du quart des fruits
est encore prélevée sur certaines vignes, alors qu'elle est très
inférieure sur les autres terres céréalières. Le rapport de la
viticulture, après paiement de la redevance, est probablement
suffisant pour que le vigneron supporte un tel taux, et l'intérêt du seigneur à cette redevance assez marqué pour qu'il la
sauvegarde en priorité. La liberté des vignerons est ailleurs :
dans le nombre d'alleux, dans la disparition précoce du ser-
vage et les limites de la seigneurie banale.

5. Les produits de l'horticulture

   Tout en se rapprochant de la viticulture par l'intensité de
travail humain qu'elles impliquent, les cultures maraîchères
constituent un cas particulier de l'intensification des campagnes : elles sont encore plus étroitement liées que les autres
cultures au développement urbain. Toute ville engendre une
densité exceptionnelle de jardins autour d'elle, mais aucune
région n'a développé un jardinage à long rayon de commercialisation : la lenteur des transports et la faible technicité
d'un maraîchage sans diversité ont contribué à empêcher la
spécialisation régionale.

   Les grandes villes, comme Paris, les zones très urbanisées,

comme le Nord du royaume, ont connu plus que le reste du royaume l'extension des terroirs horticoles. Le paysage, encore actuel, des hortillonnages, ces jardins des marais, entre lesquels on circule en barque, se constitue alors autour d'Arras, de Saint-Quentin, de Saint-Omer ou d'Amiens, en partie pour ces cultures maraîchères.

Mais les exploitants des jardins ne semblent pas en attendre un grand profit, du moins un profit monnayable. Si cette horticulture, par nature intensive, hautement nourricière, alimente une ouverture sur les circuits commerciaux, ce sont des échanges à court rayon d'action et sans intermédiaires : ils échappent à nos documents. R. Fossier remarque que les mentions des courtils, jardins et vergers diminuent dans les sources picardes à la fin du XIIᵉ siècle. Au même moment, les jardins et les ferragines se font aussi plus rares dans les documents méridionaux. Mais il est difficile de cerner les raisons de cette relative désaffection.

Plus que celle des légumes, la culture du chanvre, du lin et, surtout, celle de la guède, devinrent au XIIIᵉ siècle, l'une des formes de l'enrichissement agricole. La guède, qu'on appelle pastel dans les régions méridionales, était la principale teinture pour obtenir des draps de couleur froide, noirs ou bleus ; verts ou violets, si elle est mélangée à d'autres teintures. Sans doute la grande mode du bleu est-elle tardive ; elle explique les succès de cette culture au XIVᵉ siècle, mais, dès le XIIIᵉ siècle, les besoins de guède sont considérables, notamment pour les robes noires de clercs.

La guède.

La guède est l'une de ces cultures qui implique une main-d'œuvre abondante, car, semée au mois de février, elle se récoltait sans cesse tout l'été, au fur et à mesure de la maturation des feuilles, qui devaient ensuite sécher. Il fallait alors toute une série d'opérations pour faire de cette matière première un produit tinctorial. Certaines — moudre les feuilles, puis pétrir la poudre en tourteaux — étaient faites dans la région productrice. Les suivantes, fermentation, broyage, pilage et tamisage, avaient lieu sur place ou après transport.

La culture de la guède était assurément d'une haute productivité. Mais elle impliquait un sol riche et abondamment fumé, donc une agriculture ayant déjà entamé un processus d'intensification; elle impliquait aussi un développement artisanal local, de meuniers notamment, et un contact étroit avec le négoce. On conçoit que la production de guède se soit concentrée dans quelques régions. L'Est du Toulousain, qui ne fournit encore que la draperie languedocienne et dont le grand développement est postérieur, et surtout la Picardie. La vallée de la Somme en est le haut lieu : la chapelle des marchands waidiers, dans la cathédrale d'Amiens, rappelle aujourd'hui la fortune de cette activité dans la seconde moitié du XIIIᵉ siècle.

La culture de la guède, du moins en grande densité, entre donc dans une économie agricole déjà intensive et ouverte, dont elle accentue les caractères. C'est sans doute surtout dans la deuxième moitié du XIIIᵉ siècle qu'elle devient, essentiellement en Picardie, une richesse régionale. Pourtant, l'horticulture maraîchère ou destinée à l'artisanat textile donne encore rarement sa couleur à l'économie d'une région au début du XIIIᵉ siècle.

6. Les campagnes et l'économie monétaire

Ne surestimons pas la pénétration de l'économie monétaire dans le monde rural du XIIIᵉ siècle, même pour les grandes exploitations. Une fois assurés l'investissement, au rang desquels la réserve des semences est essentielle, le prélèvement du seigneur (ou du créancier), lorsqu'il se fait en nature, et la consommation familiale, le taux de commercialisation des produits de l'exploitation n'est jamais considérable. Les effets de la variation des prix en sont amortis, et aussi plus généralement la circulation de la monnaie.

D'une région à l'autre, au XIIIᵉ siècle, le rôle de la monnaie et du crédit sont très différents : différences des structures sociales et économiques, différence de la fonction de l'argent. Le volume de produits agricoles commercialisés, l'importance et la nature du crédit, la forme de la rente foncière — redevances en argent ou en nature —, le nombre et la taille des terres louées en sont le baromètre.

1. *Le bail à ferme.*

Faiblesse de la documentation? Le bail à ferme est d'un usage rare pendant l'essentiel du XIIIe siècle. Souvent formulé en nature, intéressant plutôt des clercs ou des officiers seigneuriaux que des paysans, il renvoie plus aux modalités d'exploitation des domaines seigneuriaux qu'à la pénétration de l'économie monétaire dans les campagnes. Lorsqu'il s'agit de paysans, comme sur les terres du chapitre de Meaux au milieu du siècle, ce bail à court terme ne semble pas avoir une signification économique différente des baux traditionnels.

2. *Le problème du crédit.*

On suit en revanche beaucoup mieux la pénétration du crédit dans les milieux paysans. Et on la suit assurément partout, marquée par l'assouplissement de ses formes. Le mort-gage, dans lequel les revenus du gage foncier ne viennent pas en déduction de la dette, est remplacé par le vif-gage, sauf peut-être dans l'Ouest de la Bretagne qui reste fidèle au mort-gage. Mais la rapidité de cette évolution et l'intensité de la pénétration du crédit dans la société rurale sont bien différentes suivant les lieux. Il est des zones comme les environs de Laon, étudiés par Alain Saint-Denis, où un marchand de village, Pierre d'Agnicourt, vers 1250, est le créancier de plus d'une centaine de personnes, paysans et artisans aussi bien qu'abbayes et autres institutions religieuses. D'autres où l'on perçoit encore très mal ces circuits du crédit.

Divergence de l'offre et de la demande : d'après les clauses de prêts consentis par les juifs, le taux moyen du crédit est deux fois plus élevé en Roussillon qu'il ne l'est dans le proche Narbonnais.

Plus différente encore l'appréciation qui, selon les régions, est portée sur les fonctions du crédit. En Roussillon, R. Emery souligne que le crédit ne révèle pas une société étranglée par les difficultés. Les débiteurs villageois empruntent parfois de grosses sommes qui indiquent d'amples opérations ; en règle générale de petites sommes, mais l'absence de gages et le calendrier des emprunts, qui n'est pas celui de la soudure, ne laissent pas penser à des emprunts de détresse. Les dettes des plus pauvres sont-elles consignées dans d'autres documents, absentes des registres notariaux qui fondent cette étude ? A peine plus tard, il en va tout autrement près d'Albi. La région est mal irriguée par le crédit : seul un cercle proche de la ville en bénéficie. Si certains riches paysans empruntent « pour spéculer sur la gêne de leurs voisins qui deviennent leurs débiteurs », le crédit révèle surtout la petite noblesse menacée de ruines et les paysans misérables. C'est l'impuissance à investir des campagnes de l'Albigeois que souligne J.-L. Biget[1]. L'inégale pénétration de la monnaie et du crédit décrit des régions aux visages économiques et sociaux singulièrement différents.

Conclusion

A l'exception des quelques régions qui ont peu participé aux progrès agricoles et à l'animation des campagnes, le royaume de France montre au XIIIe siècle trois types de développement que distinguent la nature de l'activité rurale ouverte sur le commerce et les structures sociales.

Une agriculture de montagne s'installe, profitant des cours élevés des produits de l'élevage et utilisant des terres jusquelà peu pâturées. Elle a peu d'influence sur l'économie paysanne, sans doute parce qu'elle est trop extensive et que le bétail, du moins le bétail non aratoire, n'est pas encore considéré par la plupart des paysans comme une activité auto-

---

1. Jean-Louis Biget (124).

nome, mais comme un bas de laine d'où sortir l'argent lorsque le besoin s'en fait sentir.

Une céréaliculture intensive se développe sur les terres déjà densément peuplées du Bassin parisien, là où une demande urbaine intense et régulière ouvre des marchés fructueux. Mais elle repose de plus en plus sur un équipement coûteux, que seule une minorité entreprenante ou chanceuse est à même de supporter.

La viticulture et l'horticulture offrent à une masse plus nombreuse, là où les circuits commerciaux le permettent, des possibilités d'enrichissement plus faciles. Les grandes fortunes agricoles y semblent plus rares, l'innovation technique limitée, les structures économiques moins transformées, mais l'aisance assez générale.

Une structure sociale préalable a-t-elle favorisé, autant que les aptitudes physiques, telle ou telle voie régionale du développement des campagnes? Au XIIIe siècle, le phénomène est lancé depuis déjà longtemps, si bien que la question ne se pose plus en termes d'origine : assurément, la dynamique de chaque région et ses structures sociales sont désormais étroitement liées. On y retrouve à la fois l'opposition entre la France du Midi et la France du Nord, mais aussi celle qui sépare les régions les plus peuplées et les plus intégrées aux échanges de celles dont l'évolution n'a guère rompu avec les formes des siècles précédents.

7

Dynamismes urbains

L'urbanisation du royaume est l'un des traits majeurs de l'histoire du XIIIe siècle. On ne comprendrait pas le dynamisme de cette période sans la notion que, comme l'a écrit F. Braudel, le poids nouveau de la population urbaine a accéléré le temps de l'histoire. Comme déjà au siècle précédent, mais sans doute plus encore, la ville a été le catalyseur des transformations du XIIIe siècle. Elle a brassé les hommes, les marchandises, les idées.

Il n'est pas plus simple de définir la ville, et donc l'urbanisation, au XIIIe siècle qu'aux époques ultérieures. C'est tout à la fois, liés les uns aux autres, la création d'un paysage particulier, le dépassement d'un certain seuil de population agglomérée et le développement de fonctions secondaires et tertiaires. Ces fonctions donnent à la ville la maîtrise d'un arrière-pays. L'urbanisation y est désormais assez profonde pour que tout le royaume subisse cette polarisation, non sans de grandes différences de ville à ville et de région à région.

L'activité des villes est, globalement et pour chacune d'entre elles, soumise à des fluctuations conjoncturelles. Nous les examinerons dans des chapitres ultérieurs consacrés à des évolutions chronologiques plus courtes. Dans le présent chapitre, ce sont les traits structurels de la vie urbaine en France au XIIIe siècle et leur diversité qui seront examinés.

1. Le paysage urbain

1. Unité et diversité des paysages urbains.

Enserrées dans des murailles, dominées par les toits des églises, des agglomérations de maisons de plus en plus denses se pressent autour d'une place où se tient le marché, et, à l'entour, des rues, dont l'alignement est loin d'être parfait, regroupent les échoppes où se fabriquent et se vendent les produits de l'artisanat urbain : l'image est classique. Elle est dangereuse aussi dans sa permanence parce qu'elle risque de masquer le chantier qu'est la ville à cette époque.

La ville médiévale est complexe, « juxtaposée », écrit J. Le Goff : la dualité d'une cité et d'un bourg, souvent éloignés l'un de l'autre, chacun pourvu de son enceinte, est fréquente. Des faubourgs, parfois eux-mêmes enclos, s'y accrochent. Tel est le legs des siècles précédents. Avec un sens aigu des particularismes, entretenus par des seigneuries différentes : au point que les institutions municipales de chaque noyau sont distinctes.

Cette situation générale recouvre de grandes différences, en partie venues du passé, en partie dues à des évolutions récentes. Une très vaste cité à Reims donne de grandes possibilités de développement ; le bourg est, au seuil du XIIIe siècle, après une phase ancienne de dynamisme, boudé par les grandes familles, atone. Mais à Tours, la situation est inverse : c'est à Châteauneuf, autour du cloître de Saint-Martin, que l'urbanisation est intense, marquée par l'élaboration d'un réseau vigoureux de rues, image d'une population active et riche. La cité est étouffée par le château et le quartier canonial. Le bourg des Arcis qui lui est adjacent, enclos, et ses faubourgs préparent la jonction avec Châteauneuf, qu'apporte la croissance urbaine du XIIIe siècle.

2. L'enceinte.

L'enceinte, essentielle à l'image de la ville, est donc, en fait, souvent plurielle. Plusieurs enceintes, coalescentes ou non, séparent la ville en plusieurs noyaux, plusieurs quartiers. Comment triompher de cette partition et affirmer l'unité de la ville?

Cette unification est en cours au XIII⁰ siècle. Lorsqu'elle est achevée, une seule administration municipale la gouverne, une seule muraille l'entoure. Pour la majorité des villes, il faut attendre le début du XIV⁰ siècle, souvent même les campagnes de la guerre de Cent Ans, pour qu'une nouvelle enceinte, unique, englobe tout l'espace urbanisé au cours des décennies précédentes. Pour d'autres, le processus est plus précoce : dès les dernières années du XII⁰ siècle à Chartres et à Beauvais ; à Saint-Omer, vers 1200.

La ville entretient avec son enceinte un rapport ambigu. L'entretien de la muraille est le ciment des solidarités ; ainsi à Montpellier ou à Toulouse. Mais les murs sont aussi une séparation si concrète et si forte des divers quartiers qu'ils semblent faire obstacle à la prise de conscience de la collectivité.

Ces murs ne sont pas médiocres, même s'ils ont leurs faiblesses. On reste surpris devant la rapidité avec laquelle Toulouse subit la destruction de ses murs, imposée par Simon de Montfort, puis les reconstruit aussitôt, assez forts pour résister au siège de 1218. Démantèlement partiel peut-être, mais surtout capacité de ses habitants à reconstituer si vite une œuvre qu'on imaginerait de longue haleine. Car si l'on en juge par les comptes de Philippe Auguste, une enceinte doit normalement être faite de fossés larges de plus de 10 mètres, presque aussi profonds que larges, et de courtines épaisses d'entre 1 et 2 mètres à la hauteur du chemin de ronde, c'est-à-dire à 6 ou 8 mètres au-dessus du sol. Tours et portes complètent ce dispositif impressionnant.

Mais, au XIII⁰ siècle, ces murs ont peu servi. Les campagnes militaires avec prises de ville sont rares, souvenir transmis plus que vécu pour les hommes de la fin du siècle. S'il est vrai que la nouvelle ville d'Aigues-Mortes ne se conçoit

pas sans enceinte, à Reims, le projet d'enceinte globale, élaboré dès 1209, matérialisé par une ligne de fossés, n'est achevé
qu'en 1358. Le XIIIᵉ siècle ne semble pas avoir eu pour éle-
ver et entretenir les murailles urbaines la même ardeur que
les deux siècles qui l'entourent.

3. *Les monuments, affirmation des pouvoirs.*

Le dynamisme architectural, on le trouve plutôt au cœur
de la ville. Les deux pôles anciens de la ville, le château et,
dans les cités, le quartier cathédral, à partir desquels le tissu
urbain s'est construit à la période précédente, y sont en plein
remaniement.

   — *La cathédrale, fruit de la croissance des campagnes.*
La construction des grandes cathédrales gothiques est un
événement si marquant du paysage urbain qu'il est devenu
le symbole d'une époque : le «temps des cathédrales».
L'écroulement de la nef de Beauvais, en 1284, est ressenti
par les historiens comme le symbole de l'effondrement de la
prospérité qui les avait bâties. Un temps qui ne caractérise
pas le XIIIᵉ siècle seul, puisque les grands chantiers de la
France gothique commencent dans la deuxième moitié du XIIᵉ
siècle. Dans le Nord, ils s'éteignent peu après 1250. Mais on
oublie trop souvent que les chantiers méridionaux sont décalés
et qu'ils commencent à Toulouse, Narbonne, Albi, Carcassonne, Rodez, Béziers, Clermont et Limoges, lorsqu'ils cessent dans le Nord, pour s'éteindre ici vers 1330. En outre,
chaque cathédrale a son propre rythme, son propre plan de
construction et de reconstruction des divers éléments qui la
composent, sa propre histoire artistique et financière.
   Il est tentant de faire de ce bâtiment majeur le symbole
de la ville. Symbole de son dynamisme, symbole de ses
prouesses techniques. Pourtant, malgré le romantisme tentant de l'idée, on sait bien que ces cathédrales ne sont pas
nées de la ville. Il y a, certes, les vitraux de Chartres offerts
par les métiers : ce n'est pas la règle. Il y a bien les legs de
quelques bourgeois, ou le produit des amendes qu'ils doivent,
comme le marchand de Reims qui, d'après la tradition, aurait

dû faire exécuter le pavement pour avoir vendu du drap à la fausse mesure. La cathédrale est si peu fille des bourgeois que les assemblées urbaines ne s'y tiennent pas. Ce sont les clercs, évêques du Midi et chanoines du Nord, qui ont financé la construction des cathédrales. Donc, indirectement, la prospérité des campagnes !

L'éblouissement des cathédrales fait trop oublier la construction des innombrables édifices religieux contemporains dans toutes les villes qui ne sont pas des sièges épiscopaux, nombreuses dans le Nord notamment, mais même dans les chefs-lieux des diocèses. A Reims, Saint-Nicaise par exemple, qui commence en 1231, en plein chantier cathédral et auquel les Rémois semblent porter plus d'intérêt. Mais, surtout, de très nombreuses églises paroissiales, agrandies pour recevoir une population plus dense.

Et, plus encore, les couvents des ordres mendiants. Dès 1229 et la première campagne de construction, l'église des Jacobins (dominicains) de Toulouse attire les aumônes des Toulousains ; la deuxième campagne est faite avec l'appui des grandes familles et la médiation de l'université ; la troisième, enfin, plus riche, reçoit l'appui de la cour pontificale et des prélats. Bien plus que la cathédrale, les églises des couvents de mendiants expriment la piété des villes. Dans ses monuments majeurs, le paysage urbain est l'image des pouvoirs autant que celle des habitants.

— *Les forteresses urbaines.*

L'élévation du château est plus massive, moins spectaculaire que celle de la cathédrale. Aussi importante, en fait : pas de ville sans château. Son poids, concret et symbolique, est crucial. Qu'on en juge par la masse imposante du château d'Angers ou de Carcassonne pour asseoir l'autorité royale dans les régions où elle s'implante. Ou de l'image déjà grandiose du Louvre de Philippe Auguste dans le Paris des années 1200.

Les chantiers sont immenses, les sommes considérables. Mais leur urgence est perçue des autorités politiques, les fonds débloqués : les travaux durent moins longtemps que la construction des cathédrales.

Le château est à la fois le symbole du pouvoir sur la ville

et l'appoint militaire nécessaire aux murailles urbaines, souvent faibles. Car tenir les villes est devenu essentiel dans la stratégie de l'époque. Il faut adapter sans cesse les forteresses urbaines au perfectionnement des machines de siège. Construire et reconstruire, suivant des géométries simples et ramassées : renforcer la base des murs et multiplier les tours, ce qui réduit l'importance des donjons.

Les forteresses urbaines du XIIIᵉ siècle sont atteintes de gigantisme, à la mesure des pouvoirs qu'elles affirment. Mais il est des villes où le château est délaissé et où le pouvoir seigneurial, plus administratif que militaire, se « banalise » : le comte de Forez a désormais sa résidence dans un hôtel, proche de la collégiale et des marchés, du quartier neuf de Montbrison. L'ancienne partie haute du château est à peu près abandonnée et les jeunes services administratifs s'installent auprès de l'hôtel comtal. On serait tenté d'y voir le triomphe d'un mode d'habiter citadin ; une diversité de plus, en tout cas, dans le paysage urbain de la seconde moitié du XIIIᵉ siècle.

– L'expression monumentale du pouvoir municipal : des halles et des ponts plutôt qu'un hôtel de ville.

Il est pourtant des pouvoirs ou des institutions essentiels à la ville et qui n'ont guère marqué le paysage. Pas de bâtiment pour les universités. Plus surprenant encore, peu d'hôtels de ville avant les premières années du XIVᵉ siècle. Les villes les élèvent donc, paradoxalement, au moment où elles ne défendent plus farouchement les libertés municipales, mais où l'administration municipale se fait plus insistante. La célébrité de celui d'Ypres risque de faire oublier son caractère exceptionnel. Les beffrois des villes flamandes ne datent pas tous du XIIIᵉ siècle. Le Midi aussi a connu quelques précoces « maisons du consulat » : Périgueux semble avoir élevé la sienne dans la seconde moitié du XIIIᵉ siècle. Mais, en général, le maire et ses conseillers se réunissaient encore dans un bâtiment de caractère semi-public, tel qu'un hôpital. Et les assemblées des villes, en plein air, dans un cimetière ou sur une place ; voire dans une grange seigneuriale prêtée pour l'occasion, comme celle des templiers à Reims. Chacune a ses traditions, et l'affirmation architecturale du pouvoir municipal ne suit aucune règle claire.

Le pouvoir municipal n'a pas ignoré tout effort architectural. Mais il a plutôt élevé des bâtiments directement liés à l'activité économique de la ville et à la surveillance qu'il y exerce, halles et poids publics. Les beffrois appartiennent d'ailleurs aussi à cette catégorie de monuments, puisqu'ils abritent les cloches «municipales» qui rythment le travail.

Les corps municipaux ont également construit ou entretenu des ponts : activement au sud de la Loire, encore au XIIIe siècle, où l'on remplace les ponts de bois par des arches de pierre. Mais tous ne sont pas communaux. Ici encore, pas de règle : le Midi les confie plutôt à une association de piété, le Nord à la ville ou au seigneur, et les exceptions à ce schéma géographique sont légion.

4. Les progrès limités de l'aménagement de l'espace urbain.

Autour de ces points clefs de l'espace urbain, la construction va bon train. A des rythmes très variables qui dépendent de l'histoire démographique et économique de chacune des villes. Peu d'accroissement de l'espace urbain à Reims ou à Chartres après 1270, mais Narbonne grossit encore vers 1330. Une petite ville comme Montbrison, dans le Forez, a décuplé sa surface bâtie en moins d'un siècle, tandis que la poussée est moins rapide dans des villes plus précocement importantes.

On construit sans grande ségrégation sociale : les hôtels des patriciens voisinent avec des maisons modestes, les unes de pierre, les autres de matériaux moins nobles. L'urbanisation progresse de manière diffuse et souvent spontanée, le long des chemins et des routes qui se muent peu à peu en rues. Mais aussi, en arrière des façades primitives, construites en bordure de la rue : les jardins et les arrière-cours sont lotis, ouvrant par des venelles ou des passages couverts. Cette spontanéité donne à chaque ville un tissu urbain et un plan particuliers.

Toutes ces nouvelles constructions sont-elles laissées au hasard des choix individuels? En partie seulement. D'une part, parce que la propriété du sol est encore très concentrée dans les mains des établissements religieux et que toute nouvelle construction passe par leur autorisation. Mais aussi parce que se fait sentir, depuis le milieu du XIIe siècle, la volonté de rationaliser l'occupation de l'espace, celui-là même qui inspire aussi le plan des bastides. L'exemple le plus connu est le lotissement du quartier de la Couture par l'archevêque de Reims, Guillaume aux blanches mains dans les dernières années du XIIe siècle. A Paris, les templiers procèdent de même lorsqu'à partir de 1280 ils lotissent l'actuel quartier du Marais. D'autres villes ont connu cet aménagement concerté, comme Nancy, mais il est loin d'être la règle, même dans les nouveaux quartiers.

Si l'on conçoit d'aménager un espace encore vide, plus rares sont les signes d'une véritable conception urbanistique, avec ce qu'elle implique de modification d'un tissu préexistant pour répondre à des besoins nouveaux ; et avec ce qu'elle implique de projet, soucieux d'un bien-être collectif, mettant en cause éventuellement des intérêts particuliers. Même les incendies si fréquents dans les villes septentrionales, comme à Rouen (en 1200 et 1211) ou à Chartres (1210 et 1262), ne sont pas l'occasion de grands réaménagements. Le parcellaire est doué d'une rigidité certaine dès qu'il est loti, et l'armature juridique et mentale ne donne guère les moyens de telles interventions.

L'ouverture de places publiques en est le signe. Elle n'est pas si fréquente. Dans beaucoup de petites villes, une rue large sert de lieu de marché. A Reims, la rue principale du lotissement de la Couture a d'emblée cette fonction. Parfois, on a bien réservé un lieu spécifique à la tenue du marché, mais on ne sait pas le faire grandir avec l'accroissement de la ville. A Montbrison, vers 1260, le marché primitif ne suffit plus, mais il n'est pas agrandi. Il est remplacé par un nouveau marché dans un quartier neuf. Sur l'ancien site, il reste la vieille boucherie. Le marché aux grains, qui dispose d'un bâtiment spécial, près de l'hôpital, contribue à la dispersion. Il est plus facile de créer un marché neuf ou de diviser un vaste espace ancien que de tailler dans le bâti. Quant à faire de la place du marché une place publique, dans l'acception politique du terme, le chemin est à peine entamé dans les régions où la vie urbaine a repris depuis longtemps de la vigueur.

Si certains aménagements révèlent que les milieux dirigeants, seigneuriaux ou municipaux, commencent, ici ou là, à percevoir l'espace urbain comme le lieu d'existence d'une collectivité, l'évolution est loin d'être cohérente. L'accroissement de la population agit en effet dans des sens contradictoires : il exige une occupation rationnelle de l'espace, avec ses lieux collectifs d'échanges et de réunions, mais aussi il crée une demande nouvelle d'habitat. Au Puy, jusque vers 1250, on respecte l'alignement des façades et l'espacement nécessaire à l'écoulement des eaux. Par la suite, les additions aux immeubles, galeries et encorbellements, sont tolérées, en infraction évidente avec les principes antérieurs. L'habitat mord sur les espaces communs.

2. Le réseau urbain

Si les données d'un passé plus ou moins ancien jouent un rôle décisif dans la morphologie et la topographie des villes, si le dynamisme et la modernité des seigneurs et des bourgeois façonnent leur paysage et leur personnalité, les données démographiques leur imposent aussi leurs conditions.

1. Hiérarchies démographiques.

La différence la plus éclatante tient évidemment à la très grande inégalité démographique. Bien que toute définition d'un seuil comporte une part de simplification, on pense que celui de 10 000 habitants sépare les très grandes villes du XIIIe siècle des autres, un seuil que certaines franchissent au cours du siècle. Dès lors, les problèmes de production et de consommation se traitent à une autre échelle ; la concentration des richesses fait de ces grandes agglomérations des milieux économiques et sociaux à part. Cette catégorie est probablement double, au-dessus et en dessous de 20 000 habitants, centres majeurs et centres secondaires.

On s'accorde pour compter parmi les villes les plus peu-

plées du royaume, en premier lieu, Paris. Les estimations de
la population parisienne ont varié considérablement entre
80 000 et 200 000 à la fin du siècle : on s'entend aujourd'hui
à penser le chiffre supérieur comme un minimum. Paris est
donc l'une des très grandes villes européennes comme Milan
et Venise.

Rouen, en Normandie, est de beaucoup la deuxième ville
de la France d'alors. Orléans et Tours sur la Loire, Bordeaux
sur la Garonne, Lyon, Dijon dans la région rhodanienne,
Reims, Metz et Strasbourg dans l'Est constituent l'essentiel
du réseau des grandes villes : une dizaine, qui sont toutes
encore des métropoles.

A côté des centres d'urbanisation, il faudrait sans doute
faire un sort particulier à la côte méditerranéenne prise au
sens large, de Toulouse à Marseille, avec des centres très actifs
comme Narbonne et Montpellier ; éloignés les uns des autres
de vingt à trente kilomètres, ils forment une zone d'urbanisation dense et diffuse. Et à la Champagne méridionale, où
l'activité textile et les foires nourrissent un réseau de villes
proches.

Il est enfin une région où, plus qu'ailleurs, la vie urbaine
est presque devenue la norme : le Nord du royaume. Beauvais, Laon et Amiens en sont des annexes très méridionales,
mais d'Arras à Bruges se concentre une grande densité de villes de toutes tailles, appartenant au bassin de l'Escaut ou gra-
vitant autour de lui, comme Saint-Omer et Ypres.

Le niveau démographique joue évidemment un rôle essentiel dans le poids de chaque ville sur son arrière-pays et dans
sa capacité de production. Mais il est des villes comme Arras
qui, assez peu peuplées, sont des centres économiques de premier plan et il est des villes à forte population agricole, souvent méridionales, dont l'envergure commerciale paraît
décevante si on la compare à son chiffre de population.

2. *La mue urbaine des bourgades.*

L'urbanisation du XIIIᵉ siècle n'est pas seulement le développement de quelques grandes villes. C'est aussi l'animation des bourgades. Dans le Forez, Montbrison n'est pas seule

à se développer : toute une série de bourgades s'ébranlent à leur tour, un peu plus tard. Les premières dès le milieu du XIIIe siècle, presque un demi-siècle après Montbrison ; d'autres constituent ce qu'Étienne Fournial appelle la «génération de 1280»; enfin, les retardataires du premier XIVe siècle.

Le XIIIe siècle, c'est aussi et surtout la transformation, plus ou moins assurée, de bourgades en ville. Où est le seuil? Même aux contemporains, il n'était pas une évidence. De 1302 à 1335, le roi a à plusieurs reprises convoqué les représentants des villes aux états généraux. Au total 570 villes ont envoyé des délégués[1]. Pas toujours les mêmes d'une assemblée à l'autre : les administrateurs royaux avaient une certaine difficulté à en ajuster la liste.

Il y avait sans doute la maladresse d'une jeune administration dans ces hésitations, de la difficulté à mettre sous un vocable unique les réalités différentes du Nord et du Midi, mais aussi la réalité mouvante de l'urbanisation. Louhans est l'exemple même de ces succès incertains[2]. Les espoirs de Louhans tiennent pour une part à une politique seigneuriale éclairée, cherchant à attirer artisans et marchands, au moment où la circulation entre les cols du Jura et les villes de Champagne bat son plein. Une charte de franchise, en 1269, engage le processus. Louhans est alors une bourgade agricole, enclose, pourvue de foires et de marchés. Y vivent aussi des changeurs, des sauniers et des drapiers, qui prouvent l'ouverture de Louhans au-delà de son environnement immédiat. Un peu plus tard, des marchands lombards et des professionnels du transport s'y installent, les marchands s'y font plus nombreux. Vers 1330, les ponts sont réaménagés, la grand-rue, la place avec sa halle, les auberges lui donnent figure urbaine. Louhans est devenu le relais redistributeur des foires de Chalon que les ducs de Bourgogne ont, à la fin du XIIIe siècle, méthodiquement organisées. D'autres bourgades ont suivi, à leur rythme, une voie parallèle. L'activité marchande pénètre en profondeur ces bourgades; elles sont alors à la fois l'étape sur les chemins du grand commerce et le centre des

1. Jacques Le Goff (93).
2. Marcel Pacaut (153).

échanges d'un petit arrière-pays. Comment se fait l'imbrication de ces deux formes de commerce ? Les documents nous livrent mal ce processus qui paraît au cœur de l'urbanisation du XIIIe siècle. Peut-être des études de petites villes de zones drapantes donneraient-elles le primat au développement d'activités artisanales. L'état actuel des recherches révèle surtout le rôle moteur du marchand et de cette forme de communication qu'est le commerce.

3. Dynamique de la démographie urbaine.

La taille de la ville est, à l'évidence, un critère de différenciation essentiel entre les villes, mais il n'est pas le seul. La chronologie de la croissance démographique les distingue aussi les unes des autres. Beaucoup de villes septentrionales semblent atteindre le sommet de la courbe vers 1270, Chartres aussi bien que Reims. Mais les villes méridionales croissent plus longtemps. Et, dans une même région, le rythme du développement démographique n'est pas identique : il se prolonge à Lille, alors qu'il est arrêté à Douai.

Le dynamisme de la croissance définit aussi l'originalité de chaque ville. Il y a des villes-champignons comme Montpellier ou La Rochelle, et d'autres qui connaissent des progressions plus lentes et plus « normales ».

— L'immigration dans les villes.

Quels qu'en soient les rythmes, l'urbanisation du XIIIe siècle conduit de nouveaux habitants vers les grands centres. L'immigration en ville est l'une des formes de cette polarisation de l'espace qui s'organise autour des villes à partir de l'an mille et s'intensifie au XIIIe siècle.

L'espace migratoire d'une ville est l'un des paramètres essentiels de l'histoire d'une ville ; il est la mesure de son rayonnement et de l'hétérogénéité de la population urbaine, d'autant plus grande que l'aire d'attraction est plus vaste et que la proportion d'étrangers à la région est forte. Pour l'établir, il n'est guère qu'un moyen, l'étude des noms qu'offrent différentes sources, notamment les listes d'habitants, mais c'est une méthode délicate. Ainsi, il est dangereux de se limiter à l'étude des noms de lieux d'origine lointaine comme s'ils étaient les seuls à venir d'un ailleurs éloigné. A défaut d'autre voie, il faut en user, mais avec une certaine prudence.

— Le cas particulier des villes au développement aigu.

Une ville à développement rapide puise ses immigrants dans une aire plus vaste qu'une agglomération de croissance lente. Le cas de La Rochelle est exemplaire. Ville neuve, elle n'a peut-être pas beaucoup plus de 6 000 habitants en 1224, lorsqu'elle jure fidélité au roi de France : parmi les 1 360 habitants de la liste, entre 500 et 600 portent un nom de lieu, et, parmi eux, environ 180 celui d'un lieu éloigné de plus de cent kilomètres. La force d'attraction de la ville correspond à ses relations d'échanges : les rivages occidentaux jusqu'en mer du Nord et en Angleterre, un axe terrestre qui joint Paris, Tours et Bourges et irradie jusqu'en Bourgogne et en Lorraine ; enfin, moins intense, le chemin de la Méditerranée.

Il s'agit là d'un exemple très particulier, celui d'une ville maritime. Même à Montpellier, l'autre ville prodige, l'immigration a d'autres caractères[1]. Moins ample pour les milieux modestes : les ouvriers et les apprentis ne viennent que du Midi. Seules les ambitions universitaires ou marchandes attirent de très loin.

— Une aire d'immigration proportionnelle à la taille de la ville.

Avec des différences de l'une à l'autre, ces deux villes pionnières ont, avec leur arrière-pays immédiat, une relation démographique différente d'autres centres urbains, dont l'expansion est plus ancienne et plus lente, Arras ou Amiens aussi bien que Toulouse ou Metz. Là, la quasi-totalité des immigrants se recrute dans un rayon de 30 kilomètres autour de la ville. Plus la ville est petite, plus ce rayon d'immigration est étriqué : à Saint-Quentin, les nouveaux venus du XIIIe siècle viennent de moins de dix kilomètres pour la grande majorité d'entre eux.

Ces zones d'attraction urbaine se dessinent en termes de concurrence. Reims recrute les deux tiers de ses immigrants

1. Kathrin Reyerson (157).

dans le pays rémois, c'est-à-dire dans la limite des 30 kilomètres autour de la ville. Les autres viennent surtout des Ardennes : dans cette direction, aucune autre ville importante ne fait obstacle à la pénétration de l'influence rémoise dans cette direction, jusqu'aux points où elle rencontre celle de Laon.

— *Immigration de pauvres ou de notables ?*

Quelle immigration ? Une immigration de petites gens, surtout de jeunes hommes sans qualification professionnelle dans les dernières années du XIIIe siècle au bourg neuf de Saint-Quentin. A Reims, elle est probablement fortement différenciée : les nouveaux venus s'installent dans les plus pauvres ou les plus riches des paroisses. Ces différences tiennent à des causes multiples, notamment aux structures des campagnes environnantes qui envoient à la ville un trop-plein de manœuvres ou forment en leur sein un premier niveau de notabilités, tentées par les vastes possibilités urbaines. Mais aussi aux fonctions de la ville : la ville bâtisseuse ou agricole, capable d'absorber une main-d'œuvre non formée, ou bien la ville tertiaire, où les perspectives offertes par l'administration et les affaires sont brillantes.

3. Le travail urbain

A l'image de la ville est attachée celle de l'artisan travaillant dans son échoppe. Image à la fois exacte et erronée. Exacte, en ce sens que l'usine est inconnue du XIIIe siècle. L'atelier est familial, l'artisan travaille avec ses fils ; voire avec des apprentis, deux au plus en règle générale, qui font presque partie du ménage et à qui il transmet son savoir-faire dans un rapport individuel.

Mais cette image risque aussi de fausser notre appréhension du travail urbain. En premier lieu, elle risque de lier trop étroitement l'artisanat à la ville, alors qu'il en est encore à se dégager lentement du cadre domanial dans certaines régions et qu'en tout état de cause il est fortement implanté dans les villages. Les activités secondaires ne sont nullement un monopole des villes du XIIIe siècle.

1. Grandes villes et division du travail.

Le deuxième risque d'erreur est de méconnaître la spécialisation du travail artisanal dans les villes. Ou du moins dans les grandes villes industrieuses, car il n'en allait pas de même dans les petits centres. L'artisanat des grandes villes se distingue par une extrême division des tâches. Sur ce chemin, le *Livre des métiers* de Paris est un jalon : malgré de nombreux manques, plus de cent métiers différents y sont indiqués, mais, deux cents ans plus tard, l'évolution s'est accentuée, et on peut en dénombrer trois fois plus.

D'autres métiers connaissaient une division du travail aussi poussée et avaient une importance aussi fondamentale dans les villes d'Occident et de France ; avec raison B. Chevalier a attiré l'attention, par exemple, sur ceux qui traitaient les cuirs et les peaux. Paris est de ce point de vue typique : ses fameux livres de taille énumèrent des centaines et des centaines de tanneurs, corroyeurs, selliers, bridiers, boursiers, cordonniers... et, en particulier, des pelletiers qui, à eux seuls, fournissent la masse la plus nombreuse de contribuables, avant même les tisserands.

Du stade de la peau, arrivée sèche et grossièrement tannée, à celui de la nappe de fourrure montée se succèdent plus de vingt opérations, exécutées souvent par des sous-groupes spécialisés : élimination des particules putrescibles adhérentes à la peau («boursage», peau cousue poil à l'intérieur pour ne pas l'abîmer ; «mouillage» dans différents bains d'eau de moins en moins salée) ; «foulage» (aux pieds ou au «moulin à fouler pelleterie») ; «sapinage» à l'huile fine pour éviter au poil léger de s'agglomérer en pinceaux ; «graissage» côté cuir (au suif ou à l'huile) ; «broyage» (dans des «caques à broyer») pour faire pénétrer l'oint dans la peau ; «assouplissage» (peau déboursée et séchée, frottée côté cuir par va-et-vient sur une corde et frappée à la baguette) ; «écharnage», opération particulièrement délicate, employant un «fer à escharner», tranchant comme un rasoir et enlevant définiti-

vement les particules restantes et la fine membrane s'opposant à la pénétration du tannin; «battage» à la verge souple, pour redresser le poil; élimination de l'oint par mélange
dégraissant (plâtre, craie, farine, son, sciure, terre à foulon
et tartre de vin) dans des tonneaux tournant autour d'un axe.
Enfin, ces peaux saupoudrées de craie sont «tirées» au fer
à pelletier.

Ces opérations préliminaires ne sont valables que pour écureuils et hermines. Les peaux plus fragiles (martres, zibeli-
nes, fouines, voire renards) ne peuvent être foulées; le seul
écharnage s'étend ici sur deux semaines et exige l'élaboration et l'application d'un «confit», pâte à base de farine,
d'huile ou de suif, d'eau salée parfois additionnées de jaune
d'œuf qui facilite le circonspect passage du fer à écharner.

Les peaux fortes en cuir (agneaux, moutons, chevreaux...)
exigent des opérations encore plus longues : mise en eau (au
moins deux jours); lavage et dégraissage du poil laineux;
«confit» spécial sur le cuir; foulage deux fois par jour, deux
jours de suite, pendant deux ou trois semaines; écharnage,
séchage, assouplissage; de nouveau trempage, foulage,
séchage, passage à la farine, battage à sec... Tout séchage
se fait au soleil ou à la chaleur sèche d'étuves spéciales. Un
traitement «chimique» nécessitant des dosages précis de
céruse, eau de chaux, ocre, charbon, ou tan, galle et surtout
soufre, permet non de teindre, ce qui falsifierait un produit
naturel, mais de rendre le poil plus brillant et plus égal en
couleur avant le brossage final...

La peau, ainsi apprêtée (au bout d'un mois) et d'une solidité à toute épreuve, peut enfin être travaillée; d'autres spécialistes la coupent en un certain nombre de morceaux (y
compris les minuscules pattes, gorges, nuques des déjà minuscules écureuils); les pièces les plus prisées sont les dos, particulièrement fournis et beaux en couleur, les ventres doux,
soyeux et de teinte différente, le bout noir de la queue d'her-
mine... On assemble minutieusement en nappes («manteaux») par très fine couture les fragments de même nature
et de même espèce, sauf dans la disposition «vairée» qui
admet la juxtaposition alternée de ventre et de dos. Il faut
encore, dans certains cas, se livrer au «galonnage» en inci-
sant le cuir, l'écartant, cousant dans le trou ainsi formé une

pièce de cuir fin, puis en écartant et égalisant à son tour le poil touffu...

La nappe enfin élaborée, au terme d'opérations encore plus longues et délicates que celles réclamées par la pièce de drap, est alors livrée aux métiers qui la monteront sur les vêtements, ici les fourreurs, là les tailleurs. Mais entre-temps elle est passée par les mains du groupe le plus important et le moins nombreux qui se représente complaisamment comme cœur du métier dans, par exemple, les magnifiques verrières de Chartres (vers 1220), dont les pelletiers locaux ont offert les plus nombreuses (5) et peut-être les plus belles (Charlemagne, Saint-Eustache), certaines (Saint-Jacques) en collaboration avec les drapiers qui, avec cinq verrières eux aussi, se placent au premier rang. Signent le vitrail, et seuls, les marchands pelletiers (ou les marchands drapiers).

Dans les grands centres textiles de Flandre, les règlements urbains permettent de reconstituer toute la chaîne des mains entre lesquelles passent les draps. Après les activités préparatoires de battage, de peignage et de filage, en partie confiées à des femmes, vient l'ourdissage par lequel sont tendus régulièrement les fils de la chaîne. Cette opération était souvent confiée à la femme du tisserand, mais parfois à un personnel spécialisé. Puis le tissage, qui demande une très grande qualification pour assurer la régularité et la solidité du travail. Au sortir de l'ostille du tisserand, le drap subissait toutes sortes de traitements qui en amélioraient l'aspect extérieur. Le foulon ou pareur «appareillait» le drap écru : il le lavait et le dégraissait dans un mélange d'eau et d'argile détergente, puis le travaillait avec des chardons pour redonner du bouffant au drap feutré et enfin le foulait à plusieurs reprises. Le drap était ensuite tendu pour en régulariser les dimensions. La dernière opération était l'apprêt qui se faisait parfois après la vente et le transport du drap. Entre-temps, avant ou après le tissage, la laine ou le drap avait été teint. Bref, il faut un bon mois pour faire une pièce de drap. On imagine aisément tous les degrés possibles de division du travail, entre les grands centres disposant, pour les draps de très haute qualité, d'une main-d'œuvre de spécialistes de chaque opération, et les petits centres à la fabrication très «intégrée».

2. *Travailler en ville ne signifie pas être artisan.*

Un troisième risque de la forte image du travail à l'échoppe est de faire méconnaître le grand nombre d'habitants des villes qui ne sont pas des artisans, sans être pour autant de grands négociants. En dehors de la Flandre et de la Picardie, nombre de villes gardaient un caractère fortement rural et abritait une population abondante de brassiers et de salariés agricoles.

Beaucoup de métiers, notamment tous ceux qui participaient à l'alimentation de la ville, n'impliquaient pas toujours une transformation de type artisanal, même si bouchers et boulangers peuvent compter comme tels. Ces métiers « victuaillers » étaient anciens, nombreux, et leur importance demeure essentielle : au milieu du XIIIe siècle, ils figurent en tête du *Livre des métiers* de Paris.

D'autres métiers, artisanaux, n'allaient pas toujours avec l'échoppe. Ceux du bâtiment, bien sûr, mais même certaines activités textiles, car les phases préparatoires étaient confiées à des salariés, misérablement payés, et celles des dernières finitions aussi.

Le salariat est très présent dans ce système professionnel, sous des formes ouvertes ou larvées[1]. Non seulement les valets sont des salariés, mais certains maîtres le sont aussi. Outre ceux qui ont fait de mauvaises affaires et abandonnent leur boutique, ceux qui sont en réalité des façonniers : les « métiers de service »[2]. Les tisserands comme les pelletiers ne sont souvent que les façonniers d'une matière première qui ne leur appartient pas. Tout au cours du XIIIe siècle se développe dans les grands centres drapants ce que les historiens allemands appellent le *Verlagsystem*. Quelques entrepreneurs audacieux constituent une entreprise décentralisée qui fournit du travail à un grand nombre d'artisans, travaillant isolément, chacun dans son échoppe. La concentration est financière, sinon topographique. Là sont les grands profits du travail urbain. Rappelons avec R. Cazelle que le pre-

---

1. Bernard Chevalier (174).
2. Bronislaw Geremek (184).

mier des prévôts des marchands connu est, au temps de Saint Louis, le pelletier Raoul de Pacy, et que l'importance d'une telle fonction à Paris est amplement démontrée au siècle suivant par le marchand drapier Étienne Marcel.

3. Les métiers.

L'image de l'échoppe sous-entend enfin l'idée de l'indépendance de l'artisan. La mythologie de la ville bourgeoise qui libère l'individu des contraintes de la seigneurie est aujourd'hui rattachée à l'historiographie du XIXᵉ siècle. Mais est tout aussi erronée, parce que anachronique, la conception qui voit l'artisanat médiéval comme un affrontement entre des maîtres — ceux-ci fermant l'accès du métier par l'obligation d'un chef-d'œuvre coûteux et un droit d'entrée très élevé — et des valets, piétinant d'impatience. La réalité du XIIIᵉ siècle semble tout autre.

En premier lieu, le «métier juré», c'est-à-dire organisé avec des statuts, des prud'hommes pour le diriger et des gardes pour en assurer la police, n'est pas attesté partout en France au XIIIᵉ siècle. L'Est et l'Ouest le connaissent peu. Sans doute caractérise-t-il mieux les régions où le réveil de l'activité urbaine est ancien. Pour le XIIIᵉ siècle, il est trois régions de France qui fournissent une image assez complète de l'organisation des métiers : le Nord, le Languedoc[1] et la région parisienne. Ici, le *Livre des métiers*, rédigé par Étienne Boileau, que Louis IX avait choisi comme prévôt de Paris, en 1258, est une source bien incomplète mais, telle quelle, irremplaçable ; le danger est d'en méconnaître la spécificité et d'en généraliser outrageusement la portée. Même dans ces régions, il est des secteurs d'activité, des villes ou des quartiers de certaines villes qui restent totalement hors règlement.

L'origine des métiers est obscure. Certains historiens y voient la transformation de confréries professionnelles : la piété commune et l'entraide précédant les règlements du travail. C'est certainement inexact en Languedoc, où les métiers sont attestés dès la fin du XIIᵉ siècle à Montpellier et où les

1. André Gouron (141).

confréries professionnelles n'apparaissent qu'un siècle plus tard. A Paris, Étienne Boileau ne signale de confrérie que pour une dizaine de métiers. Mais sans doute est-il des régions où ces associations professionnelles sont nées assez spontanément à partir des anciennes guildes. Il est bien probable que partout l'autorité seigneuriale a eu tendance à surveiller de près certaines activités, notamment celles qui assuraient l'alimentation des villes. Ce sont, semble-t-il, partout les premiers métiers à recevoir une réglementation. Les autorités municipales ont suivi, au fur et à mesure qu'elles se substituaient à eux, le chemin montré par les seigneurs des villes.

Les statuts réglementent tout à la fois les techniques de fabrication et l'organisation interne du métier, entre maîtres, valets et apprentis. Non seulement les rapports d'autorité, mais aussi les règles de la convivialité et de la piété commune. Ils fixent aussi les relations du métier avec le reste de la société urbaine.

4. Contre la concurrence.

Il y a des règles, sinon universelles et communes, du moins voisines, d'un métier à l'autre et d'une région à l'autre, notamment le temps de travail (journée continue d'une longueur variable suivant la durée du jour solaire). Partout, les jours chômés sont nombreux : le rythme n'est pas celui de l'industrie du XIXe siècle. Partout, le travail à la chandelle est strictement interdit, sauf en cas de nécessité pour des métiers aussi indispensables que les meuniers à Paris. Les contraintes draconiennes protègent le client en principe et aussi la confraternité : la mauvaise production de l'un retentit sur l'image de marque de tout le métier. La concurrence est interdite, d'où la limitation du nombre d'apprentis dans la plupart des métiers.

Mais à part ces quelques principes de base communs, que de différences d'une ville à l'autre ! Prud'hommes élus pour diriger le métier, mais pas à Paris où le contrôle royal est strict. Élus ou désignés, partout ce sont des hommes expérimentés, installés depuis longtemps et avec succès. Dans certaines villes, la volonté d'imposer aux métiers des emplacements réglementés dans la ville s'affirme, en théorie peut-être plus qu'en réalité, comme à Montpellier ; dans d'autres, la localisation des artisans semble peu intéresser les autorités municipales. La spécialisation des rues de villes est donc fréquente, mais pas universelle. Dans certaines villes, une tendance au monopole se fait jour pour limiter l'accès au métier, soit de la part du métier lui-même, soit de la part du roi, à Paris, qui le soumet à autorisation payante ; mais, en Languedoc, les autorités sont très soucieuses d'affirmer la liberté d'installation.

5. La hiérarchie des métiers.

La différence est dans ce domaine plus encore entre les métiers qu'entre les régions. Il y a une hiérarchie très rigoureuse entre les métiers ; rigoureuse, mais faite d'un grand nombre de marches. Cette hiérarchie se marque dans les conditions de l'apprentissage, d'autant plus coûteux que le métier est prisé. Et le sens hiérarchique est si fort que l'apprenti d'un métier noble partage la fierté de son patron et son mépris pour les métiers inférieurs. Ainsi, l'échelle de valeurs des métiers du textile place le tisserand au plus haut rang, en vertu de la difficulté de son travail et de la possession du métier à tisser ; suivis par les foulons et les teinturiers, puis les métiers de l'apprêt ; en bas de l'échelle les hommes chargés des opérations préliminaires ; plus bas encore, les peigneresses et les fileuses, tôt assimilées aux prostituées. Il faut donc un centre urbain de grande taille et une conjoncture très inquiétante pour que se cimente une solidarité qui conduise à la révolte et mette en question le système.

Le système : quel système ? Le métier est traditionnellement présenté comme le produit d'une ville dans une phase de prospérité. E. Perroy a proposé une tout autre vision du métier. Il se serait organisé sous la forme rigoureusement professionnelle qu'on lui connaît tardivement, pour lutter contre la mainmise des autorités urbaines, c'est-à-dire du patriciat, sur la vie économique des villes flamandes. Non pas au temps de l'expansion facile, mais plus tard dans le siècle, quand la Flandre doit s'adapter aux nouvelles conditions du marché.

4. Les villes et leur arrière-pays

Sans avoir le monopole de la production artisanale et malgré une productivité qui progresse lentement, la ville produit au XIIIe siècle plus d'objets qu'elle n'en consomme. En revanche, elle consomme toute une série de produits, alimentaires et autres, qu'elle ne produit pas ou très peu. Aucune ne vit en circuit fermé. Autour de chacune d'elles et de son terroir, un arrière-pays proche, avec lequel elle vit en symbiose, et des relations lointaines, directes ou indirectes, avec d'autres villes et d'autres régions.

1. La propriété bourgeoise du finage urbain.

Un exemple de cet arrière-pays protéiforme : celui de Reims au XIIIe siècle, tel que l'analyse P. Desportes. Le finage de la ville constitue une auréole large de cinq kilomètres environ, caractérisé par le prix très élevé du terrain qui n'est plus en rapport avec les revenus agricoles qu'il procure. Dans la plupart des villes, ce terroir est celui des vignes et des jardins. Ici, les jardins sont en grande partie inclus dans le tissu urbain assez lâche, et la vigne, de médiocre qualité, concurrencée par les terroirs de la Montagne. Prés, bois et chènevières se partagent le terrain, révélant la forte demande urbaine dans ces produits. La bourgeoisie rémoise possède, au début du XIVe siècle, l'essentiel de la terre qui n'est pas propriété ecclésiastique, tandis que les parcelles paysannes sont à la fois peu nombreuses et minuscules.

2. L'aire de domination économique autour des villes.

La zone d'influence défensive de Reims est un peu plus large : une centaine de villages participent à l'entretien des murailles de Reims. C'est dans cette zone que la propriété

bourgeoise s'implante avec force dans le courant du XIIIᵉ siècle. La répartition n'en est pas simplement géométrique à partir d'un centre, Reims : la Montagne, avec ses vignes et ses
bois, attire l'investissement des citadins. Quelques achats de
seigneuries, moins que dans d'autres villes, mais surtout la
propriété utile. Dès le milieu du siècle, la situation devient
conflictuelle entre communauté villageoise et propriétaires
«forains» résidant à Reims et qui échappent de ce fait aux
charges fiscales des villages.

La zone d'alimentation de Reims est encore un peu plus
large. Elle coïncide à peu près avec l'espace migratoire. Sa
longue excroissance en direction des Ardennes montre que
cet arrière-pays économique a été modelé par les conflits
d'autorité politique et pris en étau par les comtes de Champagne. De cette région viennent les blés, les vins, le bétail dont
la ville se nourrit et le bois dont elle se construit. Ailleurs,
la laine des moutons s'ajoute à ces produits.

Un simple calcul montre l'ampleur de la couronne nourricière d'une ville. Il a été fait par Robert Fossier pour Amiens,
peuplé d'environ 20 000 habitants, au milieu d'un bon pays.
Il lui fallait environ 8 000 tonnes de grains par an ; un cercle
d'environ vingt kilomètres autour de la ville les lui fournis-
sait en même temps qu'il nourrissait sa propre population.
La ville draine ces produits sous forme d'échanges commerciaux, mais aussi de redevances diverses ; il faut se résigner
à ignorer leurs proportions respectives dans ce trafic.

Il faut aussi se résigner à ignorer ce que les hommes de
la campagne viennent acheter en ville. Le nom des marchés
ne donne que des indications qualitatives très grossières, et
le tarif des tonlieux ne signale que les produits importés. Le
vin, pas le meilleur naturellement, est sans doute acheté en
ville partout où les ruraux ne le produisent pas. Et bon nombre de produits fabriqués. Ainsi, la draperie des villes flamandes est loin de ne produire que des draps de luxe pour
une exportation lointaine ou pour vêtir ses patriciens. Elle
produit aussi pour la population modeste des villes et des
campagnes. Les campagnes étant elles-mêmes productrices,
l'idée peut paraître saugrenue : en fait production et consommation locale ne sont pas étroitement adaptées l'une à
l'autre, et le marché urbain régule les distorsions dans

toutes les régions où l'économie de marché est déjà bien implantée.

C'est ainsi que le pays rémois fournit à Reims une grande partie des toiles, tissées dans les campagnes, auxquelles Reims donne son label et dont elle assure la commercialisation. Il est bien des villes qui vendent sous leur nom les articles produits dans les campagnes environnantes.

Le travail du bois, du fer, de la pierre et du textile alimente des courants d'échanges entre la ville et ses environs, malheureusement difficiles à appréhender dans la documentation. Les spécificités de cette production rurale concourent à déterminer, avec originalité, la fonction redistributrice de chaque ville. Nîmes et Carcassonne sont des villes très comparables, sièges d'une sénéchaussée royale, entre mer et montagne, de taille voisine. A la fin du XIIIᵉ siècle, Carcassonne assure la finition des draps tissés en abondance dans les campagnes environnantes, tandis qu'à Nîmes les documents évoquent les achats de sel et les ventes de blé et de légumes que les montagnards viennent faire en ville.

La ville est aussi pour ses alentours une capitale financière. Si une bonne partie du crédit se conclut sans doute entre habitants des campagnes, les bourgeois ne dédaignent pas le marché financier rural. Le XIIIᵉ siècle poursuit ainsi intensément l'organisation de l'espace en une juxtaposition de régions animées et dominées par une ville.

5. Les villes et le grand commerce

L'image de régions juxtaposées ne rend pas compte de toute la réalité des relations économiques du XIIIᵉ siècle. Le chevelu des échanges locaux s'accroche en effet à quelques grands itinéraires commerciaux jalonnés par les centres d'échanges majeurs. Les villes du Forez communiquent avec les contrées lointaines qui fournissent les aliments exotiques et les objets de luxe par Le Puy, Vienne et Lyon. Les résultats de l'archéologie sont là pour montrer que la petite ville accentue, au cours du XIIIᵉ siècle, son rôle redistributeur et que les petites foires constituent les moments clefs de ces échanges, trop modestes encore pour avoir droit à l'écrit. Certes, les produits les plus chers ne sont accessibles que de manière exceptionnelle aux plux riches des paysans, pour les noces de leurs filles, par exemple, et surtout à la fin du siècle. Mais il existe aussi toute une circulation de produits plus modestes ; l'historiographie a découvert récemment que la plus grosse part des échanges reste absente des sources écrites, denrées de petite valeur à court rayon d'action, et qu'échappe à notre connaissance tout un monde de marchands modestes.

Les échanges glorieux de produits de luxe ont attiré l'attention des historiens depuis plus longtemps. Dans le Midi, les grands ports, Marseille ou Narbonne, connaissent un flux permanent d'échanges que ne ralentit que la mauvaise saison, moins propre à la navigation. Mais, dans les pays du Nord, les échanges connaissent des périodes de fièvre que sont les grandes foires, et ce rassemblement spectaculaire, exotique, a retenu l'attention des historiens.

Dans l'histoire du commerce au long cours, le XIIIe siècle est l'âge d'or des grandes foires auquel succède un XIVe siècle où les marchands sont plus souvent sédentaires. Ces grandes réunions de marchands naissent, se développent et meurent au gré des conjonctures régionales. Les unes ont la stabilité que donne la proximité d'un grand centre de production et de consommation : celle du Lendit, à la proximité immédiate de Paris. D'autres émergent d'un réseau de petites foires locales, grâce à des privilèges concédés par le pouvoir politique, au dynamisme d'entrepreneurs locaux, aux aptitudes de la région. Chalon[1], à partir de 1250, et surtout de 1280 ; les foires de Pézenas, dans la première moitié du XIVe siècle.

1. Les foires de Champagne.

Ainsi étaient nées les grandes foires de Champagne, dans le courant du XIIe siècle, d'un ensemble de foires locales et modestes. Elles correspondaient à un besoin : la communi-

---

1. Henri Dubois (131).

cation commerciale entre le Bassin méditerranéen et les pays du Nord, la Flandre drapante essentiellement. Au XIIIᵉ siècle, c'est-à-dire entre le moment où les marchands d'Arras et des villes voisines fréquentaient les ports de la Méditerranée et celui où les négociants italiens investirent toute l'Europe occidentale, les foires de Champagne assurèrent le contact.

Les foires de Champagne constituent un cycle : de Lagny, en janvier-février, Bar-sur-Aube, en février-mars, on passe avec une courte solution de continuité à Provins, puis à Troyes, puis de nouveau à Provins, en septembre-octobre, auquel succède la seconde foire, la « foire froide », de Troyes. Dans les trois temps que comporte chaque foire, la « montre » des marchandises, la vente et les paiements, la vente dure très peu, une dizaine de jours. Néanmoins, l'organisation de ce cycle répond à un flux de marchandises si volumineux qu'il ne souffre pas d'être interrompu pendant une longue période. En même temps, le changement de lieu donne aux marchands et à ses marchandises de nouveaux clients et l'impression d'une nouvelle chance. D'où le succès de ces cycles de foires. En Champagne, mais aussi en Flandre (Ypres, Lille, Bruges, Messines, Thourout).

A ces grandes foires, ce sont essentiellement des draps qu'on échange. Marchandises précieuses qu'il convient de protéger, en route, contre la piraterie et la guerre. C'est ce que firent les conduits accordés par le comte de Champagne, complétés par celui qu'assure le comte de Flandre aux marchands flamands et appuyés par celui du roi de France en 1209.

Pour garantir la sûreté des opérations sur place, les villes contrôlent le pesage, et les comtes de Champagne ont institué des gardes de foires, deux ou trois, secondés par une centaine de sergents. Ils en assurent la bonne tenue et surveillent les marchands, qu'ils interdisent de foire en cas d'opérations frauduleuses repérées. Agissant auprès des justices seigneuriales auxquelles ils dénoncent les mauvais payeurs, ils deviennent peu à peu une sorte de cour suprême européenne pour le commerce.

De leur côté, les marchands qui fréquentaient ces foires développèrent des associations pour faciliter le voyage et les affaires. Les villes septentrionales, flamandes en majorité, se groupèrent, vers 1200, dans la hanse des 17 villes (en fait

22, au plus tard au milieu du siècle) ; elle englobait les principales cités commerçantes, du royaume et d'empire, jusqu'à Reims et Chalon. L'association était lâche — chaque ville avait son propre local de vente dans chaque ville de foire —, ses institutions sont mal connues. La finalité essentielle semble être de se défendre collectivement contre les créanciers et débiteurs étrangers. Les Italiens eurent aussi leurs groupements qui leur permettaient d'avoir des représentants permanents en Champagne. Et les Languedociens firent de même.

L'ampleur des opérations implique le règlement à crédit ; la multiplicité des monnaies, le change. Les foires de Champagne sont donc aussi le siège d'une intense activité bancaire. Les Italiens y enseignent aux autres marchands les perfectionnements qu'ils mettent au point, lettres de foire, puis lettres de change, qui aménagent tout à la fois les opérations complexes de paiement, de change et de crédit[1]. Les foires de Champagne illustrent les rapports intimes qu'entretiennent initialement les opérations commerciales et financières ; et l'importance croissante de la finance, dans laquelle les marchands français n'ont pas un rôle moteur.

Les foires de Champagne ont joué dans le commerce des draps et dans l'ensemble des relations commerciales européennes un rôle essentiel pendant le XIIIe siècle. A ne voir qu'elles, on risquerait d'en faire le pôle autour duquel s'est déterminé l'espace économique français, et dont Paris serait une sorte d'annexe proche. Il y aurait là une grande part d'illusion. L'importance des relations directes des ports de la Méditerranée française avec leurs homologues italiens ou lointains et les solides couples océaniques qui se constituent alors, Bordeaux-Angleterre et La Rochelle-Flandre, montrent qu'il n'y a pas un axe autour duquel se construit un espace, mais bien des espaces encore peu cohérents.

2. *Audace des marchands : dynamisme de la ville.*

Marchandise et artisanat disjoints ? Certainement pas au XIIIe siècle, du moins dans les petites villes. La plupart des

1. Raymond de Roover (176).

«vendeurs» sont des artisans-boutiquiers à l'honnête aisance, qui complètent leur activité en prêtant çà et là quelque argent.

Un peu plus riches et moins nombreux : les marchands. Ceux-ci vendent de tout et prêtent de l'argent. Encore un peu plus haut : les banquiers, qui sont aussi marchands à l'occasion. Telle est la hiérarchie que distingue É. Fournial dans les petites villes du Forez, à la fin du XIIIᵉ siècle. Parmi eux, le partage entre marchandise et banque est affaire de proportions ; l'ampleur de la clientèle et de la fortune est le critère de distinction.

Reims offre une autre échelle à ses lignages patriciens. Une cinquantaine de familles où se mêlent les ministériaux qui ont servi l'évêque et des réussites plus récentes. Marchands, ils l'ont sans doute été, mais ils sont désormais des financiers. Ils dominent le marché de la rente urbaine qui leur fournit localement des revenus sûrs de longue durée. Ils ont aussi de grandes affaires financières, des rentes à vie qu'ils achètent dans une vaste région dont la Champagne n'est qu'une partie. Leur domaine d'action ne cesse de s'accroître, même si le sommet de leur prospérité semble dater des années 1230-1250. Leur prudence extrême les a ensuite mis en retrait des grandes entreprises.

Car le XIIIᵉ siècle apporte d'année en année des marchands à l'envergure plus large. Ou bien ces capitaines d'entreprise drapante ou bien ces financiers qui suivent l'exemple des Italiens. Parmi eux, les Cahorsins, qui sont principalement des négociants et se comportent, des ports de la Méditerranée à l'Angleterre en passant par Paris, à la manière de marchands siennois. A Londres, les frères Béraud importent du vin, exportent des laines, afferment les recettes royales, prêtent au roi. Dans ce troisième quart du XIIIᵉ siècle, ils concurrencent, souvent avec succès, les compagnies toscanes[1]. Mais ce succès n'a qu'un temps. Compagnies moins puissantes, parce que moins nombreuses ? Manque du soutien qu'apporte une production artisanale complémentaire ? Lacunes financières ou industrielles ? Le temps est à l'affirmation de la domination des Italiens.

---

1. Yves Renouard (156).

6. La ville, modèle culturel

Que la fabrication de produits ouvrés soit au cœur de certains succès urbains n'est pas contestable, mais, au XIIIe siècle, un grand nombre de villes sont devenues le lieu d'activités tertiaires, commerciales ou administratives, mais aussi culturelles, qui sont le nerf des réseaux proches ou lointains qu'elles ont constitués et qui remodèlent l'espace.

D'une ville à l'autre, de la ville vers son arrière-pays circulent au XIIIe siècle bien plus que des courants de marchandises : des voyageurs. Ils empruntent les grands itinéraires. Ce ne sont pas des chaussées analogues aux voies romaines au tracé unique, mais un lacis de chemins anastomosés, dont les nœuds sont les villes étapes. Là se rencontrent les hommes. Des idées et des modes voyagent avec eux.

Le modèle urbain s'impose aux campagnes environnantes. Déjà, au XIIIe siècle, il a présidé aux goûts des notables villageois et surtout des cadets de familles seigneuriales : ils ont cherché à imiter la ville dans les villages forts du Midi et les bourgs castraux de l'Ouest, une région où le dynamisme des villes n'est pas particulièrement intense.

Les relations pourtant sont ambivalentes, haine et amour, entre les modèles et ceux qui les imitent. Entre les villageois du pays rémois et Reims, la tension monte, comme partout autour des principales villes. La vieille animosité entre les rustres et les urbains, évoquée par Guibert de Nogent pour le début du XIIe siècle, n'a pas désarmé. Et les grandes villes n'ont pas toujours joué un rôle modernisateur dans les villages voisins : autour de Narbonne, l'autonomie municipale ne gagne pas au cours du XIIIe siècle, ou du moins avec beaucoup de retard, comme si la proximité de la ville avait joué un rôle pétrificateur[1]. Malgré la complexité du phénomène, les résistances et les tiraillements, la diffusion des idées et des modes urbaines s'observe cependant partout, avec plus de

---

1. Monique Bourin-Derruau (126).

netteté dans ce siècle de communication intensifiée qu'est le XIIIᵉ siècle.

1. La coutume urbaine.

Comment ne pas apercevoir cette diffusion, qu'on qualifiera peut-être d'impérialiste, des idées de la ville dans les coutumes des villages du pays rémois ? Au XIIIᵉ siècle, il est vrai que le morcellement des coutumes est extrême : chaque village a ses propres usages. Certains, bien que n'appartenant pas à un seigneur rémois, ont acquis des franchises rémoises. Mais, surtout, à défaut de la coutume locale, c'est celle de Reims qui est appliquée. Cette influence juridique de la ville, on la noterait partout, et tout spécialement dans le Midi.

2. La parole urbaine.

La diffusion des couvents de mendiants est un phénomène urbain[1], mais dominicains et franciscains sont des prédicateurs itinérants. Sans doute leur sensibilité religieuse a-t-elle été plus vite adoptée par l'élite urbaine. Mais leur parole a atteint au moins les bourgades, sinon plus profond dans le tissu de l'habitat rural. Prenons un exemple extrême : celui de Montaillou. Les mineurs et les prêcheurs brillent par leur absence, dans ce pays qui aurait pourtant besoin d'une reconquête spirituelle ! Mais tous les Montalionais les connaissent. Comme ils grouillent dans les petites villes dans les pays de la plaine, certains les y ont rencontrés. Béatrice de Planissoles, la châtelaine — la distance sociale entre elle et les Montalionais n'est pas si grande qu'elle n'ait un poids culturel certain —, les a entendus et s'était même confessée à l'un d'eux, du couvent de Limoux, sans doute lors d'un pèlerinage à un sanctuaire proche de Béziers.

1. Jacques Le Goff (93).

3. *Le savoir urbain.*

Par le biais de la parole des mendiants, mais aussi de tous ceux qui se sont formés aux écoles, c'est un savoir urbain qui se répand.

Depuis le XIIe siècle, l'école est en effet à dominante urbaine. Le XIIIe siècle affirme l'insertion urbaine des maîtres et des étudiants. On peut discuter si Abélard est un homme de la ville ou un moine. On ne le peut plus des grands intellectuels du XIIIe siècle. La formation des «universités», émancipées du pouvoir épiscopal, en fait un métier parmi les autres métiers de la ville. Les étudiants, surtout certains de ceux de la faculté des arts, sont sans doute des marginaux. Un Rutebeuf, les rixes et les beuveries de quelques-uns ne doivent pas cacher que l'Université prépare à des carrières, bien au cœur de la société. La *Vie du vénérable Humbert de Romans* rapporte une anecdote caractéristique de ce nouvel état d'esprit. A un jeune clerc idéaliste, agenouillé dans une église parisienne, un curé, homme honnête et simple, apprend que la plupart des étudiants cherchent aux écoles la gloire de Satan : leur but est d'obtenir les plus grands honneurs, revenus dans leur ville[1].

Université urbaine : quelques universités pour toute la France. Paris, Montpellier, Orléans essentiellement. La multiplication est pour le XIVe siècle. Dans un premier temps, l'éclat de ces grands centres anémie les écoles qui avaient été prospères au siècle précédent. Que deviennent les écoles d'Agde, de Béziers et de Narbonne aux temps de la splendeur de Montpellier et de Toulouse?

Cette institution typiquement urbaine forme les «cadres» de la société urbaine. Le discours du vieux curé parisien en est le témoignage : c'est en ville que résidera le futur gradué. Tout particulièrement, les facultés de droit et de médecine sont appelées à former ces «élites». A Orléans, les théoriciens du droit ont été particulièrement brillants au XIIIe siècle, mais leur enseignement, ou du moins leurs idées se retrouvent dans les livres anonymes et majeurs que sont, écrits

---

1. Alexander Murray (107).

en langue vernaculaire, les *Établissements de Saint Louis* et
Le Livre de Jostice et de Plet. La faculté de médecine de Montpellier atteint son apogée dans les dernières années du XIIIe :
plus que les autres disciplines, la médecine garde, même dans
les sphères universitaires, un caractère, clinique, de discipline
appliquée. Quant aux juristes passés par les bancs de la faculté
de Toulouse et de Montpellier, on les retrouve suffisamment
dans les cours justicières de l'époque pour être assuré de leurs
fonctions de praticiens. L'une et l'autre ont fidèlement « reflété
le sentiment général des populations méridionales », soucieuses
de pratiques de procédure et d'applications concrètes et non
pas seulement de gloses savantes (Gouron, 1984).

4. Un art urbain.

La ville est autorité par sa parole savante. Elle l'est aussi
comme arbitre du goût. La diffusion des modèles artistiques
est nette, des cathédrales vers les églises plus modestes. A
vingt kilomètres de Narbonne, le chapitre de Capestang a
voulu copier dans sa collégiale le monument que le clergé de
la ville proche élevait.

La littérature aussi est urbaine. Il y a déjà longtemps que
les cours princières sont urbaines. Mais, précisément, le public
de petits chevaliers, si prisé par Chrétien de Troyes, n'est plus
celui que recherchent les poètes du XIIIe siècle. Les mécènes
se sont concentrés en quelques cours. De plus, la littérature
ne se limite plus strictement aux cours aristocratiques.
L'exemple d'Arras est sans doute exceptionnel, mais il mérite
qu'on s'y arrête, d'autant plus que Gand, Tournai et Lille
cherchent à l'imiter. Et Jacques de Vitry ne rapporte-t-il pas
que, lorsque son auditoire somnole, il lui suffit pour le réveil-
ler de prononcer le nom du roi Arthur[1] ?

La naissance d'Arras en littérature ne date pas du XIIIe siècle. C'est à la fin du siècle précédent que les confréries de
jongleurs s'ouvrent aux bourgeois et se font ordonnatrices
de réjouissances poétiques. Le nécrologe de l'une d'elles comporte plus de dix mille noms ; échelonnés entre 1194 à 1361.

---

1. Jacques Le Goff (38), p. 382.

Même si son interprétation est délicate, comment nier que
la littérature est devenue l'affaire commune de la population arrageoise[1]? Trois générations de poètes, beaucoup
d'anonymes, une multitude de genres. Le XIIIe siècle y est
inauguré par le congé de Jean Bodel, devenu lépreux et arpen-
tant une dernière fois les rues de la ville; il s'achève sur le
modèle repris par Baude Fastoul, atteint lui aussi par la lèpre,
et par ceux qu'écrit Adam de la Halle dans cette même décennie 1270. Satire et panégyrique de la société arrageoise tout
à la fois[2].

Arras, c'est en même temps la première pièce de théâtre
intégralement écrite en français et le *Jeu de la feuillée*, la première pièce profane, qu'Adam de la Halle écrit vers 1280.

5. *Une culture bourgeoise?*

Il est tentant de voir dans la culture urbaine une culture
bourgeoise, à opposer à celle des châteaux du siècle précédent. Il est bien vrai que la littérature découvre au XIIIe siècle la ville pour elle-même, et non plus comme l'alentour du
château. Et la diversité de la population urbaine. Mais si la
poésie et le roman parlent d'argent, si le «répertoire des jongleurs s'étend de la vie des saints aux contes profanes, en passant par l'épopée et le lai arthurien, comme si tout était
devenu bon pour tous les auditoires», n'est-ce pas l'indice
d'une interpénétration des cultures[3]? Le mécénat est encore
plus princier que bourgeois.

Peut-être Arras et les villes flamandes sont-ils d'ailleurs des
sortes d'exception dans la «nouvelle culture» du XIIIe siècle:
ici, les écoles y semblent singulièrement ternes et la culture
se diffuse par d'autres chemins. Ailleurs, malgré les tensions
épisodiques entre les écoliers et les bourgeois, c'est sans doute
l'importance d'une présence instruite qui caractérise la ville,
celle du moins qui sert de modèle culturel.

Sans doute est-ce la raison même du dynamisme des villes

1. Roger Berger (12).
2. Michel Zink (122).
3. Jean-Claude Payen (109), p. 19.

que le mélange culturel auquel elles procèdent, suivant des dosages de traditions locales et de nouveautés qui constituent l'originalité de chacune.

7. Diversités urbaines

L'envergure des marchands et banquiers fait celle de la ville, tant il est vrai que le XIIIe siècle paraît saisi d'une frénésie d'efficacité financière. Pour une petite minorité des plus entreprenants, dans une réussite qui nécessite en général plusieurs générations. Mais l'image est réductrice qui ne retiendrait des villes que celles qui marchandent au loin et de leurs habitants les seuls hommes d'affaires. Il existe toutes sortes de villes qui conjuguent dans leurs fonctions les activités primaires, secondaires et tertiaires, suivant des modalités diverses, et dans leur milieu dominant des profils de patriciens et de notables aux caractéristiques diverses. Villes qui animent une aisance rurale à l'entour, comme Bordeaux ; villes industrieuses, comme Lille ; villes aux relations commerciales tentaculaires, comme Cahors, où elles sont le fait d'autochtones partis au loin, ou comme les villes de foire qui reçoivent les marchands étrangers.

Il ne faudrait pas oublier la ville de cour, qui se fait capitale princière. Un curieux effet d'entraînement s'y produit. A Aix-en-Provence, résidence intermittente des comtes, mais siège de l'administration, cette haute administration ne compte guère plus d'une cinquantaine de personnes, mais le prestige que la ville a gagné attire habitants et visiteurs et la ville se transfigure en un siècle[1]. Ce processus, plus ou moins intense, a joué dans de nombreuses villes promues capitales princières ou siège de l'administration royale. Parmi toutes celles-ci, il faut faire un sort particulier à celle qui unit tous ces dons, Paris.

1. Noël Coulet (129).

— *Paris, première capitale européenne.*

Paris résume toutes les évolutions et les grâces de la ville du XIIIe siècle et les révèle dans une structure topographique particulièrement limpide. La ville est tripartite : une île au centre et deux rives.

Sur l'île : les pouvoirs. A l'est, celui de l'évêque autour de la cathédrale achevée par Guillaume d'Auvergne. A l'ouest, le palais royal, dont la construction progressive souligne la présence de plus en plus fréquente du roi et celle, désormais constante, de ses services. Au premier développement donné par Saint Louis s'ajoutent les vastes constructions de Philippe le Bel. La construction de la Sainte-Chapelle suit le modèle seigneurial classique de la chapelle dans le château seigneurial, mais elle est aussi l'affirmation du programme «très chrétien» de la dynastie capétienne.

La présence du roi à Paris se lit aussi dans la jeune forteresse du Louvre, qui flanque la muraille, à l'extérieur, du côté ouest. Elle est aujourd'hui restituée dans son imposante blancheur aveugle sous les bâtiments classiques du palais. Comme seigneur de Paris, le roi est représenté par le prévôt qui siège sur la rive droite, au Châtelet, où il rend la justice. D'abord fermier, il devient salarié au même titre que les autres baillis du roi dans le royaume, du temps où, vers 1265, Étienne Boileau tenait cette fonction.

Dans le même temps s'organise un échevinage parisien, présidé par le prévôt des marchands, qui siège au Parloir-aux-Marchands, non loin du Châtelet, sur la rive droite, en bordure de Seine. La dissociation progressive des deux fonctions prévôtales, l'une royale et l'autre bourgeoise, est caractéristique de l'affirmation du pouvoir royal et de la clarification des attributions qui va avec la réflexion politique et juridique ambiante.

La rive droite, où siège le prévôt des marchands, est le centre industriel de Paris. Elle a été transformée par la construction progressive du marché couvert des halles, aux Champeaux ; l'initiative revient aux deux bâtiments du temps de Philippe Auguste, suivis par les six autres élevés sous le règne de Louis IX. Tout autour des bâtiments, le commerce a investi le quartier. Sur la place de Grève s'entassent les marchandises débarquées des bateaux. L'activité marchande connaît des pointes, comme la foire de la Saint-Ladre, en novembre, mais la foire essentielle est extérieure à la ville : elle se tient à Saint-Denis : c'est la foire du Lendit.

Paris n'est pas la première des villes du royaume pour la production artisanale ; pas même la première place financière, car les centres champenois et Arras la surclassent. Elle est cependant une sorte de capitale économique, car elle réunit une production très variée à un volume considérable d'affaires commerciales et financières.

Sur la rive gauche, l'animation est différente. Au XVe siècle, on l'a désignée comme rive de l'université. Pour l'heure, le surnom n'est pas trouvé, mais l'ancien quartier de calmes monastères est envahi par une masse cléricale d'étudiants et de professeurs. Entre les trois vieux établissements de Saint-Germain-des-Prés, Sainte-Geneviève et Saint-Victor s'installent les dominicains, près de la rue Saint-Jacques, et les franciscains, des collèges et des maisons où les professeurs logent quelques étudiants.

L'espace urbain a été structuré par la lente construction des murailles décidée par Philippe Auguste. Le terrain enclos s'est bâti. Peu à peu émerge la notion de rue qui remplace les fiefs de jadis comme repères topographiques. Les maisons poussent, plus ou moins contrôlées par le voyer, plus solides et plus chères, rejetant déjà hors les murs une population plus pauvre, comme celle des hôtes du Temple, au nord-est de la ville. Témoignage de cette nouvelle richesse urbaine, parisienne notamment, Paris est transformé par la construction de grands hôtels de bourgeois, les Coquatrix, avec leur hôtel de la Cité, les Barbette, dont le courtil fut incendié par des émeutiers, en 1306, et qui avaient aussi une belle maison en Grève. Mais les serviteurs du roi font mieux encore, comme Enguerran de Marigny et son splendide hôtel près de Saint-Germain-l'Auxerrois. Il y a aussi, à Paris, l'hôtel du comte d'Artois et celui du comte de Flandre. Le duc de Bourgogne s'installe sur la montagne Sainte-Geneviève. Tous révèlent que Paris est devenu une capitale qui, la première en Europe, centralise toutes les fonctions urbaines et politiques.

8

Chronique des ambitions capétiennes (1204-1285)

Deux longs règnes alternent, dans ces années 1200-1280, avec deux règnes brefs. Après l'« auguste » personnalité de Philippe II (1180-1226), celle, plus chétive de Louis VIII (1224-1226) ; après « saint » Louis (1226-1270), son fils, Philippe III, soumis et docile (1270-1285). Cette disposition contribue sans doute à l'unité de la période, que ne contredit aucune rupture de la conjoncture économique. Par-delà les évolutions sociales, les inflexions politiques, les réformes, les avancées de la réflexion, il est bon de ne pas céder au mythe du pouvoir personnel et de ne pas fractionner à l'extrême, règne par règne, cette période homogène. La continuité s'exprime d'ailleurs dans l'entourage royal. Il n'y a pas de révolution de palais : les conseillers du père accompagnent les premiers pas, plus ou moins précoces, du nouveau roi. Les mêmes principes sont adaptés aux circonstances et aux moyens.

1. Domaine et mouvance

Dans ce royaume de France, les historiens distinguent habituellement la mouvance et le domaine. Ces deux notions, complémentaires l'une de l'autre, sont également incartographiables. L'une, ensemble des fiefs tenus du roi, et l'autre, ensemble des revenus que le roi perçoit en tant que seigneur, s'expriment dans des unités, des êtres humains, des parcelles, des revenus banaux, dont l'exiguïté défie la cartographie.

Pourtant, tous les manuels comportent une carte du domaine royal à telle ou telle date. Il est en effet des zones du royaume où la densité de la présence seigneuriale du roi est telle qu'elle justifie la présence d'administrateurs. Ils définissent un espace que, par extension, on désigne aussi sous le nom de domaine royal. Et cette extension sémantique est loin d'être illégitime, car *de facto* l'autorité royale y est immédiatement ressentie.

De la même manière apparaissent sur une carte du royaume au XIIIe siècle quelques « principautés », essentiellement le duché de Guyenne, la Bretagne, le comté de Flandre, le comté de Champagne, le duché de Bourgogne et le comté de Toulouse, qui sont tenus en fiefs du roi, mais où l'autorité du roi est seconde : les princes, directement ou par voie de fief, en sont les maîtres.

Le XIIIe siècle et surtout les trois premières décennies du siècle occupent une place de choix dans la mise en forme du royaume. Le domaine est étendu hors des limites du Bassin parisien, jusqu'aux rives de la Manche, puis de la Méditerranée. Et l'autorité royale s'impose à toute la mouvance. Désormais, les ressorts du droit féodal y jouent.

Il serait tout à fait illusoire et archaïque de réduire la domination progressive du royaume par les Capétiens et leur entourage à une série de campagnes militaires, dont des mariages appropriés consolideraient les résultats. La double stratégie, militaire et matrimoniale, participe d'une croissance polymorphe de l'influence française. De l'éducation des princes à la cour de France, à la présence de conseillers français, en passant par la formation des « élites » intellectuelles dans les écoles parisiennes, à la diffusion de modèles d'architecture civile et militaire : la « mode » française, qui dicte les comportements et les manières de penser, accompagne les événements. Pourtant, dans ce XIIIe siècle français qui a une réputation pacifique, la guerre est presque constante.

Un temps de conquêtes capétiennes.

La lutte contre les Plantagenêts, qui dominent tout l'Ouest du royaume, constitue l'axe stratégique essentiel, qui conduit le roi à porter les opérations sur un vaste théâtre, de la Normandie au Sud du Poitou. Mais cette conquête du royaume n'est pas dissociable d'une stratégie plus vaste. Car les Plantagenêts sont aussi rois d'Angleterre. Et, de l'Allemagne à la Sicile, l'empereur Frédéric II et ses héritiers sont également partie prenante dans le jeu diplomatique. Il faut aussi compter avec l'universelle compétence de la papauté. Il serait partiellement faux de considérer les relations du roi de France et de ses barons comme une affaire intérieure au royaume. A plus forte raison, les relations des Capétiens et des Plantagenêts doivent se lire aussi dans le registre des tensions entre le baronnage et le pouvoir royal.

L'enchevêtrement chronologique des opérations est extrême. Par souci de clarté, les affaires méridionales sont en général rapportées en un récit unique, du sac de Béziers, en 1209, au traité de Paris, en 1229. Mais la bataille de Muret, où les chevaliers français de Simon de Montfort défont la coalition des milices toulousaines et des chevaliers aragonais, précède de quelques mois à peine la bataille de Bouvines. De 1213 à 1219, le fils de Philippe Auguste, futur Louis VIII, n'a cessé de se précipiter d'un terrain d'opérations à un autre, du Midi au Poitou, de l'Artois à l'Angleterre. Rien ne donne mieux l'idée de l'imbrication des guerres et des opérations diplomatiques de cette époque que l'itinéraire impatient et multiple du futur roi.

De cette intense activité militaire et diplomatique l'histoire a peu à peu retenu un schéma politique réaliste et clair, par lequel les rois, conscients des bornes du royaume, y faisaient reconnaître non plus une supériorité nominale, mais une autorité réelle. Usant des circonstances, ils s'employèrent à faire du royaume leur domaine.

Mais la logique et la cohérence du plan sont trop belles. Il y a quelques années (1986), un historien américain, Andrew W. Lewis faisait remarquer, dans une étude des comportements de la famille capétienne entre le Xe et le XIVe siècle, que les historiens français avaient observé l'histoire de la France « en se plaçant à l'arrivée », comme un itinéraire vers la formation de l'unité française, comme le rassemblement progressif et tenace d'un territoire cohérent. Dans cette perspective, on s'explique bien mal la constitution des apanages pour les fils cadets du roi; démembrant le domaine royal, ils apparaissent comme une aberration inexplicable. Et l'on risque d'oublier les chimères des conquêtes lointaines — qu'ils partageaient d'ailleurs avec leurs contemporains — et les échecs. Il faut donc éviter de ne conserver des campagnes et des initiatives diplomatiques que les épisodes qui ont abouti à la constitution du royaume moderne en oubliant les expéditions aventureuses, bien au-delà des limites de la mouvance. La politique extérieure des rois du XIIIe siècle n'est pas seulement ce modèle d'expansionnisme raisonné que l'historiographie officielle a retenu. Elle fait étrangement alterner la qualité des stratégies qui ont façonné le royaume et les projets téméraires.

La croisade vient au premier plan de ces projets lointains. Quelles que soient les motivations conscientes des rois, elle participe de l'expansionnisme français de ce siècle. Elle a imposé au royaume un effort financier qui contribua à faire progresser la qualité de l'administration du royaume. Hormis Philippe Auguste, tous les rois de cette période y sont morts. Et c'est sans doute l'une des ruptures entre la France de Saint Louis et celle de Philippe le Bel que leur abandon : si l'intention demeurait, elle paraissait d'un poids irréalisable.

2. La guerre et les batailles

Des récits des succès capétiens ressortent quelques grands faits de guerre. Des sièges comme Château-Gaillard, Taillebourg ou Saintes. La force essentielle du roi, c'est, comme le dit Ph. Contamine, l'ensemble des fortifications royales, force « faite de pierres plus encore que d'hommes». Des batailles aussi, au premier rang desquelles celle de Bouvines. Mais il y aurait quelque anachronisme à résumer la guerre à la bataille. G. Duby a montré que la bataille était loin de résumer la guerre[1]. Elle est au contraire l'exception, un moment où les formes habituelles, d'agressions ou de dis-

1. Georges Duby (211).

cussions, ne fonctionnent plus ; où la situation bloquée est remise au jugement de Dieu.

A Bouvines, plus que dans toute autre bataille, le jugement de Dieu est évident : Philippe a gagné contre le parti des ennemis de l'Église, de ceux qui critiquent l'opulence des prélats et des chanoines, de ceux qui emploient des routiers au mépris des injonctions de la paix de Dieu, de ceux qui ont voulu combattre un dimanche, au mépris des prescriptions de la trêve de Dieu. Dans l'armée de Philippe, les communes picardes, les clercs qui chantent la liturgie et les chevaliers incarnaient la concorde des trois ordres voulus par Dieu. Tel est le sens donné aussitôt par les historiographes du règne.

Si la bataille est rare, la guerre, en revanche, est constante, coupée de longues trêves, il est vrai. Le XIII siècle appartient encore, surtout dans ses premières décennies, à cette époque où chaque printemps la guerre revient occuper seigneurs et chevaliers, porter leurs espoirs de gloire, exprimer ouvertement les rancœurs et les rivalités, offrir, avec les tournois, les occasions de rançons, à perdre ou à gagner. On ne s'y tue pas entre chevaliers.

Les guerres conduites par les rois reproduisent ce modèle à l'échelle de leur puissance et de leur richesse. Elles impliquent d'abord une défense des places fortes, confiées en partie aux villes elles-mêmes, mais assurées aussi par des garnisons soldées. Pour les campagnes, l'ost repose sur le service des chevaliers qui tiennent un fief du roi, des grands barons jusqu'aux moindres chevaliers. Ceux d'Ile-de-France sont régulièrement appelés et constituent le cœur de l'armée royale. Les autres, suivant la proximité des opérations et l'urgence de la situation. La plupart doivent faire leur quarantaine, c'est-à-dire servir le roi quarante jours. Prolonger la campagne au-delà de ce terme implique de payer les combattants. Les opérations d'envergure demandent donc de gros moyens financiers. Il faut d'ailleurs sans cesse ranimer la fidélité des vassaux ! De nombreuses villes devaient aussi un service militaire. Si certaines en étaient exemptées, d'autres apportaient des contingents considérables : mille sergents à Arras, sous forme de contingents réels ou d'argent versé au roi. Enfin, plus que les guerres seigneuriales, la guerre du roi faisait appel aux routiers, comme les terribles Brabançons recrutés par

Jean sans Terre, exterminés à la suite de la bataille de Bouvines. Les récits des batailles évoquent les exploits des preux chevaliers ; on oublie trop que la guerre coûte cher, et qu'elle rapporte lorsqu'elle est victorieuse. A Bouvines, onze comtes et plus d'une centaine de chevaliers ont été pris par l'armée de Philippe Auguste : il pouvait à la fois en tirer richesse et distribuer largement à ses hommes.

3. Les rois et les grandes principautés

La guerre du roi, au XIIIe siècle, a quitté les environs de Paris. Elle combat les grands feudataires. Mais l'autorité royale chemine par de multiples voies pour s'imposer aux grands barons.

La mort de plusieurs grands barons, au cours de la troisième et de la quatrième croisade, les successions contestées, les minorités, les fiefs dévolus à des filles sont autant d'éléments dont les rois se servent avec adresse : ils ont usé de tous les ressorts du droit privé et du droit féodal.

Le haut baronnage est enserré dans tout un réseau de parenté, que tisse la politique matrimoniale des lignages. En naissent des solidarités, un cousinage que Louis IX lui-même met au premier rang lorsqu'il restitue au roi d'Angleterre, en 1258, une partie de l'héritage des Plantagenêts. Mais ces liens engendrent aussi des conflits de jalousie, d'héritages contestés, de dots impayées. Et cet imbroglio d'amitiés et d'inimitiés commande la composition des clans et l'efficacité des appuis. Les liens de parenté sont la trame du tissu aristocratique, et les relations vassaliques en sont la chaîne.

Les deux réseaux se rejoignent dans la surveillance des mariages par le seigneur suprême qu'est le roi. Premier objectif : éviter que se constituent, par mariage, des ensembles dangereux. D'où, parmi d'autres exemples, l'échec des projets matrimoniaux de l'héritière du comté de Flandre, après Bouvines, avec le comte de Bretagne, Pierre Mauclerc. Second objectif : marier les héritiers, et plus encore les héritières à des proches de la couronne. Ainsi, le mariage de l'héritière du duché de Bretagne à un proche de Philippe Auguste, ce même, dit Mauclerc, Pierre de Dreux, devait enlever la Bretagne à l'influence anglaise. Ce compagnon de jeux du futur Louis VIII prêta hommage lige au roi de France pour la Bretagne en 1213. Il lui fut fidèle pendant dix ans !

A ces grands vassaux, comme à tous ses vassaux directs, le roi demande l'hommage lige, avec l'obligation de lui remettre, à sa requête, les forteresses qui sont tenues de lui. Et avec l'obligation du service d'ost. Mais, à la différence des vassaux directs du domaine, ces barons ne viennent à l'ost du roi qu'avec un contingent partiel de leurs propres vassaux. Ainsi le comte de Bretagne peut-il exiger pour son propre ost trois fois plus de chevaliers qu'il ne conduit à l'ost royal.

Aide et conseil : les vassaux doivent aussi participer aux assemblées du royaume. Et paraître à la cour du roi. Souvent, les fêtes y furent somptueuses, comme du temps de la jeunesse de Louis IX . Ainsi, en 1241, lorsque Alphonse de Poitiers, le jeune frère du roi, fut investi de son apanage, les fêtes données dans les halles de Saumur émerveillent encore, de longues années plus tard, le vieux Joinville. A la table du roi mangeaient le comte de la Marche et le « bon comte Pierre de Bretagne ». Messire Imbert de Beaujeu gardait la table du roi, avec Enguerran de Coucy et Archambaud de Bourbon et, derrière eux, trente de leurs chevaliers. Quant à la reine, elle était servie par le comte de Boulogne, le comte de Saint-Pol et un Allemand, fils d'Elizabeth de Thuringe. « On n'avait jamais vu tant de surcots et d'autres vêtements de drap d'or et de soie à une fête. » La largesse de ces fêtes était un argument qu'on jugera peut-être futile, mais dont il ne faut pas sous-estimer l'efficacité.

A partir de 1250, les grands barons tiennent un hôtel à Paris : Alphonse de Poitiers, mais aussi Thibaut de Champagne et le duc de Bourgogne. La vie de la cour fait partie de l'attrait de Paris et de la nécessité croissante de s'y trouver.

A exécuter ce service, à remplir pleinement leurs obligations vassaliques, les barons se montrent rétifs. Les Plantagenêts les premiers : les raisons immédiates de leurs conflits avec les Capétiens sont d'ordre féodal. Mais, à tour de rôle et parfois en des ligues qui mettent en péril le pouvoir conquis par les Capétiens, non sans liens avec les Plantagenêts d'ailleurs, d'autres grands barons renâclent à obéir à cette monarchie qui fait désormais jouer en sa faveur tous les ressorts des institutions féodales.

En 1214, Renaud de Dammartin était de la coalition des ennemis du roi. Jadis profitant de la faveur du roi, il avait refusé de comparaître à la cour du roi pour un différend qui l'opposait à l'évêque de Beauvais, et le roi avait exercé son droit de commise sur ce vassal félon, qui voulait désormais sa vengeance.

A la mort de Louis VIII, la régente, Blanche de Castille, se trouva aux prises avec une ligue qui groupait le comte de Bretagne, Pierre Mauclerc, jadis fidèle de la couronne, le comte de Champagne, le comte de la Marche, Hugues de Lusignan. La participation du comte de Champagne fut de courte durée, on ne sait pourquoi : pour l'expliquer, on a évoqué un tendre sentiment pour Blanche de Castille, aussi bien que la démonstration de l'ost royal en direction de la Champagne. Jusqu'en 1233, il fut en tout cas l'un des rares soutiens de la régente, avec Ferrand de Flandre, sorti des prisons du roi où l'avait jeté sa présence à Bouvines, contre le roi.

Il fallut acheter cher l'hommage des comtes de Bretagne et de la Marche. Mais l'oncle du roi, Philippe Hurepel, ne désarmait pas, et, de mois en mois, de nouvelles têtes de cette hydre baronniale reprenaient la lutte : ainsi, Pierre Mauclerc, un moment apaisé. De 1226 à 1230, le conflit fut aigu entre Blanche de Castille et ses conseillers, d'une part, et l'opposition baronniale de l'autre. Il fut marqué de moments dramatiques comme le retour du roi d'Orléans à Paris, à la fin de l'année 1227 : bloqués dans le château de Montlhéry, le roi et sa mère durent se faire escorter par les chevaliers du domaine et les bourgeois des villes voisines pour échapper aux barons qui voulaient se saisir d'eux. L'approche de la majorité de Louis IX, l'usure des combattants en réduisirent l'âpreté. Mais il fallut la victoire de Louis IX à Taillebourg, en 1242, épisode glorieux de la lutte contre les Plantagenêts, puis le départ en croisade, pour imposer aux grandes principautés l'autorité royale.

Dès lors, si les barons continuèrent à forger des ligues, comme en 1246 dans la France du Nord et de l'Ouest, leur objet était tout autre, et il n'est pas exclu que le roi l'ait vu d'un bon œil. L'anticléricalisme les animait désormais, pour protester contre la volonté des ecclésiastiques d'échapper, pour les affaires temporelles aussi, aux justiques laïques, seigneuriales ou royales. L'ennemi avait changé.

Le roi dominait si nettement le monde des grands barons qu'il fut l'arbitre de la plupart des nombreux conflits familiaux ou patrimoniaux qui l'agitèrent. Il put même, par une mesure qui touchait, beaucoup plus que les grands barons, l'ensemble de la chevalerie, imposer la paix du roi et interdire toute guerre privée. Un conflit ne se réglait plus désormais par le gage de bataille : il fallait aller devant la justice.

4. Les rois de France et les Plantagenêts

Il y a quelque artifice à séparer la rivalité des Plantagenêts et des Capétiens de la progression de l'autorité royale sur les barons du royaume, tant elles furent liées. «Sur les champs de bataille de Taillebourg et de Saintes, ce n'est pas seulement des revendications du Plantagenêt, mais aussi des velléités de révolte de ses propres barons que Saint Louis a triomphé.[1]»

1. La conquête de la Normandie (1204).

La conquête de la Normandie appartient à la lutte qui, depuis le milieu du XIIe siècle, oppose les rois de France aux Plantagenêts. Elle en est même l'un des épisodes décisifs.

Les hostilités, engagées avec les Plantagenêts depuis l'époque d'Henri II, succédant à celles qui avaient opposé Guillaume le Conquérant et ses fils aux Capétiens, n'ont pas cessé depuis 1194 et n'ont guère apporté de succès à Philippe Auguste, mais leur cours est modifié par la mort de Richard Cœur de Lion (1199). Jean sans Terre, dernier frère de

1. Jean Richard (48), p. 120.

Richard, et son neveu Arthur, fils de Geoffroy, duc de Bretagne, s'opposent. A un double titre, Philippe II intervient dans le conflit. Dès 1200, parce que Jean sans Terre épouse Isabelle, héritière du comté d'Angoulême, fiancée à Hugues de Lusignan. Le mariage se trouvant rompu sans compensation, Hugues prend les armes contre Jean sans Terre et demande que l'affaire soit jugée par ses pairs à la cour de France, lequel Jean ne se présente pas au jour prévu. La seconde raison est le soutien donné à Arthur de Bretagne, fait prisonnier en 1202 et dont on apprit plus tard qu'il avait été égorgé dans sa prison de Rouen par le même Jean sans Terre.

Au cours de la campagne de 1203-1204, la Normandie fut acquise au roi de France, une campagne qui aboutit aussi à la soumission temporaire du Poitou.

Le grignotage de la Normandie avait commencé dès 1195-1196. En 1203-1204, le duché fut submergé presque sans combats, dès lors que la forteresse de Château-Gaillard, construite à grands frais par Richard Cœur de Lion, fut aux mains du roi de France.

La Normandie en fut bouleversée. Les barons normands durent choisir entre leurs terres anglaises, qui impliquaient fidélité aux Plantagenêts, et leurs terres normandes, qui signifiaient la soumission à Philippe Auguste. Les terres anglaises rapportaient sensiblement plus que les domaines normands. La plus grande partie de la haute noblesse choisit l'Angleterre. Quelques grands lignages préférèrent demeurer en Normandie, comme les Courcy ; d'autres se partagèrent, comme les Harcourt : l'aîné en France, mais le cadet en Angleterre. Près d'un tiers du sol dut changer de mains en une vingtaine d'années. Les deux capitales de la Normandie, Caen et Rouen, perdirent aussi une partie de leur bourgeoisie, très liée aux finances anglaises. Les plus attachés à l'idée anglo-normande quittèrent le pays.

De l'immense masse foncière qui lui revint, le roi ne garda dans sa main qu'une partie minime. Partagés, remaniés, les « honneurs » furent redistribués aux fidèles du roi, ses proches conseillers, d'humbles sergents aussi, mais surtout la noblesse française, assez besogneuse dans son ensemble. Dès lors, la Normandie fut méthodiquement encadrée.

Malgré la qualité de la tradition administrative locale, qui avait été si efficace en Angleterre ou en Sicile, Philippe Auguste ne choisit aucun noble normand pour de hautes fonctions dans son pays ; et même par la suite, il y eut bien peu de Normands parmi les baillis du roi. Mais leurs subordonnés, eux, étaient en règle générale des autochtones. Si les évêques normands restèrent en place, bien peu furent normands parmi les nouveaux élus.

Le roi et ses conseillers choisirent rapidement de refaire fonctionner les institutions en place. Mieux encore, les terres annexées antérieurement furent réincorporées à la Normandie, rétablie dans ses anciennes limites. Et les coutumes normandes, qui n'avaient d'abord pas été respectées, furent ensuite maintenues, y compris sur les terres nouvellement concédées par le roi. Dès 1207, l'Échiquier redevenait la « clef de voûte judiciaire et financière du pays[1] ». Les recours à Paris furent rares. Mais cet Échiquier était animé par l'un des plus proches conseillers du roi, frère Guérin.

Les mauvais souvenirs laissés par Jean sans Terre jouèrent leur rôle. Mais la capacité d'adaptation des principaux administrateurs royaux français, qui, avec l'aide de leurs lieutenants locaux, se firent au droit et aux institutions normands, donna au système la souplesse nécessaire. Cette intégration relative, maintenant une grande part d'originalité, mais disposant des Français aux postes clefs, contribua à limiter l'irrédentisme normand pendant la plus grande partie du XIIIe siècle.

2. *Le triomphe de Bouvines.*

En quelques années, le conflit avec les Plantagenêts dégénéra en une guerre européenne. Aux côtés de Jean sans Terre, le comte de Flandre, le comte de Boulogne et l'empereur Otton. Appuyant Philippe Auguste, la papauté et le jeune Frédéric de Staufen, le futur Frédéric II. Dans l'hiver 1214, la situation était très difficile pour le roi de France.

Pourtant, peu auparavant, Philippe Auguste semblait pou-

---

1. L. Musset *in* (34).

voir échafauder de vastes projets. Ne rêva-t-il pas d'être lui-même opposé à Otton et de prendre le sceptre impérial ? La diplomatie pontificale le priva probablement de ces vastes ambitions en imposant le fils d'Henri VI comme compétiteur d'Otton. Cette élection de Frédéric II contre Otton, en 1211, fut, sinon acquise, du moins grandement facilitée par les libéralités de Philippe Auguste à son égard, dont bénéficièrent quelques princes allemands. A défaut de revêtir personnellement la dignité impériale, c'était manière de s'imposer à l'empereur.

De l'autre côté de la Manche, la situation offrait de belles perspectives au roi de France. Les rebelles gallois menaçaient l'Ouest de l'Angleterre et les barons anglais appelaient au secours Philippe Auguste, lui promettant la couronne. Le roi forma pour la première fois le projet, à nombreuses reprises répété par la suite, de réunion des deux royaumes et envisagea, la conquête réalisée, de donner aussitôt à son fils aîné la couronne d'Angleterre. Louis renonça même à son projet de se croiser en Languedoc pour se préparer à l'expédition outre-Manche. La flotte devait appareiller le 22 avril, lorsque le pape Innocent III, qui ne se souciait nullement d'associer les deux royaumes, obtint la soumission de Jean sans Terre. L'espoir de régner sur l'Angleterre avec le soutien du pape, comme jadis Guillaume le Conquérant, s'évanouissait ainsi.

Pour le roi de France, la première urgence était de soumettre le comte de Flandre, qui avait refusé de fournir l'ost pour le projet d'expédition en Angleterre. Pendant que Philippe Auguste assiégeait Gand, une flotte anglaise dispersa les nefs françaises à l'entrée de Damme, l'un des grands ports du commerce anglo-flamand. Les côtes anglaises étaient désormais hors de portée.

C'est alors que la situation se fit très grave. Jean sans Terre débarquait à La Rochelle, tandis que les troupes du Nord, flamandes et impériales, menaçaient la Picardie. Deux victoires assurèrent le salut des Capétiens. La première fut acquise par Louis, près d'Angers, à la Roche-aux-Moines, pendant le temps où Philippe Auguste avait dû se porter au nord. Il défit l'ost réuni par Jean sans Terre, auquel peut-être les Poitevins firent défaut *in extremis*.

L'autre fut celle de Bouvines. Ce fut la fin de la carrière militaire de Philippe II. Une trêve de cinq ans fut conclue au mois de septembre.

La bataille de Bouvines occupe dans la légende monarchique française — et dans l'enseignement primaire de jadis — une place presque aussi importante que celle de Marignan, et beaucoup plus justifiée. Dans l'analyse qu'il lui a consacrée et qui déborde du simple commentaire de la bataille et de ses répercussions, G. Duby a montré à quel point l'ordonnance de cette victoire symbolisait le programme monarchique capétien.

3. L'échec de l'expédition d'Angleterre (1216-1217).

Aux lendemains de ces défaites, les barons anglais obtinrent de Jean sans Terre la concession de la Grande Charte, qui fut ensuite, à la demande du roi lui-même, cassée par le pape. Le baronnage et l'Église d'Angleterre se coupèrent en deux partis. Quelques-uns, comme le célèbre Guillaume le Maréchal restèrent aux côtés de Jean sans Terre, mais bien d'autres vinrent offrir à Louis de France la couronne d'Angleterre. Il était assurément le plus riche pour soutenir le combat contre les mercenaires, poitevins et flamands notamment, qui combattaient pour Jean sans Terre.

Malgré l'opposition de la papauté, Louis commença les préparatifs de l'expédition, et les clercs de Philippe Auguste préparèrent sa défense théorique. Le projet d'invasion de 1213 : obéir au pape ; celui de 1216 : répondre à l'appel des barons anglais.

L'expédition fut considérable. On partit de Calais au mois de mai. Vers la fin de juillet, Louis avait sous sa puissance la plus grande partie de l'Angleterre orientale. La mort de Jean sans Terre, en octobre, changea peut-être le cours des choses. Bref, la suite de l'expédition fut désastreuse. Le traité de Lambeth, à la fin de l'année 1217, régla les conditions du départ des Français. Personnellement, Louis s'en tirait assez bien, une clause secrète lui garantissant une somme de 10 000 marcs en échange de ses abandons[1]. Et, tout autant, la bourgeoisie artésienne, notamment Florent le Riche et quelques autres marchands de Saint-Omer, chargés du transfert des fonds, aussi.

Cet épisode de la conquête manquée de la couronne anglaise, il est facile de le considérer après coup comme une folle aventure, à laquelle le sage Philippe Auguste n'aurait pas souscrit ; en fait, tout aussi bien que la relative facilité avec laquelle la Normandie fut annexée, il révèle à quel point reste faible la perception que le baronnage a de l'enracinement de la dynastie régnante dans le royaume. Pour ce milieu plus « international » qu'on ne pourrait le croire, les frontières des royaumes n'ont rien de déterminé. Et les rois partagent à leur manière ce sentiment, même s'ils cherchent à justifier leurs prétentions par les droits de l'héritage (Louis VIII poursuivait en Angleterre les droits de Blanche de Castille, sa femme, petite-fille d'Henri II). S'il leur importe fondamentalement d'assurer leur autorité effective à l'ensemble du royaume, la fortune de leur famille ne se limite nullement à ces bornes. La croissance de leurs moyens leur ouvre toutes les gloires des conquêtes possibles — et impossibles.

4. Entre Loire et Garonne : la difficile pénétration de l'Aquitaine (1224).

Au sud de la Touraine, dans cette région multiple qui s'ouvre par La Rochelle et Bordeaux sur le commerce atlantique, la domination capétienne ne s'est imposée que le temps de quelques campagnes. C'est le domaine inquiétant et attirant d'une noblesse inconstante. Les Lusignan, devenus comtes d'Angoulême par le mariage enfin réalisé d'Hugues X avec la veuve de Jean sans Terre, et les vicomtes de Thouars y occupent une place cruciale ; s'ils ne sont pas les chefs incontestés de ce baronnage indocile, ils jouent de leurs forteresses et de leur versatilité et s'entendent à merveille à renverser les alliances et les fidélités. Affaire d'usages locaux et de traditions plus que d'institutions féodales spécifiques.

Après les années de trêve, pendant la fin du règne de Phi-

1. Charles Petit-Dutaillis (46), p. 176.

lippe Auguste, Louis VIII s'attaqua à cette région dès son avènement, de préférence aux affaires méridionales. La campagne du roi fut brillante, marquée par la prise de La Rochelle, par les engagements rapides des villes et des barons de son côté — seul Bordeaux résista fermement. Bien que le roi ait fait d'Hugues de Lusignan le maître de l'Aunis, sa fidélité était fragile ; la situation redevint douteuse dès que le roi fut parti et qu'une trêve fut à nouveau décidée.

Dès avant la mort du roi, qui survint rapidement après son expédition dans le Midi, à la fin du mois d'octobre 1226, l'entente entre le roi d'Angleterre Henri III et les barons poitevins était scellée et elle s'étendait peu à peu à de grands barons d'autres régions.

Dès lors, campagnes et trêves alternent. En 1241, une ligue se noue entre les barons poitevins, les villes gasconnes et le comte de Toulouse. La campagne de Saint Louis — Taillebourg et Saintes — lui assura la réputation d'un chef de guerre valeureux.

5. *Le traité de Paris et la réconciliation (1254-1259).*

Les trêves se succédèrent les unes aux autres, jamais très longues, car Henri III ne désespérait pas de profiter de l'éloignement de Louis IX, parti à la croisade et durablement retenu outre-mer, pour reprendre le terrain conquis par les Capétiens depuis le début du siècle. Les difficultés suscitées par les barons aquitains ne lui en laissèrent jamais l'occasion.

Dès le retour de Terre sainte de Louis IX, les relations s'apaisèrent. Louis IX offrit même à Henri III l'éléphant qu'il avait lui-même reçu du sultan d'Égypte. Par ambassades successives et négociations, on aboutit au traité de Paris du 28 mai 1258. Henri III renonçait expressément à ses revendications concernant la Normandie, l'Anjou, la Touraine et le Poitou. Louis IX restituait tout le domaine qu'il avait acquis en Limousin, Quercy et Périgord et que le roi d'Angleterre tiendrait en fief du roi de France. De même, Bordeaux et la Gascogne étaient déclarés comme faisant partie de la mouvance française ; le duc de Guyenne redevenait l'un des pairs de France; le roi de France pouvait recevoir les appels des justices gasconnes. Les renonciations du roi de France se payaient : Henri III promettait que seraient versées chaque année les quatre mille livres de rente qui équivalaient aux revenus annuels de l'Agenais.

De part et d'autre, les protestations furent vives. Louis IX l'avait d'ailleurs pressenti, qui, quatre ans auparavant, aurait dit en particulier au roi d'Angleterre, d'après un chroniqueur anglais : «Plût à Dieu que les douze pairs de France et le baronnage consentissent à mon désir. Nous serions certes des amis indissolubles... Mais l'opiniâtreté de mes barons ne se soumet pas à ma volonté.» La réponse aux barons, que Joinville met dans sa bouche, éclaire sa hiérarchie des valeurs et sa conception de l'État : «La terre que je lui donne, je ne la lui donne pas comme une chose que je doive à lui ou à ses héritiers, mais pour resserrer les liens d'amour entre mes enfants et les siens qui sont cousins germains. Et il me semble que je fais bon emploi de ce que je lui donne, puisqu'il n'était pas mon homme et que maintenant il me doit hommage.» Comment mieux dire que le royaume est la chose d'un lignage et que sa solidité repose sur celle de liens féodaux?

Le 4 décembre 1259, dans le jardin du Palais, Henri III prêta hommage à Louis IX.

5. Vers le Midi (1209-1229)

Même si les affaires franco-anglaises rencontrèrent parfois certains épisodes de la conquête du Languedoc, c'est d'une tout autre manière que les rois de France s'engagèrent vers le Midi. Ici et là, il est vrai, on retrouve la même fragilité des fidélités baronniales, vite acquises pour le roi, vite perdues. Mais autant la conquête des fiefs des Plantagenêts fut le souci majeur de Philippe Auguste, autant l'engagement dans les affaires méridionales fut sujet d'inquiétude. Il avait exprimé ses craintes que son fils ne se précipitât, y mourût victime des fièvres, entraînant par sa mort précoce la perte du royaume. Étrange prophétie, dont seule la dernière partie ne se réalisa pas !

Aujourd'hui encore, cette phase de l'histoire du XIIIe siècle déclenche les passions. Elle est, avec le soulèvement de la Vendée pendant la Révolution, l'un des chapitres les plus sensibles de l'histoire de France.

1. Simon de Montfort malgré Philippe Auguste.

Aucune des armes employées par l'Église n'enrayait le développement de l'hérésie cathare ; ni la prédication de douze abbés cisterciens, ni surtout les méthodes du légat pontifical, lui-même cistercien languedocien. En vain, la papauté essayait de décider les princes, et notamment le roi de France, à une intervention armée. L'assassinat du légat par un chevalier de l'entourage du comte de Toulouse dramatisa la situation. Philippe Auguste céda. Non pas personnellement, les affaires du royaume en 1208 ne le lui permettaient pas ; mais il autorisa un grand nombre de chevaliers français à partir.

Le Languedoc n'était pas alors une principauté déjà charpentée comme la Normandie. Les ambitions des comtes de Toulouse et des rois d'Aragon, dont les domaines et les fiefs s'enchevêtraient, s'y opposaient, permettant aux barons languedociens de jouer de ces rivalités.

Le comte de Toulouse était désigné comme le coupable, sans qu'aucune preuve fût fournie. Le pape demandait que ses biens soient conquis, mais le roi défendit d'emblée les droits de sa mouvance. D'ailleurs, le comte de Toulouse se réconcilia avec l'Église, dans une cérémonie de pénitence, et, en chemise, jura obéissance à l'Église.

– *La conquête de la vicomté de Béziers et de Carcassonne (1209-1210).*

Un nouveau coupable s'imposait, celui-là même qui, fidèle du roi d'Aragon, était un mauvais vassal du comte : le vicomte de Carcassonne et Béziers, Raimond Trencavel ! L'armée croisée, partie du Rhône, s'engagea donc, guidée par le comte de Toulouse, vers l'ouest et mit le siège devant Béziers. La critique historique sait aujourd'hui qu'il n'y avait guère d'hérétiques à Béziers en 1209, mais la ville était prospère et elle résistait aux sommations de l'Église. Contre toute attente, malgré ses splendides fortifications, elle fut prise.

Que l'hérésie cathare ait connu un grand dynamisme dans le Sud-Ouest, et notamment en Lauragais et à Toulouse, ne fait aucun doute. C'est là que saint Dominique commença sa prédication et à Toulouse qu'il constitua le premier couvent de frères prêcheurs. Mais l'ardeur à prendre le Bas-Languedoc relève du désir de conquête, autant que de la lutte contre l'hérésie.

L'affaire avait été préparée et menée par les Cisterciens, et notamment des cisterciens d'Ile-de-France. Des évêques et des chevaliers de toute l'Europe étaient venus, dont le duc de Bourgogne et le comte de Saint-Pol. Mais ceux-là ne restèrent pas dans le pays.

Béziers pris, le pays, terrorisé, s'ouvrit aux croisés, et Carcassonne, surpeuplée par les habitants des faubourgs et des environs, ne résista pas longtemps. Autant que les sources permettent d'en juger — car elles se glorifient du grand nombre de morts —, on massacra ceux qui résistaient. La qualité des machines de sièges françaises fut essentielle.

– *Les ambitions de Simon de Montfort.*

Le pays était conquis ; il fallait lui trouver un chef. On choisit Simon de Montfort, aux nobles origines et aux modestes domaines. Il demeura dans le pays, avec un tout petit nombre de chevaliers, français pour la plupart, une trentaine au total. Les renforts périodiques leur permirent en deux ans de pacifier la vicomté, puis de s'en prendre aux terres du comte de Toulouse. La croisade était passée des mains des légats pontificaux à celles de Simon de Montfort.

On comprendrait mal ce succès sans la division qui règne dans le pays. L'hérésie inquiète aussi nombre de Languedociens. Toulouse même, qui peut apparaître comme le flambeau de la résistance, se partage. La protestation du pays contre la domination de Montfort est assez lente à se forger.

– *Le désastre de Muret (1213) et ses conséquences.*

Le roi d'Aragon, que des liens étroits unissaient à la papauté et que la Reconquista occupait (il fut l'un des acteurs principaux dans la bataille de Las Navas de Tolosa, qui brisa l'Espagne musulmane, en 1212), intervint finalement pour soutenir ses vassaux languedociens aux côtés des milices toulousaines. Ce fut, en septembre 1213, le massacre de Muret et la fin des espoirs languedociens. En 1215, le concile de Latran déshérita Trencavel et le comte de Toulouse. Simon de Montfort eut les biens de l'un et de l'autre.

Malgré de nombreuses complicités parmi les chevaliers languedociens, fragiles il est vrai, les barons français se sentaient mal à l'aise devant les usages du pays. Ils tentèrent de le mettre à l'heure française en édictant, dès 1212, des statuts qui imposaient au pays la coutume de Paris. Sans doute jamais appliqués pour la masse de la population, ils cherchaient avant tout à régler le service que devaient à leur nouveau seigneur les chevaliers languedociens. Ce fut la seule tentative pour imposer au Languedoc une coutume étrangère.

Le roi n'avait en rien participé aux opérations. Il avait retardé jusqu'en 1215 le vœu de croisade de son fils. Le futur roi fit un bref passage entre les campagnes poitevines de 1214 et l'expédition anglaise. Il revint en 1219 massacrer la ville de Marmande, en vain.

— *Le retour du jeune comte de Toulouse, le futur Raimond VII.*

Entre-temps, la chevalerie méridionale avait appris à lutter contre la tactique française; elle était désormais entraînée par un jeune comte fougueux, Raimond VII. Dès 1216, Simon de Montfort courut du Rhône à Toulouse pour mater les rébellions successives. Il fut tué sous les murs de Toulouse qu'il tentait de reprendre, en juin 1217. La déroute des chevaliers français commença.

2. *La soumission au roi.*

En 1224, le fils de Montfort remit ses droits à Louis VIII, qui venait de succéder à son père. Ses barons, dont beaucoup s'étaient croisés aux premiers temps de l'« affaire de paix et de foi», pressèrent le roi d'accepter cet héritage. D'abord hésitant, le pape accorda finalement son soutien aux Français et le dixième des revenus du clergé pendant cinq ans.

La croisade du roi fut une promenade. On n'attendit même pas pour se soumettre à lui qu'il parvînt dans le pays. Ses armées ravageaient déjà le Toulousain. Les partisans de la paix l'emportèrent. La mort du roi, atteint par la maladie dans le pays, ne changea rien, ni les difficultés de la régence.

Il y eut des révoltes, jusqu'en 1242. Mais, dans ce cas comme dans d'autres, l'anticléricalisme l'emporta sur la résistance au roi. Le tribunal d'Inquisition suscita une opposition plus durable, d'une assise sociale plus large, que le refus de la domination royale.

Pourtant, les clauses du traité conclu avec Raimond VII en avril 1229 furent draconiennes. Même un partisan de l'Église, comme le chanoine Guillaume de Puylaurens, l'une des meilleures sources sur ces événements, les a trouvées trop dures.

La puissance du comte de Toulouse est repoussée tout entière vers l'Aquitaine. Le Bas-Languedoc est abandonné au roi : on y fit les deux sénéchaussées de Beaucaire et de Carcassonne. Le comté de Toulouse, l'Agenais, le Quercy et le Rouergue constituent le fief de Raimond VII. Les murailles de Toulouse et de trente autres villes doivent être rasées.

Le triomphe du roi est aussi celui de l'Église. L'hérésie doit être pourchassée avec l'appui du comte. Et, à ses frais, un centre d'études doit être institué à Toulouse. « Extirper l'hérésie par des primes à la dénonciation et appliquer les esprits curieux à des études par les clercs, c'étaient là les deux volets d'une même entreprise de transformation des mentalités[1]. »

Dans les sénéchaussées méridionales, les premiers vingt ans de la domination royale furent durs. Une administration rapace se jeta sur le pays, non pas tant des hommes du Nord que des collaborateurs locaux du nouveau pouvoir. Mais, d'emblée, la rupture fut claire avec les choix des barons français : les statuts de Montfort ne furent pas repris. Il n'était pas question d'appliquer la coutume de Paris aux Languedociens, mais de conserver au pays ses propres formes juridiques.

1. Monique Zerner-Chardavoine (169), p. 198.

Quant aux domaines du comte, il n'était pas prévu qu'ils soient intégrés au domaine royal. Le comte avait une fille, Jeanne, qu'on maria à Alphonse de Poitiers, le jeune frère du roi, constituant pour le couple un ensemble territorial cohérent et immense aux côtés de la Guyenne anglaise. Un couple qui vécut surtout à la cour du roi, ni à Toulouse, ni à Poitiers. Et les conseillers royaux s'employèrent à empêcher le remariage de Raimond VII qui eût pu avoir un fils. A la mort de Raimond VII, en 1249, Jeanne était donc la seule héritière. Le couple princier n'ayant pas d'héritier, tous leurs biens passèrent, en 1271, à leur mort, au domaine royal. Mais l'intégration au domaine était préparée par le gouvernement d'Alphonse de Poitiers. Le parallélisme des méthodes est frappant de part et d'autre du seuil du Lauragais. La singularité méridionale demeure, fortement encadrée par les hommes du Nord.

6. La septième croisade : Égypte (1248-1250) et Terre sainte (1250-1254)

L'annexion des sénéchaussées méridionales ouvrait le domaine royal sur le monde méditerranéen, dont la richesse, étalée par le négoce italien, brillait de pourpre et d'or.

Louis IX, malade à mourir aux lendemains de ses victoires en Aunis, fit en 1244 le vœu de se croiser s'il réchappait. Les biographes récents ont tous montré le poids de ce vœu et de la croisade dans la vie et la politique du roi, de son entourage et de tout le royaume.

De 1244 à 1248, quatre ans de préparation diplomatique. Un succès : la paix aux portes du royaume. Un échec : la croisade, qui bouscule les projets de l'empereur Frédéric II, demeure une affaire française, dont le royaume supporte tout l'effort. Quatre ans de préparation intérieure, dont l'impact, fondamental dans l'histoire de l'administration, sera analysé au chapitre suivant.

Puis cinq ans d'absence du roi.

L'expédition commença par la prise de Damiette, au débouché du principal bras du Nil. Une progression très lente à la recherche d'un passage du fleuve. La fougue téméraire d'un frère du roi, Robert d'Artois, entraîne l'avant-garde de l'armée vers un massacre à Mansourah en février 1250. L'épidémie décime l'armée. Pendant qu'elle se replie sur Damiette, l'armée est à peu près anéantie ou prisonnière. Le roi lui-même est pris.

On négocia la rançon des prisonniers : la restitution de Damiette et 800 000 besants sarrasins. Le roi partit pour la Terre sainte, laissant 12 000 prisonniers en Égypte, qui devaient être peu à peu libérés. Mais les libérations ne se firent pas aux conditions de la trêve. On délibéra. Ses frères rentrèrent. Malgré l'avis de la reine Blanche et des conseillers demeurés en France, le roi décida de rester, à la demande des barons de Terre sainte, pour assurer la défense de ce territoire et assumer ses responsabilités à l'égard des croisés encore à libérer. Cette absence dura quatre ans.

Elle fut lourde pour le royaume, qui dut encore payer, après la rançon, les dépenses de la protection des États francs, d'ailleurs moins lourdes que les frais de l'expédition d'Égypte. La mort de la reine-mère priva l'autorité centrale de son autorité. Cependant, le bilan intérieur et extérieur n'était pas si mauvais qu'on pourrait le croire. Il rapprocha le roi d'une noblesse qui avait reconnu ses idéaux dans l'entreprise et le comportement du roi. Il permit une ouverture du royaume vers l'Orient. On ne concevrait pas le nouveau regard vers l'Asie, la mission officieuse confiée à un Guillaume de Rubrouck, sans le long séjour du roi en Terre sainte.

Quels étaient les buts de la croisade ? Défendre les royaumes latins (Chypre et Jérusalem), convertir les infidèles, répandre, à partir d'une base moyen-orientale (Petite Arménie, etc.), la vraie parole du Christ dans une Asie mongole bien faiblement nestorienne dont le déferlement sur l'Europe dans les années 1240 semait la terreur ? Sans doute. Les objectifs religieux sont indiscutables. Mais ceux de la conquête politique, très probables aussi. L'hypothèse a souvent été retenue que la prise de l'Égypte avait été conçue comme une prise de gages en échange de la restitution du royaume de Jérusalem. L'idée d'y constituer un royaume vassal, peut-être pour son frère Robert d'Artois, est beaucoup plus probable[1]. Dès lors, l'énorme effort militaire et financier prend un autre éclairage. Il s'inscrit dans une perspective d'expansionnisme du royaume, voisine des projets de l'expédition anglaise de Louis VIII, mais tournée vers le Bassin méditerranéen et justifiée par le projet de conversion des musulmans. Il y a aussi dans la paix du roi Louis le programme d'expansion d'une famille.

7. Charles d'Anjou en Italie

Avec l'accord du roi, le plus jeune fils de Louis VIII, Charles d'Anjou, avait conquis l'héritière du comte de Provence, très convoitée, jeune sœur de sa belle-sœur, la reine Marguerite. Ses ambitions personnelles étaient grandes : vint ensuite la conquête du Hainaut. Puis le projet italien.

Sans doute Louis IX eut-il des réticences à voir son frère aller disputer, en Italie du Sud et en Sicile, l'héritage de Frédéric II à ses fils, un héritage que la papauté avait d'abord proposé à Henri III d'Angleterre pour son fils cadet. Il avait fallu que soit affirmée, en droit féodal, la faute commise par Frédéric II à l'égard de son seigneur, le Saint-Siège, puis la carence des Plantagenêts, pour obtenir l'accord du roi à ce projet. La montée sur le trône pontifical du Français Guy Foucois (ou Fouques), devenu Clément IV (1265-1268), avait facilité les négociations. Et sans doute aussi le souci de défense des Latins de Terre sainte, que Louis IX gardait intensément.

Grâce à un prêt, difficilement consenti, d'Alphonse de Poitiers au pape, une armée fut levée, de Toscans, de Lombards, de Français et de Provençaux. La campagne fut menée très vite, et la bataille de Bénévent où fut tué Manfred, le fils de Frédéric II, qui défendait contre les forces pontificales et angevines cette ancienne Italie normande, la donna à Charles en février 1266. La «descente» du jeune Conradin se termina de la même manière par le désastre de

1. Jean Richard (48), p. 216.

Tagliacozzo et l'exécution du malheureux vaincu à Naples (1268).

L'immigration française fut intense, colonisatrice. Fiefs, charges, offices sont pour les Français et les Provençaux. Chevreuse, Sergine, Milly : les familles de l'entourage royal ont suivi cette aventure et se sont établies en Italie du Sud, et bien d'autres qui, par centaines, avaient pris la croix blanc et vermeil de l'armée angevine. Puis sont venus, avec la deuxième femme de Charles, des Bourguignons. Les accents épiques avec lesquels Guillaume de Nangis raconte les exploits des chevaliers français en Italie disent assez la fierté de cette conquête. Quant à la masse des clercs gradués de l'université de Paris qui prit du service dans l'Italie angevine, sa superbe devint un thème courant de moquerie chez les Italiens.

Les ambitions de Charles d'Anjou ne s'arrêtaient pas à Naples et à la Sicile. Reprenant la grande politique méditerranéenne des Normands de Sicile, il rêvait de reprendre l'Empire latin de Constantinople que les Paléologue avaient reconquis, à partir de l'Asie Mineure, entre 1259 et 1261. Diverses révoltes siciliennes l'empêchèrent de tenter leur réalisation. Puis la croisade du roi à Tunis.

8. La huitième croisade

La huitième croisade se fit à Tunis, qui était dominé par un prince Hafside. Il n'était ni un ennemi des chrétiens ni un soutien des Mamelouks. Sa bonne entente avec le roi d'Aragon et son contentieux avec Charles d'Anjou ont fait longtemps penser que la destination de Tunis, aberrante dans le plan de reconquête de Jérusalem, avait été imposée par le roi de Sicile. Cette hypothèse n'est plus retenue aujourd'hui par les historiens : ni les ambitions byzantines de Charles ni la lenteur de ses préparatifs pour Tunis, où il arriva bien après le roi, ne le laissent penser.

Bien que des Frisons, des Écossais, des Aragonais, des Anglo-Gascons aient aussi participé à l'expédition, il semble bien que le projet soit français. D'ailleurs, depuis plusieurs années déjà, le roi de France gérait toutes les sommes destinées à la défense des États latins.

Alors, Tunis comme autrefois l'Égypte, afin d'y constituer un royaume vassal? L'objectif de conquête est beaucoup moins clair, mais l'innocence naïve de Saint Louis aussi grande. Tunis était à coup sûr le premier acte d'un projet qui avait bien pour but la Palestine. Il s'agissait sans doute de faciliter par une démonstration militaire la conversion au christianisme d'un émir qu'on pensait fortement ébranlé par les armes de la persuasion[1].

A ces arguments stratégiques et missionnaires s'ajoutait sans doute non pas celui d'expier la culpabilité de l'échec précédent, mais celui d'offrir ce sacrifice à Dieu afin de fléchir sa miséricorde en faveur des chrétiens de Terre sainte. Telle est du moins la version présentée par Geoffroy de Beaulieu.

L'armée française était peut-être moins nombreuse qu'en 1248, surtout moins bien connue. Mais environ quinze mille personnes ont au total pris la mer vers Tunis.

Le séjour sous la tente en pleine canicule était pénible. Le roi avait cinquante-six ans et sa santé était devenue fragile. La maladie s'empara de l'armée. Non pas la peste, mais une dysenterie ou le typhus, on ne sait. Le second fils du roi, Jean Tristan, en mourut très vite ; grande douleur pour le roi. Il s'alita deux semaines après le débarquement et s'affaiblit peu à peu, tout en continuant à suivre le sort de l'armée. Il mourut le 25 août.

Cette mort dévote, entourée d'une aura de sainteté, fut l'événement majeur qui décida de l'abandon de la croisade. Charles d'Anjou, débarqué le jour même de la mort de son frère, négocia le départ. On lui reprocha les termes de l'accord, trop profitables pour lui. De l'indemnité totale il recevait un tiers. Les prêtres et les religieux obtenaient l'autorisation de prêcher dans leurs églises, mais non en public comme certains l'auraient souhaité.

Une tempête au retour acheva cette désastreuse expédition.

Que les objectifs de Saint Louis aient évolué dans les vingt ans qui séparent les deux croisades ne fait aucun doute. Le devoir de défense de la Terre sainte prit le pas sur les visées

1. Jean Richard (48), p. 566.

expansionnistes. Mais dans son entourage? L'ardeur au
départ de la noblesse et des clercs français vers l'Italie du Sud
avait peut-être absorbé une partie des forces, mais la
confiance en soi et le désir de conquête sont encore vifs chez
les croisés.

9. Les guerres ibériques de Philippe III

L'idée de croisade n'était pas morte. Au grand concile de
Lyon (1274), en présence des ambassadeurs de tous les rois
d'Europe, le schisme d'Orient fut abjuré et la chrétienté réunie décidait une croisade générale. C'eût été oublier les intérêts immédiats des royaumes et notamment les grandes
ambitions françaises.

Le chapitre des guerres avec les Plantagenêts n'était pas
à l'ordre du jour. Les morts successives de saint Louis et
d'Henri III ne modifièrent pas le processus de paix du traité
de 1258. L'Agenais revint comme prévu au nouveau roi
d'Angleterre, Édouard, qui prêta hommage. En 1279, le traité
d'Amiens scellait ces bonnes relations.

Les ambitions impériales, d'ailleurs mal connues, de Philippe III, furent de courte durée.

En revanche, le roi de France se découvrit des prétentions
dans les royaumes ibériques. En Navarre, à la mort
d'Henri III, sa très jeune fille et héritière fut promise au
second fils d'Henri III, le prince Philippe. En Castille, il fallait défendre les intérêts des enfants de Blanche de France
et de Fernand de La Cerda, que leur oncle venait, en 1275,
d'évincer de leurs droits au trône. Une expédition s'ébranla
pour la défense des deux veuves et des orphelins de Navarre
et de Castille. Elle ne dépassa pas les Pyrénées. Une révolte
navarraise fut matée par le sénéchal de Toulouse, qui prit
en main l'administration du royaume.

Cette politique anticastillane aurait dû entraîner une
alliance avec l'Aragon. Les intérêts italiens en décidèrent

autrement. Le roi d'Aragon relevait les droits de sa femme Constance, fille de Manfred et petite-fille de Frédéric II. Ce furent le massacre des Français de Palerme, les Vêpres siciliennes, en janvier 1282, puis la défaite maritime de Charles d'Anjou devant la flotte catalane. Pierre d'Aragon se fit couronner roi de Sicile.

La noblesse française continuait à rêver de marches triomphales dans les pays du Sud. Le pape Martin IV, d'origine française, participait de cet état d'esprit et le roi lui envoyait des hommes et de l'argent pour étouffer les rébellions gibelines qu'alimentait Pierre d'Aragon. Le pape en vint à proposer en Aragon une expédition comparable à celle de Charles d'Anjou en Italie du Sud.

Deux assemblées successives, en 1283 et 1284, de barons et de prélats délibérèrent, obtinrent du pape des assurances : un don du clergé et le privilège de croisade. Et le roi accepta l'entreprise pour son fils Charles.

Ce fut sans doute la plus forte armée jamais réunie par le roi de France qui entra en Roussillon, ce comté auquel Louis IX avait renoncé par le traité de Corbeil, en 1258. Le souvenir facile de la croisade des Albigeois était trompeur. Les succès ne durèrent pas ; au retour, le roi mourut.

Conclusion

Quatre-vingts ans séparent la conquête de la Normandie des échecs de Philippe III en Aragon. Quatre-vingts ans au cours desquels, malgré la réputation pacifique de Louis IX, la famille capétienne et la noblesse du domaine royal, appuyées par quelques barons des régions voisines et une masse de roturiers, instruits ou simples, n'ont cessé de conduire une expansion, proche ou lointaine, du pouvoir capétien. Au cœur de cette expansion, il y a, bien sûr, la richesse de la région parisienne. Il y a aussi les ambitions d'un lignage royal. Les ambitions d'une noblesse, poussée par son idéal ou ses besoins financiers, curieusement consciente et inconsciente de la force du lien féodal. Inconsciente, en ce qu'elle

tente toutes les aventures possibles; consciente, puisque finalement seules les conquêtes de la mouvance ont été des succès. Il y a enfin les ambitions d'un monde de clercs, formés
aux écoles, soucieux de carrière et d'ascension sociale, mais
aussi mus par les nouvelles idées de justice et de bien commun, ceux-là mêmes qui donnent à l'administration royale
les moyens de dominer le vaste espace conquis.

9

Gouverner et administrer la France au XIIIe siècle (vers 1200 - vers 1280)

Après la conquête, son organisation. Il faut gérer le domaine et gouverner le royaume. Les rois de France et leurs proches, en même temps qu'ils développent leurs ambitions territoriales, réforment et renouvellent les rouages tradition-nels du pouvoir, adaptent et créent une idéologie du pouvoir monarchique.

Les deux fortes personnalités que sont Philippe II et Louis IX ont marqué de leur style personnel la conduite des affaires et l'image de la royauté. Mais on distingue auprès d'eux le poids de leur famille et de leurs conseillers. Diver-sité des individus, continuité des problèmes. L'État émerge peu à peu, avec ses symboles, ses serviteurs, ses institutions, sa capitale, qui construisent son unité et la diversité crois-sante de ses fonctions.

1. Portraits de rois

Sous les témoignages complaisants, voire hagiographiques, où l'idéal masque l'individu, il n'est pas toujours facile de se faire une idée de la personnalité des rois.

Philippe Auguste ne manque pas d'historiographes, Rigord et Guillaume le Breton notamment. Mais pour R.H. Bautier, c'est un chanoine de Tours, Péan Gatineau, qui en a livré le portrait qui paraît le plus fidèle. Beau et bien bâti, chauve et rubicond. Du noble, il a les colères, le goût des femmes et de la bonne chère. Il en diffère par une instruction plus complète, encore qu'il entende médiocrement le latin. Et sa parcimonie rompt avec l'idéal seigneurial de largesse. Pas plus qu'il n'aime la chasse, il n'apprécie les tournois. Curieusement, il sait être courageux à la bataille, mais il a peur, notamment, d'être empoisonné. Peut-être cette inquiétude lui vient-elle de son propre sens de l'intrigue, qu'il ourdit avec la même fécondité entre les Plantagenêts qu'entre ses barons. Son intelligence rapide va de pair avec une impulsivité que l'âge et les conseillers calmèrent sur le tard. On conçoit qu'il ait pu incarner pour certains (ainsi Jean Renart dans son *Guillaume de Dole*, comme l'a montré J.W. Baldwin) l'antithèse du chevalier.

Avec *Louis VIII*, qui règne de 1223 à 1226, commence la série des rois vertueux, sobres, chastes et instruits. Il fut sans doute à la fois le fils écrasé par la forte personnalité de son père et l'héritier très précieux de la couronne, comme son père lui-même d'ailleurs, puisque seul fils du seul mariage légitime.

Autant Louis VIII avait accédé tard au trône, à trente-cinq ans, autant *Louis IX* reçut la couronne jeune : il avait douze ans, en 1226, à la mort de Louis VIII, lorsqu'il fut armé chevalier et presque aussitôt sacré. Cependant, dix-huit années de jeunesse le séparaient encore du moment où il assuma lui-même le pouvoir : la figure de sa mère, Blanche de Castille, les domine, mais rien ne prouve qu'il ne fut alors qu'un figurant.

Les témoignages ne manquent pas sur ce roi saint, que les contemporains reconnurent comme hors du commun. Même s'il ne reste que quelques épaves du dossier qui fut constitué lors du procès de canonisation, de multiples biographies lui ont été consacrées quelques années après sa mort. Les commandes de Jeanne de Navarre, la femme de Philippe le Bel, notamment : l'*Histoire de Saint Louis* qu'écrivit Joinville au soir d'une longue vie et celle de Guillaume de Saint-Pathus, ancien confesseur de la reine Marguerite, l'une et l'autre postérieures à la canonisation de 1297. L'abbaye de Saint-Denis a aussi fourni plusieurs biographes plus ou moins officiels. Plus tôt, entre 1272 et 1275, le confesseur du roi Geoffroy de Beaulieu, et, à peine plus tard, Guillaume de Chartres avaient aussi écrit une vie du roi. Sans oublier le moine anglais

Mathieu Paris et bien d'autres chroniqueurs. Évidemment, le modèle du saint chevalier est omniprésent. Conforme au modèle certes, mais non sans complexité, ce «roi des moines», ainsi que l'on disait alors ironiquement, défendit âprement les droits de la couronne contre les prétentions de l'Église. Cet homme charitable ne s'intéressa guère à la plupart de ses proches. Mais une constante en lui : la certitude de lire dans les événements les desseins de la Providence.

Les biographes actuels insistent sur la coupure que représente dans sa vie la croisade, qui correspond aussi à la mort de son frère d'Artois, le seul probablement avec qui il s'entendait, et surtout de sa mère. Avant : un jeune roi brillant, goûtant la fête et la victoire. Ensuite, passé les quarante ans : le souci de la paix et de la justice dans le royaume, le désir de la pénitence, une dévotion presque bigote. Quelle fut, dans cette mue, la part d'un sentiment de culpabilité, qui a été mis en avant, peut-être avec un certain anachronisme ? Quelle fut l'influence de courants de pensée prophétiques, comme le professait, parmi d'autres franciscains, Hugues de Digne, que Saint Louis tint à rencontrer lorsqu'il débarqua de retour de Terre sainte ? Quelle fut celle du simple vieillissement aggravant, comme il est fréquent, la tendance aux accès de mélancolie, dont il manifeste des signes dès son jeune âge ? Au-delà des interprétations que suggèrent les données de la psychologie moderne, il reste qu'aucune figure royale n'est aussi bien connue dans le Moyen Age français. L'époque y est pour quelque chose, celle du développement de l'écriture, d'une monarchie qui s'impose avec ses historiographes, d'un intérêt plus grand à l'individu. Mais l'aura personnelle de Saint Louis explique aussi cette «popularité».

Pâle figure, celle de *Philippe III* en regard de ses prédécesseurs. Il n'a ni l'agilité d'esprit de Philippe II, ni le savoir et le courage de Louis VIII, ni le charisme de son père. Un grand seigneur assez borné, mais universellement pleuré quand il mourut à l'âge de quarante ans.

2. Portrait d'une dynastie

Malgré leurs différences de tempérament, il y a entre ces quatre rois plus de points communs qu'on ne pourrait le croire : la marque d'une éducation royale, aux principes stables à travers le siècle.

La docilité est leur premier point commun : ils acceptent avec une remarquable patience le long règne de leur père ou la régence de leur mère. Ni rébellions ni intrigues. W.C. Jordan montre comment l'exemple d'une résistance, ô combien courtoise, vint à Louis IX de l'influence de sa sœur : de même qu'elle refusa le mariage pour entrer au couvent, de même Louis IX n'accepta pas d'être délié de son vœu de croisade.

La haute image du devoir royal est la seconde constante de ces personnages, liée d'ailleurs à la première. L'exemple de Philippe Auguste est rappelé par Louis IX, notamment dans les enseignements qu'il écrit pour son fils : «Je veux te rappeler une parole que dit le roi Philippe, mon aïeul, comme quelqu'un de son conseil me dit l'avoir entendue.»

A la cour de France, au XIIIe siècle plus que jamais, le roi se doit d'être «très chrétien». Tous, ils l'ont été, persécutant les juifs, combattant les hérétiques, dotant les églises, faisant l'aumône aux pauvres, avec d'autant plus de force que croissaient leurs moyens. Telle qu'elle est organisée par Saint Louis en 1260, par une liste d'établissements monastiques, de léproseries et d'hôpitaux qui la distribueront, l'aumône royale n'est que l'organisation épanouie d'une charité traditionnelle chez ses ancêtres. La canonisation de Saint Louis réalisa un programme élaboré depuis longtemps pour ses prédécesseurs, en vain.

Roi victorieux, roi chrétien, soutien des clercs et des pauvres, roi de la paix nourricière : le miroir aux trois fonctions, qui est présenté aux enfants royaux, est simple et stable ; il modèle leur personnage, sinon leur personnalité.

1. Idéologie monarchique.

Si les images du bon et du mauvais roi ne se transforment guère au cours du siècle, l'idéologie royale, sa symbolique et son imaginaire s'enrichissent sans rompre avec la tradition.

« Magnanimes descendants des Troyens, distinguée race des Francs, héritiers du puissant Charles, de Roland et du preux Olivier » : ainsi, d'après Guillaume le Breton, Philippe Auguste haranguait ses chevaliers à la veille de la bataille de Bouvines. Culture savante et culture laïque se mêlent dans cette généalogie, où le héros fondateur, Pâris, après une longue aventure, fonde sa ville et fait des Français et de leur roi l'égal des Romains et de leur empereur.

C'est la noblesse du royaume tout entière qui, ayant trouvé son mythe d'origine à Troie, est conviée à se reconnaître dans les guerriers de Clovis et à légitimer les prouesses chevaleresques dans la gloire de Charlemagne. En somme, à faire corps autour de son roi, lui-même descendant de ces héros, exaltant, dans une même identification, le royaume, sa noblesse et son roi.

Le modèle carolingien, celui de Charlemagne et de Charles le Chauve, tel qu'on l'imagine alors, est cultivé avec une intensité particulière à la cour depuis l'époque de Philippe Auguste : « Un autre Charles », écrit de lui vers 1200 le chanoine Gilles de Paris. Puis sont recherchés — et trouvés par plusieurs voies — les liens de sang entre Carolingiens et Capétiens. Dans le transept agrandi de l'abbatiale de Suger, à Saint-Denis, fondée par Dagobert, là où le pape sacra à nouveau Pépin et aussi ses fils, dont le futur Charlemagne, là où fut enterré, après Charles Martel et Pépin, Charles le Chauve, Louis IX réorganise la nécropole royale. Au centre, la tombe de Louis VIII, flanquée de celle de Philippe Auguste et, plus tard, de celle de Saint Louis, unit les Carolingiens, à droite, et les Capétiens, à gauche. La nouvelle disposition symbolise la filiation de sang et d'intentions.

2. Un culte royal.

Le XIIIe siècle n'ajoute guère aux objets sacrés de la royauté, l'oriflamme et les lis, ni à ce symbole, à la fois commun et individuel (chaque roi a le sien) qu'est devenu le sceau royal. Mais la mort de Philippe Auguste, en juillet 1223, est la première où s'organise la mise en scène des funérailles royales : le corps du roi, visage découvert, est exposé, vêtu de la tunique et de la dalmatique, couronné, sceptre en main.

La science importe à ce siècle docte au moins autant que les symboles : de Rigord aux grandes chroniques de France, œuvre de Primat, des récits en latin aux traductions en français, le XIIIe siècle amplifie l'historiographie savante du royaume. Les moines de Saint-Denis jouent encore le premier rôle dans cette orchestration de l'histoire royale, reprenant les voies ouvertes par Suger au siècle précédent. Dans ce travail de légitimation et de propagande, ils comblent le retard des Capétiens sur les Plantagenêts. Comme l'écrit B. Guenée, ils sont les auteurs de cette geste des rois dont la période suivante répandit les thèmes.

Soucieux de s'affirmer comme les héritiers de Charlemagne, les rois de France mettent l'accent sur le caractère sacré de leur office et le XIIIe siècle achève la construction de la théorie et des rites qui l'expriment. Lors du sacre, la gloire de Reims et celle de Saint-Denis s'assemblent, Clovis et les Carolingiens, l'abbé de Saint-Remi portant la sainte ampoule et celui de Saint-Denis les insignes royaux. Entre l'adoubement et la remise des insignes suivie du couronnement, l'onction fait du roi le successeur des rois de l'Ancien Testament. Laïc, mais oint, seul laïc à communier sous les deux espèces. Le roi chevalier, le roi féodal qui reçoit le baiser de paix et de fidélité de l'archevêque et des pairs du royaume, le roi protecteur de l'Église et du peuple, qui fera régner la paix, la justice et la miséricorde : la cérémonie symbolise les sources et les fonctions rassemblées du roi.

Sacré, le roi est investi de pouvoirs thaumaturgiques : il guérit une maladie ganglionnaire d'origine tuberculeuse, les écrouelles. Peut-être ce pouvoir remonte-t-il au XIe siècle, mais il n'est attesté avec continuité qu'à partir de Louis IX, et encore avec prudence par ses biographes. Dans ce domaine comme dans celui de l'historiographie officielle, le roi de France suit le roi d'Angleterre, pour qui ce pouvoir est attesté plus tôt.

M. Bloch a fait remarquer que le pouvoir thaumaturgique est en Occident réservé au roi, alors que tout membre de la famille du calife en est porteur. Cette différence montre l'équilibre, dans la légitimité royale du XIIIe siècle, entre le sang et l'onction, le sens dynastique et la sacralité personnelle. Ils se renforcent l'un et l'autre au XIIIe siècle.

3. La famille royale.

Figure emblématique de la monarchie, les rois appartiennent à un lignage, fait d'ancêtres, mais aussi de frères et d'enfants, dont les historiens analysent aujourd'hui l'importance dans des termes renouvelés par l'étude d'ensemble des structures familiales.

– Les reines : mères et épouses.

Le pouvoir politique de la reine s'affaiblit encore au XIIIe siècle. Certes, à la mort de Louis VIII, la régence passa à Blanche de Castille, en vertu d'instructions non écrites du roi défunt. Michelet a douté de la volonté du roi, bien qu'elle ne fût pas surprenante dans la tradition capétienne et que Louis VIII eût manifesté beaucoup de confiance à l'égard de sa femme. Plus tard, les démêlés entre la reine mère, Blanche, et sa belle-fille, Marguerite de Provence, une relative froideur du roi, la méfiance de ses conseillers à l'égard de la reine, très opposée à Charles d'Anjou, contribuèrent à laisser surtout à la reine un rôle de représentation. Même si elle se targait d'une influence décisive sur le roi, elle arbitrait la vie de cour plus que le cours de la politique. Mais, outre à son fils aîné, Louis IX n'a adressé une lettre d'« enseignements » qu'à sa fille, la reine de Navarre ; c'est montrer assez la dignité d'une reine.

La tradition capétienne éliminait depuis toujours, par une coutume inexprimée, les filles aînées de la succession royale. La montée en puissance de la bureaucratie correspond à un stade plus net de l'élimination des femmes du pouvoir politique.

— *Les princes de lis.*

Comme les familles de la noblesse, le couple royal procrée avec générosité au XIIIe siècle. La descendance légitime de Philippe Auguste avait été réduite par la mort précoce d'Isabelle de Hainaut et les problèmes que posèrent les unions avec Ingeburg de Danemark et Agnès de Méranie. Mais Louis IX avait six frères et sœurs vivants (des treize issus de Blanche de Castille et Louis), le dernier, Charles, posthume; Louis IX engendra onze enfants.

Tous les princes sont éduqués à porter l'honneur des Capétiens. Joinville rappelle dans une scène touchante que Saint Louis faisait venir ses enfants avant leur coucher et leur enseignait à distinguer les bons des mauvais princes afin que « Dieu ne se courrouce pas contre [eux] ». Par leur comportement, leur titulature qui affirme leur filiation, leur vêtement porteur de la fleur de lis à partir des fils de Louis VIII, la qualité de princes du sang est nettement affirmée au cours du XIIIe siècle. Elle l'est plus encore à partir du moment où, par Saint Louis, le sang royal a porté la sainteté.

Mais l'héritier présomptif se dégage du groupe des autres enfants. Ce *primogenitus* est de plus en plus souvent distingué comme tel, héritier du trône, à partir de Philippe III. Philippe Auguste est le premier des Capétiens à n'avoir pas associé son fils au trône. Le principe dynastique est assez fort désormais, renforcé par une tradition solide de succession en faveur du fils aîné et le hasard heureux que tous les rois capétiens aient eu un fils pour leur succéder.

4. *Le problème des apanages.*

Au moment même où cesse cette pratique de l'association au trône paraît celle de doter largement les fils cadets. Comme l'a fait remarquer A.W. Lewis, les Capétiens ont pratiqué à la manière des lignages aristocratiques, en réservant les biens patrimoniaux, dont la couronne, à l'aîné et en dotant les cadets, en les mariant à des héritières, en en faisant des ecclésiastiques ou en leur distribuant des terres acquises. Ainsi procéda surtout Louis VIII dans son testament : « De telle sorte que la discorde ne puisse naître entre eux », de vastes apanages leur furent dévolus. Satisfaits, les cadets risquent moins de contester le trône à l'aîné et l'association du vivant du père n'est plus une nécessité.

Louis IX a conseillé à son fils : « Aime tes frères et veuille toujours leur bien et leur avancement. » Peut-on mieux exprimer l'indispensable stratégie familiale ? Pourtant, il a pourvu ses fils moins brillamment que ses frères, même par le mariage : ses filles ont été glorieusement mariées, dotées en argent et non en terres, mais le mariage de ses fils ne leur permettait pas de constituer de grands ensembles territoriaux. C'est là une différence avec la politique suivie par son père, preuve peut-être d'une identification plus nette du patrimoine familial avec le royaume, d'une intégration des conquêtes dans le patrimoine. Dès lors que le territoire du royaume prend forme comme patrimoine de la couronne, l'avancement des cadets ne débouche-t-il pas sur des ambitions extérieures, qui les attachent au roi, seul capable de les satisfaire ?

Il se trouve que le hasard n'a pas donné d'héritier mâle aux premiers princes apanagés : leurs biens ont été redistribués à chaque génération aux mains des plus proches parents du roi.

La famille royale fonctionne donc comme une communauté où les frères du roi sont à la fois une menace et une force et qui, dans le même mouvement, partage et rassemble la France (A.W. Lewis). Les régences confiées, depuis la croisade de Louis IX et la mort de Blanche de Castille, aux frères du roi, et non à la reine, sont un indice supplémentaire du renforcement du principe agnatique. « L'émergence de l'État ne suppose pas l'effacement des liens de parenté. Au contraire, tout tend à les voir s'affirmer », a remarqué Claude Gauvard.

3. La construction de l'État

Si la royauté française du XIIIe siècle se renforce de l'affirmation du principe dynastique, elle bénéficie, avec une acuité nouvelle, de la renaissance du principe étatique. Le nombre des hommes qui gouvernent et administrent les droits du roi se gonfle, leurs fonctions se spécialisent et le principe même de leur recrutement évolue vers la constitution d'un groupe, sinon d'un corps, d'administrateurs de la chose publique.

Depuis longtemps, l'entourage du roi comprend un personnel qui suit le roi en toutes occasions et est attaché à sa personne, et des vassaux qui apparaissent avec plus ou moins de fréquence, appelés par le roi, pour lui donner conseil. Le premier est nommé hôtel du roi et les seconds forment sa cour. La construction progressive de l'État apporte une double évolution. Entre l'hôtel et la cour, entre le service personnel du prince et celui de l'État, la séparation est plus nette ; mais le développement du pouvoir royal donne à certains auxiliaires du roi, jadis attachés à sa personne, une envergure toute nouvelle. Ainsi en va-t-il de la chancellerie, dirigée par le garde des Sceaux, qui expédie toutes les écritures du roi.

1. La « révolution » de Philippe Auguste.

Ce fut d'abord la gestion du domaine qui retint l'attention du roi et de ses proches, et J.W. Baldwin n'hésite pas à parler de « révolution gouvernementale » pour les innovations apportées par Philippe Auguste. Les historiens discutent encore aujourd'hui de savoir si c'est seulement à partir de 1200 ou dans la décennie précédente qu'ont été accomplis les pas décisifs. Une chose est sûre : le roi de France n'a pas découvert en Normandie la nécessité d'une gestion rigoureuse et centralisée du domaine. Mais peut-être, comme le pense J.R. Strayer, les hommes du roi ont-ils jeté sur le système normand un regard neuf qui leur a permis d'y concevoir des améliorations et de les adapter aux autres terres du domaine.

La nouveauté réside dans un double effort : l'effort de liaison entre les administrateurs locaux et le gouvernement, ainsi que la création de techniques de gestion centrale.

– *Les baillis du roi.*

Dès le milieu du siècle précédent, le roi avait cessé de recourir à des agents fieffés pour lever ses revenus et avait vendu à des prévôts des ensembles de revenus qui prirent peu à peu, en même temps que le domaine royal lui-même, une consistance territoriale. Le système permettait au roi de toucher l'argent au début de chaque « contrat »; et, à la fin, il remettait la ferme au concours du plus offrant. Hommes d'argent, les prévôts s'entendaient à gérer les revenus du roi, mais non sans des abus qui ne profitaient pas au trésor royal. On députa donc des membres de la cour du roi, par deux ou trois, pour aller de châtellenie en châtellenie. Avec quelques grands personnages locaux qu'ils appellèrent à siéger avec eux, ils présidèrent les assises judiciaires. Et répondant aux plaintes de la population, ils contrôlèrent les prévôts. Leurs missions furent d'abord temporaires et aucun ressort stable ne leur fut imparti. Ce furent les premiers baillis.

– *Les registres : la chancellerie et les comptes.*

Poussés par l'extension du domaine et par le recours plus usuel à l'écriture, les notaires du roi écrivirent beaucoup plus que ceux du règne précédent, mais beaucoup moins que ceux de Jean sans Terre. L'évolution de leur écriture, d'après les quelques originaux conservés, révèle, tout en gardant une grande qualité graphique, leur impatience à libérer leur main. Jusqu'alors la chancellerie ne conservait pas de double. C'est vers 1200 qu'on commença à constituer des registres où furent recopiés les actes de la chancellerie jugés importants. Non pas dans un souci d'enregistrement, qui ne se manifesta en France qu'au XIVᵉ siècle, bien après la cour d'Angleterre ou celle du pape, mais comme des registres administratifs, plus ou moins soignés. Les relations avec les villes et le service des vassaux du roi y occupent la première place.

Les finances, en revanche, n'y jouent guère de rôle. Pour-

tant, des comptes étaient désormais tenus et la rapide croissance des revenus du roi imposait une remise à jour fréquente.
Dès son départ à la croisade, Philippe Auguste avait organisé une reddition systématique des comptes du domaine à
Paris, trois fois par an. En 1194, la perte de tous ces mémo-
randums, probablement assez informes, lors de la défaite de
Fréteval, précipita l'évolution : la centralisation du Trésor
et de ses archives à Paris, chez les templiers. Dès 1202 apparurent les premiers comptes des prévôtés ; puis les comptes,
jusqu'alors individuels, furent liés ensemble. On aboutissait
peu à peu à un instrument de contrôle des recettes et des
dépenses. *A posteriori* ; on était encore très loin du concept
de budget prévisionnel.

Ces comptes ne concernent que les revenus ordinaires du
roi et que les prévôtés qui constituaient le domaine avant les
grandes conquêtes. Ils révèlent la force de la structure traditionnelle du royaume dans l'esprit pourtant très novateur de
l'entourage de Philippe Auguste.

2. Le règne de Saint Louis : centralisation et moralisation.

Après cet élan premier, les années suivantes perfectionnè-
rent l'administration du domaine, mais elles créèrent aussi
de nouveaux instruments pour construire l'État et gouverner le royaume.

Peu à peu, les fonctions de baillis et celles de leurs équiva-
lents méridionaux, les sénéchaux, furent permanentes, sala-
riées par le roi, remplacées à son bon vouloir et à un rythme
de moins en moins lent au fur et à mesure que le règne
s'avança (très rarement plus de dix ans) ; elles s'attachèrent
aussi à un territoire défini : bailli du Cotentin ou sénéchal
de Beaucaire. Représentant le roi dans son ressort, il y exerce
toutes ses fonctions, administratives, financières, militaires
et judiciaires. Rendant la justice, en divers points de son bailliage, assisté des notables locaux, au nom du roi, il fait pénétrer dans tout le domaine la présence jugeante du roi.

Sous ses ordres, très peu contrôlée par les organes centraux
et peu nombreuse encore, se développait, sur le même modèle,

une administration de viguiers ou de vicomtes, de bayles ou de prévôts, qui commandaient eux-mêmes à des sergents. Il n'est pas impossible que la Normandie et le Languedoc, conjointement dans sa partie domaniale et dans l'apanage toulousain qu'Alphonse dirigeait de Paris après la mort de Raimond VII, aient servi de terre d'expérience.

Au moins dans les régions récemment adjointes au domaine, ces administrateurs tinrent le pays sous une main de fer. Plus que les baillis et plus, surtout, que les sénéchaux, qui, passé les premiers temps de la conquête, exercèrent un pouvoir de type paternaliste, seyant bien aux nobles qu'ils étaient. Leurs subordonnés étaient en revanche de moindre rang, des hommes de la région, pour lesquels on ne peut invoquer ni l'excuse d'une méconnaissance des coutumes locales ni celle des lois de la guerre. Ils se comportèrent comme des tyrans, mettant les sujets du roi en coupe réglée. Tous ces débordements de malhonnêteté et de cupidité nous sont bien connus par les registres que des enquêteurs, envoyés par le roi dans ces provinces, rapportèrent de leurs tournées, les premières en 1247-1248 et les secondes vers 1260.

– *Les enquêteurs du roi.*

Ces registres sont l'une des plus belles sources de ce milieu du XIIIᵉ siècle, tant les habitants des villes et des campagnes, notables et modestes, semblent s'y être exprimés spontanément. Devant ces commissions de frères mineurs choisis par le roi, qui parlaient un autre langage que celui des potentats locaux — surtout lors de leurs premières tournées —, ils ont raconté leurs malheurs en même temps que leurs occupations et leurs manières de penser et de sentir. Et le sérieux des enquêtes qui suivirent leurs dires semble avoir été le ferment essentiel de leur réconciliation avec le conquérant. Exception faite, sans doute, de la haute aristocratie dont le ralliement fut plus difficile, encore que les enquêtes languedociennes aient eu pour but principal de faire la justice sur les spoliations de biens de nobles depuis l'époque de Simon de Montfort. De ces enquêtes date l'idée, qui demeura si forte, d'un dédoublement du pouvoir royal, entre un roi qui ne se peut tromper, attaché à l'équité et à la justice, et des administrateurs qui endossent le rôle du méchant.

– L'ordonnance de 1254.

Le même esprit qui conduisit le roi à envoyer des enquêteurs dans les provinces l'amena à la grande ordonnance de réforme de 1254. Son but étant de moraliser l'administration royale, elle est le tableau des noirs usages des gens du roi. Baillis, prévôts, vicomtes et autres jureront désormais de faire justice à tous, pauvres et riches, de n'accepter aucun don, de ne pas instituer de nouvelles taxes et devront rendre compte pendant quarante jours «au pays où ils auront tenu leurs offices... aux nouveaux baillis pour les torts qu'ils auraient faits à ceux qui se voudraient plaindre d'eux».

Contrôle exercé sur les baillis et tournées d'enquêteurs : un État centralisé se construit sous Louis IX, dont les rouages centraux s'élaborent dans le même mouvement.

– La cour en parlement : l'affirmation de la souveraineté.

C'est dans la fonction judiciaire du roi que se manifeste le plus clairement l'extension nouvelle de ses responsabilités. Au milieu du siècle, la cour du roi jugeait les procès que lui portaient les établissements ecclésiastiques, les vassaux du roi et les villes du domaine qui en avaient le droit. Peu à peu se prit l'usage d'en appeler à la cour du roi à partir des tribunaux des baillis et des sénéchaux. Sa vocation s'affirma aussi pour tout le royaume : de toute cour de justice, on put y faire appel. Cette compétence universelle affirmait la souveraineté du roi. Elle fut l'objet de résistances très vigoureuses de la part des autres cours, ecclésiastiques ou baronniales, auxquelles la justice royale s'imposa peu à peu.

Extension du domaine, élargissement des compétences : les affaires à juger se multiplient, au moment où la procédure se modifie et se fait plus savante. En 1258, une ordonnance interdit dans le domaine royal le duel judiciaire et à l'ancien système de preuve se substitue la procédure d'enquête par témoins. La justice royale acquiert une modernité qui contribue à lui attirer les faveurs des plaignants.

Le roi préside souvent la «cour en parlement», et nombreux sont les barons qui y paraissent. Mais, de plus en plus, les professionnels remplacent les nobles vassaux du roi. En

1278, il fallut dessiner des subdivisions du travail : certains écoutent les requêtes, d'autres enquêtent, d'autres, enfin, jugent.

Comme plus tôt pour les comptes et les actes de la chancellerie, l'habitude se prit au milieu du siècle de consigner les affaires et les jugements sur des registres, qui servirent ensuite de jurisprudence. Encore un domaine de l'administration auquel l'écriture apporte sa fermeté et sa mémoire !

— L'affirmation du pouvoir législatif du roi.

Premier triomphe des juristes dans le domaine de la politique française, le règne de Saint Louis a vu le grand renouveau du pouvoir législatif du roi. Plutôt que législatif, qui implique une division des pouvoirs anachronique, il vaut mieux utiliser l'expression de pouvoir normatif, ainsi qu'A. Rigaudière l'a récemment fait remarquer.

La rafale d'ordonnances promulguées aux lendemains du retour de la croisade confirme une tendance déjà manifeste dans les années qui ont précédé le départ, préparée par un long travail doctrinal qui remonte déjà au siècle précédent. Les décisions concernant la monnaie, et notamment l'ordonnance de 1266, en sont un exemple qui demeura, dans les années suivantes, le symbole du bon temps du roi Louis.

— La monnaie du roi.

Le terrain fut préparé par les légistes d'Orléans, qui, à la suite des Bolonais, affirmèrent que le monnayage était droit régalien. Au cours de son séjour en Terre sainte, le roi découvrit avec douleur le scandale de pièces d'or, frappées par des chrétiens, imitées des pièces musulmanes. Enfin, le désir d'une monnaie stable s'exprimait dans le pays, gêné par les mutations des monnaies locales.

Déjà, Philippe Auguste avait montré le chemin d'une politique monétaire : simplifiant le nombre et le type des monnaies qui avaient cours dans le domaine, il avait fait des deniers parisis et tournois, frappés dans le rapport simple et stable de 4 à 5, des espèces qui franchirent les limites du domaine royal. La situation n'avait rien d'exceptionnel, car bien d'autres monnaies seigneuriales avaient cours hors de leur pays d'origine. Dans le Nord, le succès de la monnaie royale fut net, peut-être par osmose plus que par volonté délibérée. Mais, en Normandie, l'angevin — il n'y avait pas de monnaie normande — fut supprimé en 1204 au profit du denier tournois. En revanche, ni au sud, ni à l'est la monnaie royale n'avait entamé la position des monnaies seigneuriales en usage. Globalement, la monnaie royale progressait, mais elle ne se distinguait pas radicalement des autres bonnes monnaies.

Durant les dix dernières années de son règne, Louis IX s'est intensément soucié des monnaies : plus de vingt règlements et ordonnances construisent une politique, expérimentée dans un cadre d'abord restreint, puis étendue au royaume. Une série de mesures donnent à la monnaie royale une situation exceptionnelle. Elle devait avoir cours partout dans le royaume : monnaie du royaume et non plus monnaie de cette immense seigneurie qu'est le domaine. Elle seule avait cours là où les barons n'avaient pas de frappe spéciale. Les pièces royales devaient être prises pour la valeur signalée sur l'empreinte qu'elles portaient, tandis que l'esterlin du roi d'Angleterre n'avait cours que pour le métal précieux qu'il contenait réellement, vérification pesée. Derrière ces mesures se profilait l'idée que le monnayage baronnial n'était que la délégation d'un droit régalien.

En 1266, le système se paracheva par la frappe d'une monnaie d'or, l'écu (3,81 g d'or à 24 carats). Monnaie de prestige plus que nécessité économique : la frappe suivait celles de Frédéric II (augustales) et de Florence (florins). Mais, surtout, on frapperait désormais des gros, pièces d'argent ayant cours pour un sou tournois, dans un aloi et un poids définis et en principe immuables.

4. Serviteurs du roi ou serviteurs de l'État ?

La transformation de la cour du roi en parlement révèle l'arrivée des techniciens dans la haute administration. Mais elle n'est que l'un des aspects des nouveautés que le XIIIᵉ siècle apporte au monde des serviteurs du roi, en province, à la cour et dans l'hôtel.

Entre ceux qui participent aux institutions centrales et ceux qui gèrent loin de la capitale et du roi, la cloison est presque étanche. Passé les toutes premières années de conquête, comme celles où frère Guérin dirigea l'Échiquier de Normandie, les hommes du roi, dans les bailliages et les sénéchaussées, finissent rarement leurs carrières auprès du roi, pas même dans les organes centraux du gouvernement. Chaque milieu a ses règles.

1. Baillis et sénéchaux.

Encore qu'elle ait laissé pour le règne de Saint Louis un assez bon souvenir, l'administration royale a mauvaise réputation. Pourtant, il semble qu'elle ait connu en la personne des sénéchaux et des baillis des personnages zélés. Trop zélés parfois, bien que leur activisme ait été l'un des vecteurs les plus efficaces de la puissance royale.

Le portrait du bailli idéal a été tracé par Philippe de Beaumanoir lorsqu'il mit par écrit les *Coutumes du Beauvaisis*, à la fin du règne de Saint Louis : sage et loyal, c'est l'essentiel. Mieux encore, s'il aime Dieu, traite sans cruauté le riche comme le pauvre, mais est hardi et vigoureux, généreux sans prodigalité, clairvoyant, et sait accroître la valeur des biens qui lui sont confiés. Le principe de la fonction publique au service de l'État est déjà né, comme une sublimation de la fidélité au prince.

Quelques personnages émanent de ce corps assez mal connu, surtout avant 1250, des administrateurs royaux, comme le prévôt de Paris Étienne Boileau, rédacteur du *Livre des métiers*, ou Jean de Maisons, compagnon de croisade, qui fut bailli du Cotentin en 1254.

Malgré des gages intéressants, il ne fut pas facile au roi de trouver des baillis. Certains ne le satisfaisaient pas : les voyages du roi aboutissent parfois au changement de bailli, comme à Tours, en 1255. La réunion des qualités morales et intellectuelles nécessaires et du désir de remplir ces fonctions était rare. Les mutations, qui, à certaines périodes, se précipitent, ne renouvellent guère le personnel. Le roi recruta dans la moyenne noblesse pour les sénéchaussées méridionales, parmi nobles et bourgeois à égalité dans les bailliages. Il les choisit en Ile-de-France, mais autour d'eux, sénéchaux et baillis avaient des lieutenants et des conseillers locaux. Dès le milieu du siècle, les collaborations ne manquèrent pas. Plus les années passèrent, plus il voulut pour tout ce personnel, surtout celui qui était amené à juger, des gradués de l'université.

2. Au plus près du roi.

Si l'administration locale connaît parfois de grands mouvements de personnel, l'entourage du roi a été, au XIIIe siècle, d'une étonnante stabilité. Il n'y a pas eu de révolution de palais jusqu'au règne de Philippe III : Louis VIII n'a pas plus congédié les proches conseillers de son père que Blanche de Castille, régente, ceux de son époux. La continuité de cet entourage participe de celle de la politique et contribue à fonder celle de la couronne.

C'est au sein de l'hôtel que se font les grandes carrières : presque tous ceux qui ont fait la politique royale au XIIIe siècle appartiennent à ce groupe des « clercs du roi » ou des « chevaliers du roi ». Grâce aux travaux de J.W. Baldwin, nous les connaissons particulièrement bien pour le règne de Philippe Auguste. Parmi les « chevaliers », les uns ont des compétences principalement militaires, comme les Clément, qui furent maréchaux ; d'autres surtout administratives, comme Barthélemy de Roye. Plus influents sans doute que tous les autres, frère Guérin appartient au groupe des clercs ; de l'ordre des Hospitaliers, rencontré sans doute à la croisade, il prit une part sans cesse croissante dans les affaires royales, qui ne diminua pas quand il devint évêque de Senlis, en 1213.

Ils étaient des hommes-orchestres, sans spécialisation, intervenant dans tous les domaines. De petite noblesse, arrivés jeunes à la faveur royale, bien récompensés par le roi après la conquête de la Normandie, ils n'arrivèrent pourtant jamais à franchir le seuil qui leur aurait permis d'entrer dans le baronnage. La cour de France n'avait pas la vertu d'ascension sociale de la cour anglaise.

L'entourage de Louis IX n'est pas profondément différent. Il demeure très septentrional et même «français». Un peu plus nombreux, sans doute. De grandes familles, comme les Joinville, y côtoient des personnages d'origine modeste, comme Robert de Sorbon. Le savoir ou le charisme religieux y ont un poids accru : un Eudes Rigaud, qui fut gardien du couvent des franciscains de Rouen avant d'être élu archevêque, est souvent appelé à la cour ou chargé de missions à l'étranger. Les confesseurs du roi, un dominicain et un franciscain, l'un et l'autre docteurs en théologie, participent aussi de ce nouveau prestige.

3. *La laïcisation du personnel gouvernemental :*
les juristes.

Pourtant, la piété des rois ne s'oppose nullement à une tendance fondamentale, au XIIIe siècle, du personnel gouvernemental : sa laïcisation, au sens où l'entend J.R. Strayer, lorsque le service de l'État — ou du prince — l'emporte sur toute autre considération.

Les maîtres font une entrée remarquée au service du roi. Moins rapide qu'en Angleterre, alors que la France en forme plus : on ne compte que douze maîtres dans les registres de Philippe Auguste. Le retard n'est pas propre à l'administration royale : chapitres et barons se montrent aussi traditionalistes et réticents à utiliser les services de ces parvenus qui utilisent leur savoir pour essayer de sortir de leur basse origine ! Mais l'égalité se fait sous Louix IX, puis l'influence des maîtres dans l'administration se fait plus sensible en France qu'en Angleterre.

La technicité nouvelle du travail de l'administration centrale, évidente au parlement, mais partout sensible, propulse au premier rang les spécialistes du droit. Beaucoup sont clercs, d'autres laïcs. La plupart des juristes de talent conduisaient une carrière privée à côté des consultations qu'ils fournissaient au roi. D'autres, comme Jacques de Révigny, qui enseigna à Orléans, formèrent des élèves qui peuplèrent les bancs du parlement. Le cas de Pierre de Fontaines est exemplaire. Né en Vermandois, il était l'un de ces cadets de petite noblesse dont le talent fit la fortune, rehaussée par un mariage de qualité, mais sans un éclat excessif. D'abord consultant pour des villes et des barons, il eut une courte activité de bailli avant de devenir un membre régulier de l'entourage royal et d'écrire le célèbre traité du *Conseil à un ami,* considéré comme le premier traité de droit coutumier en français.

A cette laïcisation du personnel s'ajoute celle de leur pensée, marquée par l'influence du droit romain. Même chez un Pierre de Fontaines, elle est indéniable. Si l'on gardait, auprès du roi, une certaine méfiance à l'égard du droit romain, droit de l'empereur, qu'on n'enseignait plus à Paris, un célèbre jurisconsulte comme Jean de Blanot, formé à Bologne, fut cependant appelé au conseil. Pour tous, suivant la formule de J.R. Strayer, le leadership est passé de l'Église à l'État.

Nouvelle idéologie pour un nouveau personnel. Pourtant, au cœur du système demeure la fidélité, qu'incarne le serment dû au roi par les baillis et les sénéchaux dans l'ordonnance de 1254. Bien des historiens ont remarqué que jamais l'esprit des institutions carolingiennes n'avait été si fortement réalisé, même s'il reposait sur la redécouverte d'Aristote !

Conclusion

Il y a sans doute quelque artifice à présenter dans les actes normatifs du roi tous ceux qui révèlent l'avancée de la construction de l'État monarchique. Sans doute ne faudrait-il pas oublier tous les actes, fort nombreux, qui n'ont de valeur que temporaire ou localisée. Certains interrompent l'édification et la continuité de l'État. D'autres révèlent à quel point le royaume est encore une collection de terroirs et de provinces, d'intérêts particuliers et particularistes.

Néanmoins, la progression de la souveraineté royale est évidente, à une époque où elle s'émiette dans l'Empire et où elle prend des formes moins administratives et moins complexes en Angleterre. Dans cette construction, nul doute que les rois ont joué un rôle essentiel : force de certains tempéraments, heureux «hasards» biologiques et génétiques, continuité de leurs objectifs, sainteté de Louis IX.

On a parfois voulu voir dans cette construction celle d'une France monarchique et bourgeoise. En effet, les rois sont désormais entourés d'un personnel qui n'appartient pas aux grands lignages princiers, pas même, pour certains, au baronnage. Mais il se recrute surtout dans la petite noblesse d'Ile-de-France. La grâce de la naissance tient encore trop de place dans l'idéal de prud'homie du XIIIe siècle pour qu'une origine bourgeoise, même chez un clerc, ne soit encore un obstacle majeur. La famille royale a sa place aussi dans cette construction, plus qu'on ne l'a cru longtemps, assurant ensemble le triomphe d'un lignage. Et le haut clergé : lorsqu'en 1270 Louis IX organise son départ pour Tunis, c'est Mathieu de Vendôme, abbé de Saint-Denis, et Simon de Clermont, sire de Nesle, qu'il fait ses lieutenants.

Mais il va de soi que cet État ne se conçoit pas sans le travail doctrinal, philosophique et juridique qui le prépare; sans la formation des esprits que donnent écoles et universités, dont la fréquentation révèle l'attirance et le succès; sans ce monde de techniciens de l'écriture et de la parole, qui savent gérer les instruments du pouvoir et diffuser une image rassurante du roi. Reste à mesurer jusqu'à quel point les diverses strates de la population et les diverses régions acceptèrent le message et les faits.

10

A côté du pouvoir royal :
les barons, les clercs,
les villes et les autres
(vers 1200 - vers 1280)

La centralisation progressive de l'administration domaniale qui a reçu, depuis Philippe Auguste, un élan décisif, le développement de la souveraineté royale, que Saint Louis a voulu, sont des traits marquants de l'histoire politique et institutionnelle de la France du XIIIe siècle. Ils ont attiré l'attention des historiens d'autant plus qu'ils portent les germes des développements ultérieurs. Mais l'histoire de la construction de l'État ne s'écrit plus tout à fait aujourd'hui comme au siècle précédent. L'accent est mis sur le maintien non seulement des formes mais même de l'esprit féodal. Et, peut-être parce que le jacobinisme n'est plus dans le goût de notre temps, le XIIIe siècle apparaît comme une période d'équilibre des pouvoirs : tous les pouvoirs qui, à tous les niveaux, se construisent en même temps que celui du roi, le contrebalancent et l'appuient à la fois, attirent désormais l'attention.

1. Les limites de la centralisation

1. Des ordonnances bien mal appliquées :
les bornes du pouvoir normatif du roi.

Voici deux exemples, l'un régional et domanial, l'autre, à l'échelle du royaume, d'échec aux ordonnances royales. En 1271, le sénéchal de Carcassonne interdit, à propos d'un

conflit entre les habitants de Clermont-l'Hérault et leur seigneur, la concession de l'autonomie municipale aux communautés d'habitants dans les seigneuries du domaine royal de
la sénéchaussée. Il reprend les termes d'un arbitrage rendu
un peu plus tôt entre l'abbaye de Caunes et ses sujets par
l'archevêque de Narbonne, Guy Foucois, le futur pape Clément IV. Ce n'est pas un coup de force du seul pouvoir
monarchique, car, ce faisant, il agit à la demande de plusieurs
seigneurs importants. En fait, l'ordonnance ne fut pas appliquée : les administrateurs royaux ne cherchèrent pas à la rendre exécutoire sur-le-champ et les consulats continuèrent à
se multiplier jusqu'à la fin du siècle.

Les ordonnances monétaires pratiquent avec une circons-
pection qui n'est pas seulement due aux tâtonnements techniques. Pour celle de la mi-carême 1263, le roi consulta des
bourgeois de cinq villes d'Ile-de-France, dont trois appartenaient au domaine royal et deux avaient de bons ateliers
monétaires. Consultation technique et bourgeoise. On procéda par étapes : plusieurs ordonnances avant d'arriver au
« décri » des esterlins, afin qu'ils soient désormais pris pour
leur poids de métal précieux, sans une valeur libératoire absolue. Finalement, malgré toutes ces précautions, devant les réticences qu'inspira cette législation, on ne poursuivit pas les
infractions.

Ces deux exemples montrent, à deux échelles différentes,
comment procède le pouvoir normatif du roi : il consulte,
légifère en justifiant la loi ; puis n'a pas les moyens d'exiger
une application rigoureuse et immédiate de la loi.

Sans doute le roi ne désarme-t-il pas devant les résistances
à ses ordonnances. Ainsi, celles qui visent les juifs sont régulièrement répétées. Une ordonnance de Louis VIII est reprise
en 1230 ; puis avant le départ en croisade ; les mesures sont
réaffirmées en 1254 et encore en 1258 : interdiction du Talmud jugé blasphématoire et du prêt à intérêt, assortie de
mesures d'expulsion. Quels qu'aient été les motifs de telles
mesures, motifs que son entourage ne partageait pas complètement, notamment en matière de prêt à intérêt, leur répé-
tition montre assez combien l'application en est mal suivie.

Les mesures édictées, le roi les a pourtant justifiées d'abord
par le recours à la loi divine. Comme le fait remarquer

A. Rigaudière, «l'ordre étatique du XIIIᵉ siècle n'est pas assez laïcisé pour que le souverain puisse faire abstraction de la loi divine quand il légifère». S'y ajoute la référence constante au «commun profit» et à l'utilité publique dans les premières lignes des ordonnances de Saint Louis. La procédure législative intègre les grandes lignes des idées d'Aristote qu'on enseigne à la faculté.

Avant leur rédaction, les ordonnances ont été proposées en conseil, sur des initiatives, probablement multiples, du roi et des conseillers, inspirées par une certaine idée des droits et des devoirs du roi de France, mais non sans attention à l'opinion de certains cercles influents de prélats ou de barons, et même à celle du pays. Jusque vers 1250, il faut au roi le consentement des barons pour légiférer à l'échelle du royaume : il y a encore dans le royaume des autonomies «législatives» dont le roi ne peut faire table rase. Lorsque Louis VIII édicte l'ordonnance concernant les juifs en 1223, il s'assure du serment de plus de vingt barons : sans cet accord qui garde la forme féodale du serment, l'ordonnance n'aurait pas de caractère obligatoire hors du domaine. Si, en cinquante ans, la force normative du roi a beaucoup progressé, en 1270, Louis IX écrit encore à son fils qu'il n'y a pas de bonne décision sans l'assentiment des barons.

Il y aurait donc une simplification anachronique à lire la politique royale comme une lutte de tous les instants contre des pouvoirs rivaux. Ni la structure du royaume ni les esprits ne le permettaient. On observe plutôt un renforcement de pouvoirs, qui parfois s'affrontent et plus souvent s'épaulent. Ainsi en va-t-il avec les prélats, avec les villes et avec les barons.

2. *Des coutumes régionales et locales respectées.*

La structure «fédérale» de ce royaume est évidente en matière de coutumes judiciaires, si on la compare notamment avec l'homogénéité de l'Angleterre.

La grande ordonnance de réforme de 1254 affirme que «tous les baillis, vicomtes... garderont les us et coutumes qui sont bons et éprouvés». Cette prescription s'imposait parce que les « Français » qui exerçaient ces charges avaient quelque tendance à violer les coutumes locales, créant des imbroglios judiciaires et suscitant des contestations. L'idée du roi n'est d'ailleurs pas de conserver intégralement les coutumes, mais seulement celles qui sont « bonnes ». Les exemples abondent de l'intervention de l'État et de cette « mainmise encore lente et discrète, mais très réelle, sur l'ordre coutumier » (A. Rigaudière).

C'est au tout début du siècle que semble naître la conscience des coutumes territoriales, et leur rédaction date surtout de la deuxième moitié du siècle. Le processus de mise par écrit est lui-même révélateur de l'ambiguïté de la situation : Pierre de Fontaines et Philippe de Beaumanoir n'ont pas reçu mission officielle de leur travail, mais leur œuvre participe d'un plan d'équipement juridique du royaume souhaité par le roi. On a procédé à la mise par écrit en des lieux variés, suivant des méthodes différentes. Mais des influences réciproques se discernent. La mise par écrit des coutumes tend à unifier les divers systèmes, notamment sous l'influence commune du droit romain, tout en mettant au net les particularités de chacun.

Aussi bien la France du XIIIᵉ siècle est-elle une mosaïque de coutumes. Certaines, en matière de droit privé notamment ou de procédure, n'ont de valeur que très locale : ainsi les prescriptions de telle ou telle charte de franchises concédée à une ville. D'autres ont un champ d'application plus large, à l'échelle d'un comté, si aucun privilège spécifique n'en interrompt la validité. En Normandie, la coutume ne s'appliquait pas à vingt-quatre paroisses, rattachées tardivement, et qui gardaient le droit picard. Malgré ces particularismes, des analogies rapprochent de vastes régions dont les systèmes s'apparentent. Dans le Midi, qu'il faut mettre à part, le droit romain bouscule les vieilles coutumes, malgré les oppositions d'une partie de la noblesse, au fur et à mesure que les juristes s'imposent dans la société urbaine. Mais, ici aussi, il s'agit d'une évolution locale que les officiers du roi ne forcent guère.

2. Des principautés plus fermement tenues

Les particularismes juridiques ne sont pas les seuls éléments à cimenter l'individualité politique des régions. En effet, en même temps que s'affermit la gestion du domaine royal et que se construisent les rouages de l'État, les principautés connaissent un travail analogue, et les princes, dans leur pays, procèdent à la manière des rois. Tous n'ont pas su développer une idéologie dynastique. Les comtes de Champagne, moins que les autres, qui n'ont ni historiographe pour exalter leur dynastie et forger leur image, ni nécropole, ni lieu d'intronisation, ni port d'attache pour leur cour[1]. Dans les autres principautés, cette élaboration reste moins complète que chez les Capétiens, mais elle est sensible.

En outre, partout, plus ou moins vite, avec plus ou moins d'efficacité, se crée une administration très voisine de celle du roi. Les sénéchaux d'Alphonse de Poitiers, en Toulousain, ou ses baillis, en Auvergne, ressemblent à s'y méprendre à ceux du roi. Un chevalier briard comme Eustache de Beaumarchais applique en Agenais des principes de gestion et des techniques administratives très voisines de ses contemporains de Carcassonne ou Beaucaire. Et l'hôtel d'Alphonse de Poitiers ressemble fort à celui de Louis IX . Ainsi en 1258 y siègent vingt-six chevaliers et quinze clercs qu'on appelle clercs du comte, comme sont clercs du roi les serviteurs de l'hôtel royal. Ils se réunissent avec les sénéchaux pendant trois semaines, trois fois par an, et, sans spécialisation, étudient les affaires administratives et judiciaires, puis financières. En 1253 commence l'envoi d'enquêteurs réformateurs, comme plus tôt et plus tard dans le domaine royal.

L'influence réciproque des deux frères, le roi et le prince, explique aisément ces similitudes. Mais le même processus est aussi en cours en Bretagne. L'affermissement du pouvoir

1. Michel Bur, *La Formation du comté de Champagne vers 950 - vers 1150*, Nancy, Publications de l'université de Nancy-II, 1977.

ducal passe dès le début du siècle par les mêmes chemins :
élargissement du domaine, vastes chantiers militaires pour
fortifier les châteaux et les villes, renforcement de l'administration. Ici aussi, comme le montre J.-P. Leguay, sous la
houlette du chancelier, la rédaction des diplômes s'affine. Un
embryon de Chambre des comptes se met en place au milieu
du siècle. Le sénéchal de Bretagne disparaît. Le duc gouverne
avec un conseil, auquel participent un noyau de familiers,
des barons, des prélats, des officiers locaux. La réforme administrative qui installe des sénéchaux stables s'achève vers 1260.
Et le duc, comme le roi vers 1230 — et de nouveau plus
tard —, doit faire face aux révoltes de ses vassaux : les Récla-
mations générales des Bretons, en 1235, sont l'écho provincial des rébellions baronniales et reprochent au duc sa tentation d'un pouvoir tyrannique.

Ces tâches de gouvernement sont si lourdes que les princes ne participent plus guère à la cour du roi, même si leurs
demeures parisiennes révèlent leurs liens avec la capitale. Le
parallélisme des évolutions explique la facilité des rattache-
ments territoriaux ultérieurs, mais contribue à faire du
royaume une planète — le domaine — autour de laquelle gravitent des satellites fermement individualisés.

Et, de la même manière que le royaume conserve à chaque région ses traits particuliers, de la même manière ces princes ne soumettent pas leurs divers comtés à la même règle.
Les enquêteurs qu'Alphonse de Poitiers envoie ne se ressemblent pas d'un comté à l'autre : seul le Toulousain a connu
des laïcs, le Poitou est le domaine des prêcheurs, l'Auvergne
celui des franciscains !

3. L'Église

L'Église du royaume connaît, plus vite encore que l'État,
l'affermissement des pouvoirs, à l'intérieur de la hiérarchie
et à l'égard des fidèles. Rien d'étonnant, puisque c'est parmi
les clercs que les rois et les princes recrutent la plus grande
partie de leur personnel. Dans la conduite de l'Église, ils asso-

cient aux progrès de la gestion ceux de la pensée écrite et de la pastorale.

1. L'âge d'or de l'épiscopat.

Le XIIIe siècle français est «l'âge d'or de l'épiscopat»[1]. Cette belle période tient sans doute d'abord à la qualité du recrutement. Pas de grands bouleversements : à cette époque, les évêques appartiennent en majorité, comme auparavant, à la petite noblesse et la plupart viennent encore du chapitre même. Tous n'ont pas le charisme d'un Guillaume d'Auvergne, évêque de Paris entre 1228 et 1249, théologien et constructeur (il acheva la construction de Notre-Dame). Mais ce sont des hommes actifs et exigeants.

Certains visitent leur diocèse avec zèle, même si seul encore Eudes Rigaud consigne par écrit vingt ans de ces voyages à travers son diocèse. Les synodes diocésains, cette réunion annuelle de tout le clergé séculier et régulier au palais épiscopal, sont tenus désormais avec régularité. Les statuts qui y sont lus et promulgués, révèlent les exigences croissantes de la hiérarchie à l'égard des desservants. Non pas tant dans les mœurs — le concubinage et l'ivrognerie sont dénoncés depuis longtemps — que dans le niveau de culture. Cependant, la rigueur des évêques ne peut s'exercer qu'*a posteriori* : la désignation de la plupart des desservants leur échappe, car elle demeure dans la main de quelques patrons laïcs et surtout du clergé régulier.

Malgré les visites pastorales, l'évêque était bien loin de ses fidèles : la taille de certains évêchés comme Poitiers, Bourges ou Narbonne faisait de la visite épiscopale un événement exceptionnel, même lorsque l'évêque accomplissait cette tâche avec sérieux. Il était le seigneur de la ville, l'autorité judiciaire — il déléguait en fait cette tâche à son official. Sa présence spirituelle ne s'exerçait que très indirectement par ce que le prêtre retransmettait dans son prêche des statuts synodaux.

La vieille rivalité de l'évêque et du moine s'atténuait. Car

1. André Vauchez (40), p. 368.

les monastères n'exerçaient plus de vrai encadrement spirituel sur la population environnante. La grande époque des établissements cisterciens s'achevait : un peu partout, les legs en leur faveur diminuaient. La crise de la fortune des milieux chevaleresques, qui étaient leur principale clientèle au siècle précédent, n'explique pas tout. Leur réussite économique les disqualifiait pour représenter les aspirations générales. Les entorses à la règle se multipliant, ils prirent désormais place dans le monde seigneurial, plus honnis peut-être que bien d'autres aux prétentions moins affirmées. Les prestations ridicules et grandiloquentes des moines de Fontfroide face aux prétentions du vicomte de Narbonne, au milieu du siècle, défendant leurs droits sur une mine, croix abbatiale en tête, ne risquaient pas de redorer le blason d'un ordre si compromis avec la croisade des Albigeois. Si quelques établissements semblent conserver un peu de prestige, comme les prémontrés, l'âge monastique est révolu.

2. L'organisation des universités.

D'autres institutions ecclésiastiques prirent le relais, parmi lesquelles les universités. Leur rôle culturel a déjà été abordé ; leur rôle de formation des élites administratives et politiques, aussi. C'est leur organisation progressive qui nous retiendra ici, un exemple parmi d'autres de cette mise en ordre institutionnelle qui caractérise autant d'autres forces sociales que le pouvoir royal.

A bien des égards, l'organisation des universités rappelle celle d'autres métiers urbains et plus largement celle des personnes publiques, corps de villes et communautés villageoises. Comme elles, elles constituent une *universitas*. A Paris : *universitas magistrorum et scolarium Parisiensium*. Leur création se fait suivant des processus différents. A Toulouse, l'université est née toute casquée de la conquête française et de la lutte pontificale contre l'hérésie. A Montpellier, l'université fut d'abord médicale. L'université de droit fut créée plus tard, dans une deuxième génération dont l'institutionnalisation progressive se fait à la fin du siècle.

L'université de Paris a une histoire mieux connue et plus

pittoresque. Elle était à Paris une fédération d'écoles, dominée par les maîtres, beaucoup plus que son homologue bolonaise. Son unité se fit contre l'autorité épiscopale autour de trois revendications principales : le droit de se gouverner suivant des statuts qu'elle se donnerait, la juridiction sur les écoliers et le droit des maîtres à la collation des grades, qui appartenait à un chanoine jugé incompétent. Pour en arriver à leurs fins, les maîtres recoururent à plusieurs reprises, avec une étonnante cohésion, à un exil volontaire. Le soutien de la papauté fut pour beaucoup dans le succès de leur lutte, acquis en 1231. Celui du roi aussi, dans une moindre mesure. En revanche, les relations avec la bourgeoisie parisienne furent difficiles et violentes.

Mise en ordre des études que cette constitution du métier. Les programmes sont obligatoires, les examens — baccalauréat, licence et doctorat — uniformisés, le cours des études réglementé. Les étudiants entraient par la faculté des arts, la plus répandue, et, s'ils allaient jusque-là, terminaient par la faculté de théologie. Entre-temps, on étudiait la médecine ou le droit canon, puisque le droit romain était interdit à Paris, mais enseigné à Orléans et à Angers, et naturellement dans les écoles méridionales. La très importante faculté des arts était subdivisée en nations, structure beaucoup plus vivante que la faculté, car d'elle dépendait l'organisation pratique des examens et de l'enseignement et une part de la vie quotidienne des étudiants.

Pour aider financièrement des étudiants méritants et sans fortune, des collèges avaient été fondés à la fin du XIIe siècle par de riches et pieuses personnes. Petits internats pour un petit nombre de pauvres clercs. Le plus célèbre d'entre eux fut fondé par Robert de Sorbon, maître séculier en théologie et chapelain de Louis IX, pour seize étudiants en théologie. Le mouvement de fondation des collèges est le symptôme de l'intérêt porté aux études universitaires par l'Église et l'élite sociale du royaume. Ce fut la qualité des étudiants et des conditions de travail qui transféra peu à peu vers les collèges le lustre d'un enseignement qui se donnait précédemment, dans le cadre institutionnel de la faculté, mais dans des locaux de fortune, au demeurant fort rares sur cette rive gauche de la Seine, toujours plus densément peuplée.

3. Les ordres mendiants.

Les couvents des ordres mendiants jouèrent un rôle analogue à celui des collèges. L'essor de ces nouveaux ordres est
lié à celui de l'Université, mais il en dépasse largement le
cadre. Les mendiants sont présents dans toutes les villes et
circulent, deux par deux, prêchant dans les bourgades. Seules quelques régions reculées échappent à leur influence.

L'ordre des frères prêcheurs est né, de l'initiative d'un chanoine espagnol, Dominique, dans le royaume de France, au
cœur de l'hérésie cathare. Dès 1207, en Lauragais, il avait
été entendu par quelques femmes de la noblesse locale, de
celles-là même qui avaient reçu avec ferveur le message des
parfaits cathares. Il y avait fondé la première communauté,
celle des dominicaines de Prouille. Puis vint le couvent des
prêcheurs de Toulouse et l'autorisation pontificale de constituer un ordre.

La naissance du mouvement franciscain ne devait rien, en
revanche, à la France, sauf peut-être le prénom de son fondateur, nommé François par son père, un marchand ombrien
qui fréquentait les foires de Champagne. De là sans doute son
fils tenait-il une affection pour la langue et le pays de France,
où il envoya, dès 1219, à Paris, un premier groupe de frères.
S'ils furent plutôt mal reçus par la hiérarchie, qu'inquiétaient
leurs mauvais vêtements et la présence parmi eux de laïcs,
ils s'implantèrent avec succès dans le Sud-Ouest. Le séjour
de saint Antoine de Padoue, dès 1225, marqué par des miracles, en fut l'un des points de départ.

Dès 1275, il y avait dans le royaume plus de 400 couvents
de mendiants, suivant le calcul fait par R.W. Emery. Les
campagnes de construction du couvent de Toulouse, telles
qu'elles ont été mises en lumière par le P. Vicaire montrent
bien les étapes de leur succès. Si la première campagne tient
encore pour beaucoup aux aumônes diverses, c'est le soutien
des notables urbains qui assure le financement de la deuxième,
vers le milieu du siècle, et celui de la hiérarchie ecclésiastique qui soutient la troisième, après 1275.

Leur bonne insertion dans les villes françaises, du Midi
d'abord et, surtout, du Nord ensuite, ne doit pas cacher que

c'est la haute aristocratie et tout particulièrement la famille royale qui ont d'abord soutenu l'implantation des ordres mendiants. Saint Louis fut le protecteur du couvent des mineurs de Paris, et le comte de Flandre, celui de Saint-Omer.

On comprend mieux dès lors l'ambiguïté du rôle des mendiants. Ils ont apporté aux élites une théologie positive, capable de satisfaire leur appétit intellectuel. Ils sont aussi les propagateurs d'une religion qui donne sa place aux laïcs, leur permet de faire leur salut en demeurant des laïcs, s'ils savent échapper aux conformismes et suivre le message du Christ, celui de la nouvelle dévotion à l'incarnation. Il y avait là une parole d'humanisme, d'élan et de charité. Une branche du courant franciscain, celle de Bernard Délicieux et des spirituels, dans les premières années du XIVe siècle, incarne en Languedoc cette pastorale ouverte qui «privilégie la foi vécue plus que l'institution et... prévient le retour de l'hérésie en allant à la rencontre des milieux urbains travaillés par l'angoisse du salut» (J.-L. Biget).

Mais l'autre versant de leur discours est une parole d'ordre, d'un ordre qui s'insère bien dans le projet de la royauté. Cette collaboration se manifeste notamment dans le soutien actif que les uns et les autres, du côté du roi et de celui des mendiants, dominicains surtout, donnèrent à l'Inquisition.

4. *L'Inquisition.*

L'organisation du tribunal d'Inquisition, chargé de poursuivre les hérétiques et d'obtenir leur «réconciliation» avec l'Église, est l'affaire du pape. Mais le tribunal doit avoir recours au bras séculier pour l'exécution des sentences.

Une constitution pontificale de 1184 avait déjà prévu les grandes lignes d'une répression de l'hérésie, selon laquelle les paroissiens devaient dénoncer à l'évêque les hérétiques, les évêques devaient visiter deux fois par an leurs diocèses pour les découvrir, les barons devaient prêter main-forte à l'Église dans ce domaine et les hérétiques perdaient leurs biens. La croisade des Albigeois avait procédé brutalement, brûlant, ainsi au siège de Minerve, ceux qui refusaient d'abjurer. Cette solution barbare était inacceptable ; et également l'inefficacité des mesures légales antérieures.

Une législation se bâtit peu à peu, œuvre des synodes provinciaux et des constitutions pontificales. Elle rencontra le soutien de la royauté, qui la précéda même à certains égards. L'ordonnance de Louis VIII d'avril 1226 indique qu'après le jugement, qui est de la compétence de l'Église, les hérétiques seront frappés du châtiment qu'ils méritent et tous ceux qui leur donneront assistance seront frappés dans leurs biens. Les mesures mises au point au synode de Narbonne, en 1227, sont reprises dans le traité de Paris de 1229, conclu entre la régente Blanche et le comte de Toulouse, par l'entremise du légat pontifical.

Ces mesures soulèvent aujourd'hui l'indignation. On en a retenu les bûchers et les violences incontestables. S'il est vrai que les chroniqueurs de la France du Nord ont été frappés par les massacres de l'inquisiteur Robert le Bougre, qui aboutirent d'ailleurs à sa suspension, l'ensemble des populations semble y avoir été peu sensible. Le Midi constituait une entité à part dans l'organisation inquisitoriale. Les réactions y furent vives aussi : les villes, les unes après les autres, se révoltèrent, mettant en avant que l'existence de ce tribunal était une atteinte à leurs franchises. La résistance la plus violente vint de cette partie de la noblesse qui n'acceptait pas le nouvel ordre royal : de Montségur, un commando, soutenu par des villageois de la région qui participèrent avec joie au complot, pénétra dans le château d'Avignonet, au printemps 1242, et tua les inquisiteurs qui y étaient en tournée. On brûla les registres d'inquisition et on se partagea le butin. Le pays se crut tranquille. Mais si le meurtre de Conrad de Marbourg avait libéré les terres d'Empire de l'Inquisition, il n'en fut rien en Toulousain : pas même une suspension temporaire.

Des protestations, moins sanglantes, vinrent aussi des évêques, lorsque, à partir de 1233, la papauté chargea les Dominicains, puis les Franciscains, de l'« affaire de la foi ». Les évêques étaient en contact trop étroit avec la population pour entamer des poursuites, surtout contre les personnages en vue. Les mendiants étaient indépendants des influences locales.

La collaboration entre réguliers et séculiers ne s'est pas faite.

En fait guère plus que les évêques, les inquisiteurs mendiants n'usèrent de la peine du feu, certainement inférieure à 1% de l'ensemble des peines infligées. Les bûchers, comme celui tristement célèbre de Montségur, en 1244, se rattachent à la tradition des exécutions sommaires, pas au travail de l'Inquisition. Et comme le fait remarquer Y. Dossat, Raimond VII de Toulouse, qui fut l'adversaire de l'Inquisition, fit brûler en un jour, en 1249, deux fois plus de victimes que l'inquisiteur Bernard de Caux pendant sa longue carrière. Ce fut le dernier bûcher de masse et c'est un succès à mettre au compte de ce tribunal, qui ne chercha pas à faire répandre la terreur par des exécutions spectaculaires.

Si l'on veut bien les analyser dans le contexte de l'époque, elles participent de cet effort d'ordre et de réglementation qui anime l'entourage royal et certains membres du clergé, théologiens et juristes. Au lendemain du retour de Raimond VII à Toulouse, le légat pontifical y réunissait un synode qui n'autorisait la condamnation de l'hérétique qu'après un jugement. Le tribunal d'Inquisition s'organisait peu à peu. Comme les autres juridictions méridionales, les règles de procédure se fixèrent, subissant l'influence du droit romain, pour l'audition des témoins aussi bien que les pénalités. L'évolution est rapide après 1250. L'influence de Guy Foucois fut sans doute déterminante, celle d'Alphonse de Poitiers aussi peut-être ; vers 1260, les juges de l'Inquisition avaient dominé toutes les difficultés de la nouvelle procédure.

Le «temps de grâce» d'un mois suivait l'arrivée des inquisiteurs : ceux qui se dénonçaient ne subissaient qu'une peine légère, sauf les hérétiques notoires qui cependant évitaient ainsi la prison perpétuelle. Ensuite commençait le procès, interrogatoire du suspect et des témoins : de ceux-ci les noms restaient secrets. La torture fut autorisée en 1252; elle est rarement mentionnée dans les registres, ce qui ne prouve pas qu'elle fut rarement utilisée. Le tribunal comportait un jury de quelques «prud'hommes», devant qui l'acte d'accusation était lu et dont les juges semblent souvent avoir adouci les arrêts. Venait enfin le jour de la sentence : beaucoup de pèlerinages et de ports de croix d'infamie, en assez grand nombre aussi la prison perpétuelle, le sinistre «mur» de Carcassonne. Sermon, abjurations, prières.

Efficace? Modérément. Moins que la prospérité de la région, moins que les nouveaux courants de l'Église et que les mutations politiques, qui, au début du XIVe siècle, ont réduit l'anticléricalisme des élites urbaines, les piliers du catharisme.

5. *Les juifs dans l'ordre royal et religieux.*

Dans cet effort conjoint du roi et d'une partie du clergé pour établir un nouvel ordre moral et religieux, les pouvoirs des uns et des autres se sont aussi rejoints dans une même et récente haine des juifs. Saint Louis «avait en abhorration les juifs odieux». Vers 1170, le climat s'était dégradé entre juifs et chrétiens, non sans influence du discours ecclésiastique, auquel la population n'avait jusque-là prêté que peu d'attention. A partir du règne de Philippe Auguste, des mesures vexatoires furent introduites et des expulsions alternèrent avec des rappels, jusqu'au bannissement avec saisie des biens et destruction des édifices religieux, prononcé par Philippe le Bel.

Lutte contre le prosélytisme des juifs? C'est le prétexte avoué. S'il est vrai que les penseurs juifs, peut-être moins brillants au demeurant qu'au siècle précédent, constituaient des milieux aux échanges féconds avec les chrétiens, en Champagne, à Narbonne et à Montpellier, notamment, l'argument semble faible. Leur minorité est intolérable à cette idéologie de l'unicité de la vérité. Les clercs de l'Université convainquirent le roi, en 1240, d'organiser une controverse au palais royal opposant rabbins et théologiens. Le résultat était acquis! En 1242 fut ordonnée la destruction de tous les livres talmudiques, parce qu'ils étaient remplis, au dire des théologiens, d'injures et de blasphèmes à l'égard du Christ. Le temps de la controverse sans violence comme l'avait organisée jadis Pierre le Vénérable était bien mort.

La vie des juifs devint très difficile dans le royaume. Mais beaucoup plus du fait des populations que de l'efficacité de la législation, beaucoup plus dans le Nord que dans le Midi.

6. *L'Église, les clercs et le roi.*

La collaboration était loin d'être parfaite entre le clergé et le pouvoir royal. Sans doute est-elle manifeste pour la croisade comme pour l'extirpation de l'hérésie. Et le cérémonial du sacre exprime la forte alliance du trône et de l'autel. De cette utilité réciproque, Philippe Auguste aurait eu grande conscience, à qui l'on prête, sur son lit de mort, ces paroles à son fils : « Je te demande d'honorer Dieu et la Sainte Église, comme je l'ai fait. J'en ai retiré une grande utilité et tu en obtiendras aussi une grande. » Dans l'enseignement de Saint Louis à son fils, nulle trace d'anticléricalisme, mais Dieu avant l'Église et l'autorité du roi au plus haut.

De l'Église, le roi tire de grands revenus. La régale lui donne les revenus de tout évêché vacant et le droit de désigner les titulaires de certains évêchés. De nombreux subsides extraordinaires constituent l'une des pommes de discorde entre l'Église et le roi.

Au vrai, l'Église est loin d'être un monolithe. Non seulement il y a loin du petit clerc à l'évêque, du frère mendiant au prélat, mais il ne faut pas confondre papauté et Église. Les évêques français tiennent des conciles « nationaux » qui donnent une cohésion nouvelle à l'Église gallicane. En 1263, les évêques français rejettent la demande du pape d'un subside pour la Terre sainte, refusant le principe de la taxation de leur bénéfice par le Saint-Siège.

A cette date, le pape est pourtant d'origine champenoise, comme seront « français » certains de ses successeurs, ce qui ne signifie d'ailleurs pas alignement de la politique pontificale sur celle du roi. Mais le conflit est moins vif qu'il n'a été avec Innocent IV. Saint Louis n'avait pas apprécié l'acharnement du pontife contre l'empereur ; moins encore son installation à Lyon, trop près du royaume, au plus fort d'un conflit dans lequel il ne souhaitait pas intervenir. Mais, outre l'hostilité spécifique qu'il nourrissait à l'égard de ce pape, il participait de cette critique générale contre la richesse de la cour pontificale. Et son gallicanisme s'exprimait aussi lorsqu'il reprochait au pape de désigner des « étrangers » à des bénéfices français. Il y avait derrière ces protestations contre la cupidité de l'Église un idéal, mais aussi une véritable rivalité : la fiscalité pontificale ponctionnait des revenus dont la couronne souhaitait tirer elle-même des subsides.

Les rapports des rois avec le corps épiscopal furent complexes. L'idée qu'il avait été domestiqué par Philippe Auguste n'est plus de mise aujourd'hui. Sans doute les rapports sont-ils plus étroits avec Louis IX, dont l'intervention dans les désignations est peu discrète. Mais ils n'excluent pas des tensions, alimentées par des conflits de juridiction et l'usage immodéré que font certains prélats de l'excommunication pour des affaires bassement temporelles. Les tribunaux ecclésiastiques revendiquaient toutes les affaires touchant aux clercs et assimilés ou aux biens de l'Église ; ils réduisaient d'autant les revenus des justices laïques, royales et baronniales et le pouvoir des officiers qui y jugeaient. Le roi soutint les barons dans leurs protestations. Et si le parlement donnait parfois tort aux officiers royaux coupables d'empiétements sur les seigneuries ecclésiastiques, ils n'en souffraient pas dans leur carrière !

Un anticléricalisme régnait largement dans de nombreuses strates de la société. Et Louis IX le savait bien, qui écrivait à son fils : « Ne sois pas trop disposé à croire ce qu'on te dira contre les personnes de la sainte Église. » Sans l'envenimer, le pouvoir royal en a joué. Les barons comme les populations urbaines et rurales ont d'autant mieux accepté les progrès de la centralisation royale que, localement, les officiers royaux jouaient avec eux à cantonner les prétentions de la hiérarchie ecclésiastique.

Entre le pouvoir royal et celui du pape, la hiérarchie ecclésiastique vit des jours assez calmes dans la France du XIIIᵉ siècle. Comme le roi et les barons, elle s'équipe d'un personnel compétent qui administre de mieux en mieux terres et revenus divers. Localement, sa situation est facile. Mais le temps n'est plus où elle représentait l'appui majeur du roi dans son royaume et une grande puissance politique. Les nouveaux ordres mendiants et l'Inquisition constituent la force neuve qui collabore avec le roi pour l'établissement d'un nouvel ordre moral et politique. Les prélats n'ont guère d'autre solution que de s'y rallier.

4. L'esprit municipal : villes et villages

L'esprit d'organisation qui se manifeste dans le gouvernement des principautés et les seigneuries du clergé n'épargne pas l'ensemble de la population ou du moins de ses élites. Partout, dans les villes et les villages, s'ébauchent ou évoluent des formes de représentation ou de gestion communes.

1. L'administration urbaine.

L'idée d'autonomie urbaine évoque traditionnellement la commune et le métier : deux clichés qui, en tout cas, s'adaptent mal à la réalité du XIIIe siècle. Du second, il a déjà été fait mention, pour signaler qu'il n'est ni général ni surtout répandu avant la fin du XIIIe siècle : il appartient pour l'essentiel à une conjoncture socio-politique et administrative postérieure au temps de Louis IX. Pour la commune, c'est l'inverse : le problème de l'administration de la ville ne se pose plus dans ces termes, qui appartiennent au siècle précédent.

En effet, dans les villes, l'autonomie administrative n'est pas neuve : les documents écrits la racontent déjà au XIIe siècle. Elles en racontent l'enfantement dans des termes de violence et de passions, exceptionnels sans doute même au XIIe siècle, mais qui n'ont plus cours au XIIIe. Sans doute la commune et son serment mutuel continuent d'avoir une valeur symbolique très forte ; toujours honnis du monde seigneurial, surtout ecclésiastique ; toujours chéris des villes qui ont obtenu ce privilège et le conservent jalousement pendant le XIIIe siècle. Pourtant, le degré de liberté de la ville ne tient pas, au XIIIe siècle moins qu'avant encore, à l'existence de la *conjuratio*.

La réflexion savante du XIIIe siècle, nourrie par les canonistes et dans les chapitres, envahit peu à peu les actes de la pratique. Elle substitue à la commune la notion d'*universi-*

tas, une communauté dotée d'une personnalité morale. Les signes de cette personnalité se précisent : le sceau, les archives contenues dans le coffre *(arca)*, puis la cloche, la halle, la maison commune.

Même si l'on continue à copier les modèles d'autrefois, celui de Rouen dans l'Ouest, par exemple, le contenu des franchises évolue. Dans un siècle aussi légaliste, où tant de tribunaux utilisent les services de juristes, la lutte contre l'arbitraire judiciaire du seigneur a moins de sens. L'allégement de la fiscalité et la liberté individuelle demeurent au premier rang des revendications. Mais la conduite de la ville devient de plus en plus affaire d'économie et de finance. Obtenir marchés ou foires pour les bourgades qui n'en ont pas encore, faciliter les relations marchandes des plus grandes, construire et reconstruire sans cesse les ponts, entretenir, plus ou moins bien, les remparts, plus tard ravitailler la ville en eau : telles sont les tâches qui deviennent le souci quotidien des édiles.

2. Les villes et le roi.

Dès le règne de Philippe Auguste, plus nettement sous Louis IX, le roi se décharge de toute une partie de son travail d'administration sur les villes. Les structures de l'administration royale sont urbaines : le bailli et le maire voisinent. L'un et l'autre font appel aux services des mêmes techniciens du droit. Par-delà les chamailleries d'usage, la ville accepte que le roi, comme les autres seigneurs, se décharge sur elle de bien des soucis, notamment financiers, tels que la levée des tailles locales et des subsides extraordinaires. D'une alliance politique et d'un soutien militaire on passe à une collaboration administrative et financière.

Sans doute l'appui que les villes ont apporté au roi dans les périodes difficiles est-il encore tout à fait présent dans les esprits. Louis IX sait que la force du roi tient, dans l'esprit des étrangers et des barons, à celle des villes du royaume. Ne sont pas oubliées les milices urbaines de Bouvines, par exemple, ni Philippe II, qui s'adressait aux citoyens des villes comme à ses «amis et fidèles».

Il faut respecter les libertés des villes, dans leur diversité :

le précepte est souvent affirmé dans le discours des rois. Mais il faut aussi les contrôler. Le contrôle commence par la liste des communes que fait dresser Philippe Auguste. Il se prolonge avec l'ordonnance de 1256, par laquelle Louis IX cherche à régulariser l'administration des communes, notamment en leur enjoignant de rendre les comptes de leurs recettes et de leurs dépenses, à Paris, au cours du mois de novembre suivant. Pas plus que les autres, elle ne fut exécutée avec empressement. Les villes gardaient encore leur marge de manœuvre.

A condition, toutefois, de fournir de substantielles aides financières au roi. Le pouvoir royal a-t-il confisqué les libertés urbaines ? Encore faudrait-il que les villes aient voulu résister. Ici ou là, dans le Midi surtout, on entend quelques plaintes. Pour une révolte à Carcassonne, combien de villes qui acceptent aisément la nouvelle situation ?

Les gouvernements urbains semblaient pourtant être les plus visés par la politique royale. Philippe de Beaumanoir s'en fait le théoricien, dans les *Coutumes du Beauvaisis*, soutenant longuement que tout seigneur, et le roi en particulier, doit vérifier l'action du maire en sorte qu'il ne porte pas préjudice aux pauvres. C'est pourtant une alliance entre les officiers royaux et les notables urbains qui se met en place, surtout dans les cités qui dépendent encore en partie du pouvoir épiscopal : ainsi en va-t-il à Albi aux premiers temps du règne de Philippe le Bel[1].

3. *Progrès et déviances du gouvernement municipal.*

Si l'on en juge d'après Beaumanoir, il y avait bien lieu de s'inquiéter du gouvernement des villes : comptes douteux, gestion prodigue, conflits répétés, pouvoir confisqué. Pourtant, au même moment, les progrès théoriques affinent les formes de délégation des pouvoirs et les moyens de gestion. Bien rares sont les villes qui ne choisissent pas leur maire. On sait que les fonctions doivent être annuelles, ne pas appartenir aux mêmes groupes de cousins. D'Avignon à Dijon, on

---

1. Jean-Louis Biget (74).

commence à savoir voter, non plus seulement par acclamations, mais un par un, en utilisant des jetons, et en vérifiant les suffrages. Si le vote n'était pas secret, du moins le principe de l'élection était-il connu et retenu. On n'écrit guère encore la gestion municipale : les registres de délibération du conseil sont des documents d'un XIVᵉ siècle avancé. Seules les principales villes ont conservé leurs comptes dans les dernières années du XIIIᵉ siècle, mais elles avaient toutes un comptable. Tout un personnel municipal est appointé pour surveiller les marchés, les transactions, les rues et le terroir de la ville.

Les moyens d'une gestion solide existent, mais les enjeux sont trop grands. Enjeux de pur pouvoir que des familles rivales se disputent. Enjeux financiers. Le mode d'imposition est au cœur des conflits urbains dès le XIIIᵉ siècle. Toulouse établit dès les années 1263 le système des estimes, ces registres où figurent les biens meubles et immeubles des citoyens de la ville et qui permettent de calculer l'impôt au prorata de la fortune de chacun. C'est ce même principe d'une imposition proportionnelle qui est prôné par Beaumanoir. Ce n'est pas celui qui a le cœur des riches. Mieux vaut calculer à tant par feu ! Ou, mieux encore, si la charge risque de paraître inacceptable, endetter la ville.

D'où la nécessité de conserver le pouvoir à une oligarchie qui décide du mode d'imposition. Elle seule, d'ailleurs, a le répondant nécessaire, les amitiés utiles, l'autorité naturelle ! Les «pauvres ne savent pas bien plaider leur cause autrement qu'en assaillant les autres», écrit Beaumanoir. Il fallut renoncer aux élections pour éviter les rixes et désigner par cooptation le conseil chargé d'élire le maire. Dans d'autres villes, le droit de vote semble avoir été d'emblée restreint à une minorité d'habitants de vieille souche ou aux propriétaires d'un bien suffisant.

Si les conflits fiscaux entre pauvres et riches commencent à se faire plus vifs et plus fréquents dans les villes des années 1250-1280, la communauté retrouve son unanimité devant l'évasion fiscale que pratiquent les seigneurs, essentiellement les établissements ecclésiastiques qui renâclent à prendre leur part des investissements urbains. Au moins dans le Midi, l'anticléricalisme s'entretient par ce chemin et restreint les failles du tissu social.

Le patriciat est donc maître d'un gouvernement urbain dont l'efficacité ne doit pas être sous-estimée, malgré ses faiblesses financières. Il s'est imposé aux autorités seigneuriales et s'est allié au roi. Appuyé sur des franchises formellement incontestées, il est encore maître d'une grande partie du terrain. Mais ces gouvernements ont joué un rôle essentiel dans la pénétration profonde de l'État qui se construisait et, en même temps que les officiers du roi, ils ont créé le modèle des «bonnes villes» qui fleurit à l'époque suivante.

4. Au village aussi la communauté s'institutionnalise.

A l'échelon des villages, le phénomène est mal connu, relégué à l'arrière-plan par le brillant de la ville. Les cellules sont assez petites pour n'avoir pas encore besoin d'un recours massif à l'écrit pour la transmission des ordres. C'est peu à peu la nécessité d'une mémoire des chiffres et la pression des pouvoirs englobants, aux exigences fiscales plus insistantes, sinon plus lourdes, qui les conduisit à leur tour à cet usage. Comme à la ville, la rédaction des chartes de franchises, qui commence au siècle précédent et s'achève au cours du XIIIᵉ siècle, en est le premier signe : presque tout le royaume participe à cette mise par écrit des droits du seigneur et de ceux de la communauté. Certaines chartes ne sont que rédaction d'usages anciens, les autres comportent des allégements de la fiscalité seigneuriale que les seigneurs vendent cher.

En Provence et en Languedoc, la présence d'un notaire au moins dans chaque village dès le début du siècle fait avancer rapidement, non pas tant le recours exceptionnel à l'écrit qu'est la charte que sa pratique quotidienne, administrative. Les premières archives communales datent, en Bas-Languedoc, des années 1250. «Archives» signifie un coffre pour les conserver, c'est-à-dire, plus ou moins officiellement, que la communauté acquiert une personnalité morale. Même dans les bourgades méridionales, derrière l'organisation de la communauté, se profile une réflexion savante sur la représentation des collectivités et les règles de la majorité. A l'extrême fin de la période, un compte rendu de l'élection de leurs représentants; qu'elles nomment pompeusement consuls comme dans les villes voisines, est rédigé, qui fait allusion à la décision majoritaire de la *sanior et melior pars* du village, la meilleure partie de la population.

Toutefois, hors de la pratique de l'écrit, la plupart des régions actives du royaume connaissent cet embryon de pouvoir communal. Comme dans les villes, les besoins du seigneur y conduisent : la levée et l'assiette de l'impôt seigneurial, la taille, se font mieux si les « prud'hommes » du village en ont la responsabilité. Et, non seulement dans cette collaboration avec le seigneur, mais aussi dans la défense de leurs droits propres, les villages fabriquent des moyens de s'exprimer collectivement. Ils en confient intuitivement la responsabilité à quelques-uns d'entre eux en qui ils mettent leur confiance, ou ils la délèguent au curé de leur paroisse.

5. Solidarités et turbulences

Le bon temps du roi Saint Louis est devenu plus tard, sous ses successeurs, le symbole d'une époque où les pauvres trouvaient l'oreille du pouvoir et leur rang dans la société ; une sorte d'époque consensuelle où la société ne connaissait pas de crispation. S'il est vrai que les organismes d'entraide sont plus nombreux et plus efficaces, quelques crises révèlent que tous ne trouvent pas leur place ni la satisfaction de leurs aspirations dans l'ordre moral et social qui s'établit.

1. Piété collective et aumône :
un réseau associatif plus dense.

L'organisation civile qui se met en place dans les villes et les villages a, pour une part, ses racines dans les institutions collectives de piété ou d'entraide que les paroissiens ont bâties. Dans les régions méridionales, elles ont vite débouché sur des structures laïques, tandis qu'elles ont continué à dépendre de l'encadrement religieux dans le Nord.

Au cœur de la piété collective, la fabrique ou œuvre de

l'église : elle entretient le bâtiment paroissial, prépare et finance les opérations d'embellissement ou d'agrandissement de l'église paroissiale. Même si les autorités religieuses interdisent l'usage de l'église ou du cimetière pour abriter des activités profanes, marchés ou autres, ce lieu garde vigoureusement sa qualité d'espace commun.

Les confréries ou charités ou luminaires : tous ces noms recouvrent, d'une région à l'autre, des réalités peu différentes où se manifeste le désir d'exprimer les solidarités sociales, celles du métier ou du voisinage principalement. La hiérarchie ecclésiastique s'en méfie; elle y retrouve ce vieil usage du banquet annuel commun, déjà condamné à l'époque carolingienne, banquet qui choque par sa convivialité débordante les exigences de retenue des prélats. Les risques de particularisme et de concurrence inquiètent aussi devant la multiplication des confréries. Le concile de Bordeaux de 1255 décide donc d'en réglementer l'existence : les unes légitimées, les autres interdites si leur but paraît trop loin du strict désir d'exercer ensemble la piété des confrères. Dans ces confréries ou dans d'autres institutions indépendantes s'organise la charité commune : pour distribuer du drap, du pain, de l'argent à ceux qui sont dans le besoin.

Les hôpitaux abritent les indigents plus qu'ils ne les soignent. Depuis la fin du XIIe siècle, il s'en est créé un grand nombre. Quelques établissements, contrôlés par l'Église, comptent plusieurs dizaines de places dans une salle commune où sont aménagés les grands lits en usage à cette époque (il y avait deux cents lits à Compiègne, en 1264), mais la plupart sont installés dans une maison ordinaire, où un couple, aidé de quelques serviteurs, s'occupent d'une petite exploitation agricole et de quelques personnes tombées dans la misère.

Même si leurs buts est d'abriter les lépreux en les séparant du reste de la population, les maladreries fonctionnent suivant le même principe de la gestion collective.

Si l'Église institutionnelle continue de gérer nombre d'hôpitaux et d'entreprises d'aumône, les organismes émanant de la population elle-même prolifèrent à partir du milieu du XIIe siècle, toujours plus nombreux au cours du XIIIe. Gérés par les notables de la paroisse, alimentés parfois par des cotisations proportionnelles à la fortune de chacun, comme dans le Rouergue, plus souvent par les legs des seigneurs locaux et des paroissiens, ils constituent un circuit, bref et efficace, de solidarité et le laboratoire où les laïcs se sont essayés à la gestion de biens communs.

Ces associations de piété et d'entraide sont souvent considérées comme un fait urbain. Elles y ont peut-être été plus précoces et plus nombreuses, à moins que notre documentation, plus loquace en matière urbaine, ne nous trompe. Au XIIIᵉ siècle, en tout cas, elles ont gagné les villages gonflés par l'accroissement démographique.

Ici aussi l'entraide, jusque-là diffuse et improvisée, s'organise et, semble-t-il, gagne en efficacité. A la fin du siècle, où le nombre des pauvres a sans doute augmenté depuis peu, on évalue à un quart de la population le nombre des assistés. A Toulouse, au milieu du XIIIᵉ siècle, pour 30 000 habitants au grand maximum, il y avait 15 hôpitaux et 7 léproseries, sans compter les institutions dépendant de l'Église. C'est un réseau plus actif, semble-t-il, que deux siècles plus tard.

2. Un tissu familial solide.

Cette entraide double, sans en diminuer la portée, des solidarités familiales qui restent très fortes. L'orphelin est pris en charge par ses oncles et tantes. Les prêts d'argent et de subsistances sont constants dans la proche famille. Entre parents et enfants, l'affection passe au sein de la cellule conjugale qui est la règle. Celle des mères pour leurs enfants : les *exempla* sont là pour nous montrer combien la mort de l'enfant est l'expression même du Mal qui révolte ou abat. L'apprentissage se fait au sein de la famille pour la plupart des jeunes non nobles. Et les coups qui pleuvent entre mari et femme, entre parents et enfants, entre apprentis et patrons sont l'expression de l'autorité du père de famille, une autorité qui n'exclut pas la femme de sa part dans les décisions et la stratégie familiales. L'*oustal,* la maison de Montaillou, abrite ces rôles distincts, mais complémentaires, du père et de la mère.

3. Mélanges des groupes et antagonismes sociaux.

Le mélange des strates et des groupes sociaux est encore la règle. Beaucoup plus que par la suite, pauvres et riches se rencontrent et se côtoient. A la ville, dans la confrérie et le voisinage. A la campagne non plus, la ségrégation n'est pas la règle : si de hauts barons vivent à l'écart dans leur château, si nombre de seigneurs élèvent des maisons fortes à distance des paysans, beaucoup vivent encore parmi les villageois, à l'instar de Béatrice de Planissoles qui pérégrine et bavarde avec les Montalionaises. Pourtant, l'écart culturel se creuse entre une élite qui participe au pouvoir, avec les structures intellectuelles qu'il suppose, une autre perception de l'espace, du temps, des moyens d'action, et la masse de la population, hommes et femmes également illettrés. De cette fracture, les mouvements messianiques qui perdurent au XIIIe siècle révèlent la gravité, dans un siècle où la disette ne peut pas expliquer le besoin de chercher un ailleurs.

Foulques de Neuilly, en 1198, fut suivi dans son projet de croisade par une foule drainée par sa réputation de thaumaturge. En 1212, plusieurs armées d'enfants se mirent en route vers Jérusalem, la plus grosse dans la vallée du Rhin, une autre en France, conduite par un jouvenceau. Dès lors s'installe un risque permanent de ces migrations incertaines et incontrôlables, qui culmine avec l'affaire de Baudouin de Flandre, en 1224-1225 et, une génération plus tard, les premières croisades des pastoureaux.

– Le faux comte Baudouin.

Le comte de Flandre Baudouin avait été fait empereur de Constantinople au lendemain de la quatrième croisade; un an après, fait prisonnier et mis à mort par les Bulgares. Sa fille Jeanne lui succéda, qui dut accepter à la suite de Bouvines et de la défaite de son mari, le comte Ferrand, fait prisonnier, la domination effective de Philippe Auguste. A la mort de Philippe Auguste, la situation se fit instable en Flandre, l'occasion idéale pour que reparût le vieux mythe du prince disparu. Baudouin, disait-on, n'était pas mort, mais faisait pénitence et il reparaîtrait pour libérer les Flandres.

De fait, entre Tournai et Valenciennes, on aperçut un ermite qui avait l'imposante taille du vieux comte. S'inventa-t-il lui-même ce rôle ou l'accepta-t-il ? Pendant un an, il avait parfait sa pénitence, se constituant une cour secrète de conseillers et de nobles qui venaient le visiter. Des foules immenses, en état de grande exaltation, vinrent le chercher de Valenciennes pour le ramener à cheval, drapé dans une robe d'écarlate. Innocence de ces foules de paysans et d'ouvriers de l'artisanat textile ? Ruse des dirigeants de la résistance flamande qui avait besoin d'un chef charismatique, plus encore que le roi de France ?

Cependant, ni la comtesse, dont on faisait une fille indigne, ni son entourage ne partageaient cet enthousiasme. Louis VIII le fit venir à sa cour, à Péronne : il ne put répondre à certaines questions et fut identifié comme Bertrand de Ray, un Bourguignon d'origine servile, ménestrel à la croisade, connu pour ses talents de charlatan. Malgré la violence du mouvement populaire qui s'installa à Valenciennes pour le défendre, il ne put échapper au roi de France et fut pendu à Lille.

— *Les premiers pastoureaux.*

C'est un autre vieillard ascétique qui, en 1251, mit en branle le premier mouvement de pastoureaux. Faite de bergers, garçons et filles, qui abandonnaient leur famille, leur troupe s'ébranla de Picardie. Le vieil homme s'en prenait au clergé, à la hiérarchie tout aussi bien qu'aux ordres mendiants, aux sacrements qu'il fallait mépriser. Aux nobles, aussi, qui restaient dans leurs châteaux au lieu d'aller en croisade avec le roi. Bizarre mélange d'innocence et de violences : aux bergers se joignirent une masse de marginaux de tout poil et l'on se groupait sous des étendards représentant l'apparition miraculeuse de la Vierge, armés de fourches et d'épieux. Les dons affluaient ; s'ils ne venaient pas, la force était justifiée pour nourrir les nouveaux croisés.

Peur et admiration : les villes s'ouvrirent aux pastoureaux. La régente Blanche, en l'absence du roi en Orient, leur fit de grands cadeaux, peut-être afin de leur faire quitter Paris. A Orléans, à Tours, à Bourges se renouvelèrent l'accueil des bourgeois et les violences contre le clergé : étudiants, pro-

fesseurs, franciscains et dominicains. Les juifs étaient aussi
la cible de cette fureur, dont le succès montre les fantasmes
haineux cachés dans la population. C'est après les incidents
de Bourges que la régente les proclama hors la loi. Un grand
nombre quitta alors la troupe. Les autres finirent massacrés,
à Marseille, à Bordeaux et même en Angleterre.

Dans l'analyse qu'il a donnée de ces mouvements, Norman Cohn a souligné l'explosion des pauvres contre les riches,
bourgeois et nobles, explosion qui se répète avec une fréquence accrue dans les années suivantes. Si les jeunes adolescents et adultes quittent leur famille avec une légèreté
d'esprit qui surprit, on ne voit pas se profiler dans ce mouvement de conflits de générations : le vieil homme, ascétique et illuminé, jouit d'une confiance aveugle. En revanche,
les ressentiments régionaux sont déterminants (s'ils sont vifs
en Flandre, on en trouverait des signes ailleurs, en Toulousain par exemple) ; les aigreurs des nobles ; l'anticléricalisme
général, qui vise, au milieu du siècle, les mendiants comme
les autres réguliers et séculiers, et la papauté plus encore. Toutes animosités qui ne s'expriment que par bouffées de violence, mais constituent l'une des composantes du climat social
de ce beau XIIIᵉ siècle !

4. Turbulences universitaires.

– L'émancipation de l'Université (1200-1231).

Sous des formes moins violentes et pour des raisons moins
naïves, il est un milieu qui constitue une source presque per-
manente de soucis et d'agitation pour le pouvoir : celui de
l'Université. On pourra s'étonner que cette pépinière de
talents administratifs, cette serre où l'on élevait les futurs
théologiens ait été un lieu d'indiscipline. Agité, certes, mais
souhaité par un pouvoir royal qui manifeste de la bienveil-
lance à de nombreuses reprises.

Le milieu est turbulent. Depuis les goliards du siècle précédent, il demeure chez les écoliers une contestation de l'ordre
établi. Mépris du rustre, du combattant, de tous ceux qui ne
sont pas lettrés, mépris qui tient du sentiment de sa propre
valeur et de la difficulté à être reconnu par les autres groupes

sociaux. On affiche un certain immoralisme, une légèreté, le goût de la boisson. Jeunesse dorée ou vagabondage intellectuel du clerc épris de nouveauté? L'entassement des étudiants dans des villes où l'enseignement se développe rapidement, la difficulté à se loger, le coût des études, leur durée qui retarde l'insertion dans la vie au milieu de sa classe d'âge, autant de facteurs qui avivent la promptitude des gestes et des protestations.

La rixe après boire à la taverne est de tous les milieux, à cette époque. Elle dégénère parfois gravement quand elle oppose les étudiants aux bourgeois. Même à Toulouse, où, pourtant, l'université a été créée pour être un centre d'orthodoxie dans cette ville rongée par l'hérésie, les étudiants inquiètent. Même à Orléans : en 1236, une émeute étudiante se termina par des morts, parmi lesquels des jeunes gens appartenant aux meilleures familles baronniales, qui les y avaient envoyés étudier le droit.

A Paris, les écoles, fort nombreuses et fort brillantes, avaient deux ennemis : l'un, le chapitre cathédral, qu'elles affrontaient dans un cadre institutionnel, celui de leur indépendance dont elles voulaient obtenir la reconnaissance. L'autre, la police du roi : déjà, en 1200, elle avait tué cinq étudiants après une rixe, et maîtres et étudiants réunis avaient fait corps, menaçant de quitter la ville.

D'année en année, de conflit en conflit, ce regroupement des maîtres parisiens privés et de leurs élèves trouva le soutien du pape Innocent III. Il n'empêcha pas la plus grave crise qui les opposa à l'évêque et à la régente, en 1229. Maîtres et élèves se dispersèrent volontairement : de là date le grand essor des écoles d'Angers et d'Orléans, qui en reçurent plusieurs. Le retour à Paris se fit deux ans plus tard, avec une bulle pontificale qui renforçait leur autonomie et leur donnait le droit de grève. De cette époque commence la série des statuts qui vont peu à peu transformer cette association de défense et d'entraide en une machine à former des esprits.

Paradoxe apparent que cette lutte constante pendant les trente premières années du siècle pour aboutir à des statuts qui réglementent un métier, un parmi d'autres ; que cette association entre l'audace des idées et des comportements et la rigueur des examens, le poids des maîtres dans l'institution, une tendance certaine au monopole.

— Une guerre civile dans l'Université : séculiers contre mendiants.

Dès leur naissance, les dominicains se voulurent théologiens et entrèrent en contact avec les maîtres des grandes écoles, à Paris comme à Bologne. Les franciscains suivirent plus ou moins ce chemin. La séduction l'emporta d'abord : de nombreux maîtres et étudiants prirent l'habit de ces nouveaux ordres. Mais la rapidité de leur développement retourna l'opinion des séculiers, surtout lorsqu'en 1229 ils ne participèrent pas à la dispersion des écoles hors de Paris : on découvrit qu'ils n'appartenaient pas vraiment à l'institution. La gratuité de l'enseignement dispensé par les mendiants avivait la concurrence.

Le conflit couvait : l'Université décida en 1252 que chaque centre d'études, chaque *studium*, ne pourrait plus disposer que d'une chaire de théologie. C'était supprimer une des deux chaires tenues par les Dominicains. En 1253, nouvelle rixe entre sergents et étudiants : l'un d'eux est tué. Grève. Les Dominicains refusèrent à nouveau de s'y associer.

La guerre fut menée par un maître séculier, Guillaume de Saint-Amour, aux talents de polémiste, soutenu par la plupart des maîtres et des étudiants parisiens. Victoire sur le terrain de la théologie, sur celui de la valeur de la pauvreté. Le pape Innocent IV semble les suivre. Mais cette victoire est éphémère ; malgré les rebondissements successifs de la crise, les mendiants, soutenus par le nouveau pape et Louis IX, de retour de croisade, l'emportent. Les maîtres séculiers avaient surestimé leur liberté à l'égard de la papauté et de la royauté.

Les soutiens dont les maîtres disposèrent dans le clergé y révèlent la vigueur des lignes de fracture. Jean de Meung a fait du personnage du *Roman de la Rose* Faux-Semblant un mendiant ; cette accusation d'hypocrisie est des plus fréquentes, des pastoureaux à leurs victimes, les clercs des universités.

Cette crise universitaire eut un retentissement politique. Louis IX avait des amis parmi les maîtres séculiers. Robert de Sorbon, fondateur d'un collège pour pauvres clercs, col-

lège qui, plus tard, porta son nom (Sorbonne), est l'un de
ses commensaux. Mais sa faveur pour les mendiants est si
bien connue qu'elle lui valut l'animosité de tous les oppo-
sants. Le plus célèbre actuellement, le poète Rutebeuf, égra-
tigne le roi qui laisse prendre tant d'importance aux « frères »
dans le royaume.

5. *Les polémiques contre le pouvoir royal*

La crise universitaire révèle une opposition à l'orientation
que Louis IX donne au pouvoir royal. C'est la conjonction
du pouvoir royal croissant et de la politique dévote de
Louis IX qui est en cause.

Les barons ne suivaient pas le roi sans rechigner. Le procès d'Enguerran de Coucy avait fait grand bruit. Il avait fait
pendre sans autre forme de procès trois jeune nobles flamands
qui avaient chassé dans son défens ; puis, récusant la compétence du parlement, il demanda à être jugé par les pairs du
royaume. On le lui refusa, mais il fut déféré devant une cour
en parlement spécialement garnie de barons. A une suspension d'audience demandée par Enguerran, la plupart quittèrent la salle avec lui. Ils demandaient le gage de bataille au
lieu d'une procédure inquisitoire, jugée indigne de la noblesse
d'Enguerran ; l'enquête eut lieu pourtant, Enguerran fut
emprisonné au Louvre, puis puni d'une lourde amende et de
la promesse de partir combattre les infidèles en Terre sainte.

Irritation devant ces mesures d'autorité du roi. Agacement
devant les restitutions faites à l'Angleterre et à l'Aragon.
Incompréhension devant un roi qui s'habille de pauvres vêtements, qui ne conduit plus la guerre, qui ne tient donc pas
son rang.

Conclusion

Il y eut donc une forme d'opposition à Saint Louis. A celle
des clercs qui acceptent mal le soutien donné aux ordres men-

diants s'adjoint celle des barons ; puis celle de villes, qui
s'expriment moins vivement, mais renâclent lorsqu'il faut
soutenir les efforts de croisade du roi. Elle est plutôt de l'ordre
de la protestation que d'une opposition durable et agissante.
Ce n'est plus celle, franche, de l'affrontement militaire ou
diplomatique qui avait cours au début du siècle. Elle est désormais absorbée dans le royaume, dans des cercles qui ne sont
pas très loin du pouvoir, mais ne paraissent pas pour l'heure
dangereux. Et, sauf en Flandre ou en Languedoc, elle ne
prend jamais, dans les larges couches de la population,
l'aspect d'une mise en doute de la légitimité et de la gloire
des Capétiens.

L'image dominante de la France d'entre Philippe Auguste
et Saint Louis est cependant celle d'une collection de pouvoirs qui se construisent, rivalisent et s'entraident. Il n'y
aurait pas d'édification de l'État sans ce travail en profondeur jusqu'aux villages. Rivalités, jeux de cache-cache entre
les diverses instances aux différents niveaux. La mise en ordre
n'en est pas moins un programme général, d'autant mieux
partagé qu'il reste aux individus et aux groupes une marge
de manœuvre satisfaisante entre les mailles du filet, même
celles de l'Inquisition.

Les diverses institutions ont apporté leur pierre à cette construction. Les villes savaient établir un rôle de l'impôt direct
bien avant que les premières tentatives de Philippe le Bel ne
révélassent les difficultés éprouvées par l'État dans cette entreprise. Les principautés, normande ou flamande, ont connu
des services financiers précoces. L'Inquisition a tracé les voies
de procédures judiciaires originales. L'État profite de ces
innovations et leur donne une ampleur et une cohérence
nouvelles, d'abord théoriques, puis de plus en plus souvent
concrètes.

11

La première crise de croissance de l'État : le règne de Philippe IV et de ses fils (1285-1328)

Les règnes de Philippe le Bel et de ses fils appartiennent à la légende noire capétienne : après le bon temps de Saint Louis, le dévoiement du pouvoir, les ténébreuses affaires, le scandale des conseillers outrecuidants et pourris, l'infamie des manipulations monétaires. Enfin, comme une immanente punition, la fin de la lignée directe : les trois fils de Philippe le Bel se succèdent sur le trône, qui aboutit finalement entre les mains de Philippe de Valois, en 1328. A cette date, il est logique d'interrompre le récit de l'histoire politique du royaume, car la rupture dynastique — partielle, il est vrai, mais le choix fut discutable et discuté — perturba les mécanismes du pouvoir et les rapports de forces dans l'entourage du roi.

1. Les « affaires » politiques

Au plus près du roi, les causes célèbres se sont succédé à un rythme accéléré; autour des trois plus connues : l'attentat d'Anagni contre le pape Boniface VIII, le procès des templiers et l'affaire des belles-filles du roi, en gravitent d'autres moins fameuses, et tout aussi symptomatiques, comme celle de l'évêque de Pamiers Bernard Saisset. Elles sont comme

des loupes grossissantes où observer le royaume au temps de
Philippe le Bel.

1. Bernard Saisset, Bernard Délicieux : le Languedoc et le roi.

La première, celle de Bernard Saisset, inaugure le XIVe siècle. L'évêché de Pamiers venait d'être créé : l'heure était au
démembrement des évêchés dans ce Languedoc riche et peuplé, et nombreux sont les candidats à la fonction épiscopale
que Jean XXII allait combler (1317). Le nouvel évêque se
heurta d'abord, dans le pariage qui partageait la ville entre
le comte de Foix, l'évêque et le roi, aux empiétements de la
seigneurie royale. Ce Méridional rêvait de bouter le Capétien hors du Midi, avec l'aide du pape et par l'union des princes méridionaux tels que les comtes de Foix et de Comminges.
De Paris furent envoyés des enquêteurs, Richard le Neveux
et Jean de Picquigny : ils appartiennent au cercle des proches du roi. De part et d'autre, ce fut l'escalade : séquestre
des biens du temporel de l'évêque, qui fait dire bien haut qu'il
va aller à Rome exposer au pape ses doléances, citation à comparaître de l'évêque devant la cour du roi, occupation par
les sergents du roi du palais épiscopal. Le procès eut lieu à
Senlis : l'évêque était accusé d'hérésie, de haute trahison et
de lèse-majesté. Des témoins confirmèrent les chefs d'accusation.

L'évêque était emprisonné à Senlis. L'archevêque de
Reims, Robert de Courtenay, l'un de ces prélats de très haute
naissance et indépendants de la couronne, convoqua un
concile provincial qui frappa d'interdit tout lieu où un clerc
serait détenu par la justice laïque. L'épreuve de force était
là. Les légistes du roi trouvèrent une réplique : on céda à
l'archevêque de Narbonne le territoire où Saisset était emprisonné; les scrupules du clergé tombèrent. L'affaire se termina par l'exil de Bernard Saisset.

Tous les ingrédients des affaires ultérieures sont déjà réunis dans celle-là : le conflit avec le pape est latent, comme
la crise avec un clergé dont les pouvoirs juridictionnels atten-
tent à ceux du roi sur ses sujets. Évidente, la volonté du roi

d'appesantir sa main sur tout le royaume et surtout le Midi, un Midi qu'il saisit mal et dont la faconde et le verbe haut l'irritent, un Midi où les partisans du roi se font de plus en plus nombreux. Déjà présent, aussi, le zèle, brutal et subtil à la fois, des conseillers du roi. Enfin, partagée par le roi et ses conseillers, l'image souveraine, sacralisée, du pouvoir monarchique.

Dans les affaires suivantes se retrouvent en tout ou en partie ces divers éléments. Ce fut d'abord celle de Bernard Délicieux, où le Midi occupe encore la place centrale. Les dominicains y tenaient le tribunal d'Inquisition. Ils s'y heurtaient aux Franciscains, parmi lesquels le jeune Bernard Délicieux, qui associait à d'exceptionnelles qualités intellectuelles beaucoup de cœur et de force de conviction. Les deux enquêteurs du roi, ceux-là mêmes qui avaient agi contre Bernard Saisset, conscients du danger que représentaient ces excès pour le calme de la région, furent alertés. L'entourage royal ne voyait pas d'un œil absolument favorable ces purs représentants du pape qu'étaient les dominicains.

Le roi partit en Languedoc, seul voyage de ce genre pendant ses trente ans de règne. L'annonce avait fait courir dans le pays un grand espoir. Or, loin de convaincre le roi, ses contacts, sur place, avec les Méridionaux l'agacèrent, inquiétèrent peut-être cet homme d'ordre. Bref, l'espoir que le roi agirait pour limiter la puissance du tribunal inquisitorial fut déçu. Une ligue se fit alors entre les consuls de quelques villes languedociennes et le roi de Majorque, ce qui vint aux oreilles du conseil royal. Les meneurs furent pendus. Mais les enquêteurs nommés par le roi ne blanchirent pas l'action des inquisiteurs; les populations locales s'en réjouirent.

Nogaret, lui-même Languedocien, avait suivi l'affaire. Le procès fut mené par le vicomte de Narbonne et le sénéchal de Carcassonne conjointement. Les «traîtres» de Carcassonne furent pendus. Ni les termes de «trahison» ni ceux de réaction «nationale» languedocienne ne peuvent s'appliquer sans anachronisme à une affaire qui montre surtout chez les Languedociens la volonté de régler avec opportunisme et par tous les moyens le seul problème qui comptait vraiment, celui de l'Inquisition.

Ces deux affaires sont en fait des crises que provoque l'intégration progressive des régions méridionales dans le royaume. Si les habitants de Montaillou, quelques années plus tard, ne se souciaient guère du roi et si les terres languedociennes gardaient leur originalité coutumière, les milieux dirigeants et la population des villes connaissaient désormais le chemin de Paris et le pouvoir du roi. La proportion des légistes méridionaux a parfois été surestimée dans l'entourage royal ; elle n'en est pas moins un fait nouveau.

2. L'attentat d'Anagni et l'affaire des templiers.

L'affaire de Bernard Saisset, où la juridiction ecclésiastique était bafouée, fut pour le pape l'occasion d'engager contre le roi une lutte dont les termes rappellent les principes de la théocratie et l'ancien affrontement avec l'empereur. Entre autres stratégies, le pape convoqua à Rome un concile de l'Église de France pour statuer en faveur du «progrès de la foi catholique, [de] la réforme du roi et du royaume [et de] la correction des abus».

Les réactions à la bulle *Ausculta Filii* sont instructives. Celle, immédiate et spontanée, d'un prince, peut-être Robert d'Artois, au conseil où la bulle fut lue : il se leva et jeta la bulle au feu. La politique royale, dans ce domaine comme dans bien d'autres, est appuyée par les princes : elle n'est pas le seul fait de légistes de petite extraction.

Celle de Pierre Dubois, un avocat normand, qui envoya au roi un libelle réfutant les propositions du pape. Sa richesse et son avidité le discréditent ; il faut défendre l'Église contre un pape indigne. Comme l'a fait remarquer J.R. Strayer, parmi les propagandistes les plus virulents de la monarchie à cette époque figurent en bonne place deux légistes, un Languedocien, Guillaume de Nogaret, et un Normand, Pierre Dubois. Conviction du légiste ou zèle du néophyte, bourgeois de surcroît ? Ils attestent en tout cas dans ces deux jeunes provinces du domaine la vigueur du parti royal.

— L'assemblée de Notre-Dame.

Une assemblée extraordinaire fut prévue à Paris pour le mois d'avril 1302 : prélats et docteurs, barons, délégués des villes y étaient réunis pour délibérer — approuver — la politique du roi à l'égard du pape. Les arguments du pape furent résumés par Pierre Flotte pour ce millier de personnes réunies à Notre-Dame. Ils étaient irrecevables pour tous les laïcs. Les prélats étaient pris entre deux feux et, par une lettre, supplièrent le pape de ne pas réunir ce concile.

La défaite de Philippe le Bel à la bataille de Courtrai, où mourut l'un des hommes clefs du conseil, Pierre Flotte, ralentit l'évolution du conflit sur le plan concret, mais la bulle pontificale *Unam Sanctam*, en novembre 1302, posait le pape en maître de la société chrétienne, suivant des principes qui excluaient le compromis avec les prétentions royales.

– Le conseil du Louvre.

Une nouvelle assemblée répondit à la citation à comparaître que le pape envoya aux évêques français qui s'étaient abstenus de se rendre au concile. Quelques laïcs et une quarantaine de prélats du Nord du royaume y entendirent les accusations que prononça Guillaume de Plaisians au nom du comte d'Évreux, du comte de Saint-Pol et du comte de Dreux : hérésie, simonie, sodomie, tout ce que les envoyés du roi avaient appris, lors de leur ambassade à Rome, des nobles romains qui haïssaient Boniface VIII. La manière dont il avait succédé à son prédécesseur n'était pas sans tache et attaquer la personne du pape était une stratégie plus consensuelle que s'en prendre à l'institution pontificale elle-même. Elle pouvait recevoir l'assentiment du clergé et le reçut, du moins de la très grande majorité. L'abbé de Cîteaux, qui s'y refusa, fut arrêté.

Des commissaires royaux parcoururent les cloîtres pour recueillir l'accord du clergé tout entier.

– L'attentat d'Anagni : les Colonna et Nogaret.

Le pape était à Anagni pour résister aux chaleurs de l'été romain. Avec une cour de cardinaux très réduite. Guillaume de Nogaret était en Italie depuis le printemps ; il avait noué alliance avec les Colonna, cette faction de nobles romains ennemie de Boniface VIII et du clan Caetani, qui les avaient spoliés de leurs fonctions et de leurs biens. Dans la nuit du 6 au 7 septembre — il fallait agir avant que le pape excommuniât le roi —, la troupe força l'entrée de cette bourgade castrale. L'entourage du pape s'évapora, le palais fut pillé par les soldats et quelques habitants, pendant que le pape et Colonna « discutaient » de leurs affaires. On parlait de tuer le pape lorsque Nogaret intervint pour le citer à comparaître devant un concile où ses crimes seraient jugés. Rien n'indique qu'il ait donné au pape cette gifle devenue si célèbre, et il est plus probable qu'il a fait prévaloir le recours à la justice contre la pure violence.

Le pape fut sauvé par la population d'Anagni qui contraignit à la fuite la troupe des Colonna et Nogaret. Il lui promit de se réconcilier avec les Colonna, mais nul n'évoqua ni le roi de France ni Nogaret, qui quitta l'Italie pour retrouver la cour en Languedoc. Il y fut récompensé par de belles rentes. Et le pape mourut un mois plus tard sans avoir pardonné aux Colonna ni tenté de réagir à la citation devant le concile.

– Le procès des templiers.

En octobre 1307, les moines-chevaliers de l'ordre du Temple furent arrêtés. Une étude récente d'Alain Demurger dispense de développer le sujet, qui a donné lieu jadis à tant d'élucubrations douteuses. Les accusations portées contre l'ordre, dénoncé par l'un d'entre eux, sont étrangement identiques à celles qui ont cours dans les autres procès : avarice, orgueil, sodomie, idôlatrie. Fantasmes du temps, propres à rendre populaires les mesures prises contre un ordre impopulaire à cause de sa fortune et des malheurs de la Terre sainte qu'il ne défend plus. L'assemblée du royaume qui fut convoquée à Tours, en mai 1308, réunissait, comme en 1302, le clergé, des barons et des délégués des villes. Préparée par une propagande intense, qui allait d'ailleurs largement dans le sens de l'opinion, elle fut une nouvelle occasion d'utiliser un anticléricalisme viscéral pour subjuguer le pays.

Le gouvernement avait encore d'autres raisons. De nombreuses explications de ce procès politique autant que religieux ont été avancées, récusées, reprises. La fortune foncière de l'ordre et ses fonctions bancaires auraient excité l'envie des conseillers financiers de l'entourage royal. Le roi avait tenté de reprendre le trésor royal au Temple pour le confier

à ses propres agents, puis y avait renoncé. En fait, les biens
séquestrés apportèrent peu au roi et furent finalement remis
à l'ordre des Hospitaliers. Mais il est vrai que les problèmes
financiers ne doivent pas être oubliés à l'horizon du règne
de Philippe le Bel.

D'autres motifs, plus idéologiques, ont également joué.
Quelle justification conservait cet ordre? Son caractère
«international» déplaisait. Il n'avait pourtant pas ménagé
son soutien au roi dans le conflit avec Boniface VIII.

Son inefficacité faisait souhaiter au pape lui-même une
réforme qui le réunirait à celui des Hospitaliers, mais le grand
maître de l'ordre ne semblait pas vouloir y souscrire.

L'affaire n'était pas un terrain brûlant entre le roi et le pape
Clément V. Les pressions sur le pape aboutirent : les templiers furent remis aux inquisiteurs, non seulement dans le
royaume, mais dans toute l'Europe, où les gouvernements
ne mirent aucun zèle à appliquer les décisions pontificales.
Le sort personnel des templiers dépendit des commissions dio-
césaines. A Paris, l'évêque Philippe de Marigny fut terrible .

On avait su les faire avouer, mais le pape ne souhaitait pas
une condamnation de l'ordre. Finalement, une bulle pontificale le supprima en 1312. Avant même que la commission
chargée de les juger ait statué, le roi fit brûler, en mars 1314,
deux dignitaires de l'ordre, ceux qui avaient finalement pro-
testé de leur innocence.

2. La papauté et le roi de France : bilan de leurs relations

Entre Philippe le Bel et Clément V, devenu pape en 1305,
la crise n'a jamais atteint les sommets du pontificat de Boniface VIII. Affaire de temps et d'hommes. Il faut faire le bilan
de ces relations : elles sont l'un des angles d'approche du
système de pensée et du pouvoir royaux.

1. L'installation de la papauté à Avignon.

On qualifie parfois Clément V de français; c'est abusif. Il était de Guyenne, et archevêque de Bordeaux quand il fut élu pape, sujet du duc-roi d'Angleterre autant que du roi de France. Méridional? Curieusement, il avait acquis sa formation de civiliste à Orléans, ni à Toulouse ni à Montpellier, mais peut-être son origine explique-t-elle qu'en lui l'esprit du juriste l'ait emporté sur l'âme du théologien. Un juriste qui avait aussi le sens de la négociation. Il était resté ferme dans le conflit entre le roi et Boniface VIII, mais de son passage à Orléans il avait gardé des amitiés parmi ses anciens condisciples.

Au lendemain de son élection, il parcourut la France méridionale, sans revenir à Rome ni se fixer ailleurs. En attendant la réunion du concile à Vienne, sur la rive droite du Rhône, en terre d'Empire, mais bien près des terres royales, il s'installa à Avignon en 1309. Provisoirement... En fait pour quelques décennies! Il mourut quelques mois avant le roi.

2. Aux origines du gallicanisme.

Les relations de Philippe le Bel et du pape sont donc passées par un point de tension extrême à la fin du pontificat de Boniface VIII. Elles n'en ont pas moins été difficiles en permanence pour plusieurs raisons. Non pas tant la collation des bénéfices : à cette époque, le pape accepte aisément les propositions du roi. La mitre ou quelques prébendes permettent au roi de continuer à mal payer ses serviteurs et à les récompenser «en nature». Les problèmes touchent à la juridiction ecclésiastique qui s'exerce sur tout homme d'Église : les officiers du roi voudraient lui refuser les affaires temporelles. Et aux problèmes financiers : l'usage avait été pris que, pour la croisade, le pape accordât au roi une décime des revenus du clergé, mais le clergé bénéficiait pour le reste d'une exemption fiscale que les officiers du roi toléraient mal. Ces conflits avaient germé dès le règne de Saint

Louis. Les raffinements des légistes, de part et d'autre, leur donnèrent ensuite de l'envergure.

Entre Boniface VIII et le chancelier Pierre Flotte, l'affrontement était fondamental. Mais si le rôle personnel du chancelier n'est pas étranger à la montée des tensions, nul doute que son point de vue ait été partagé, notamment par les maîtres de l'université de Paris. Ils avaient gardé, de la légation du cardinal Caetani, un souvenir cuisant, lorsqu'ils avaient porté devant lui le conflit qui, depuis le temps de Guillaume de Saint-Amour, les opposait aux mendiants. La réponse avait été cinglante : ils se figurent que nous les considérons comme des savants... ils ont empli le monde du poison de leur pédantisme.

Le conflit révèle la montée du gallicanisme en France. L'expression d'Église gallicane est d'ailleurs née à l'assemblée de 1302. La théorie conciliaire, qui soumet le pape à l'autorité du concile, est explicite dans les lettres du roi. La volonté de soumettre, pour toutes les affaires temporelles, l'Église de France au pouvoir du roi inspire l'action de ses conseillers. Sans doute les prélats ne sont-ils pas entièrement acquis à ces thèses, mais l'équilibre des pouvoirs entre le clergé et le roi est déjà rompu en faveur de la royauté.

Ces gallicans sont pourtant de fervents chrétiens. Il n'y a pas lieu de douter de la sincérité de Guillaume de Nogaret écrivant à son départ pour l'Italie : «Priez Dieu qu'il me dirige en mon voyage. Sinon qu'il m'arrête... comme il voudra.» J. Favier[1] souligne sa «soumission aux desseins de Dieu aussi absolue que son dévouement au roi de France». N'y a-t-il pas dans cette attente de la manifestation des signes de la volonté divine un modèle royal, celui qu'avait montré Louis IX ?

1. Jean Favier (32), p. 32.

3. Les acteurs de la politique :
le roi ou ses conseillers ?

De sales affaires, des parodies de justice : peut-être. Elles révèlent cependant le triomphe de la parole et du droit sur l'intervention armée, ou, si l'on préfère, du légiste sur le soldat dans les affaires intérieures du royaume. Doit-on y lire la volonté du petit-fils de Louis IX ou celle de ces légistes ?

1. Le rôle du roi : chasser ou gouverner ?

La discussion a opposé les historiens. Aujourd'hui domine l'opinion selon laquelle le roi ne s'est pas contenté de laisser gouverner ses conseillers. Il a partagé avec eux, en plein accord avec eux, la détermination de la politique. J.R. Strayer[1] a fait à ce sujet quelques calculs suggestifs. Ainsi, sur près de 700 actes de la chancellerie royale, conservés dans la série JJ, les deux cinquièmes sont dits « sur ordre du roi », rédigés par un seul notaire, Maillard : ceux-ci portent la marque de la volonté personnelle du roi.

Si Philippe le Bel a confié à Flotte ou à Nogaret la présidence des assemblées, s'il les a souvent laissés parler en son nom, ce n'est pas seulement un truc diplomatique, mais l'application d'un programme plus profond, essentiel, qu'il croyait être l'imitation de Saint Louis.

– Le petit-fils de Saint Louis.

Son aïeul est pour le roi un modèle écrasant. Sa canonisation, dont le procès est entrepris dès 1272, est obtenue en 1297, avant que s'enveniment les relations avec Boniface VIII, au beau milieu du règne de Philippe le Bel. Un long règne au cours duquel les traits de la personnalité s'exaspèrent pour tourner à la caricature.

---

1. Joseph R. Strayer (230), p. 195-212.

Époux, il l'a été mieux que son aïeul : la mort de la reine, en 1305, en fait un veuf inconsolable. La maîtrise de soi, que Saint Louis prônait comme l'une des qualités du prud'homme, il la cultive jusqu'à la dureté. La foi : elle s'exagère en une multitude de pèlerinages, aumônes, mortifications et jeûnes. La haute idée de la royauté française tourne au dogme, sans le machiavélisme qu'on a parfois voulu y voir. Car le roi est animé par une morale implacable au service de la religion de l'État.

Cette très haute opinion de l'État et de la dynastie capétienne, qui se confondaient, fut particulièrement éprouvée par l'affaire des belles-filles du roi. De cette histoire d'adultères princiers, Alexandre Dumas a fait la sombre légende de la tour de Nesle. La réalité est plus plate : en 1314, Marguerite, fille du duc de Bourgogne, femme de Louis, et Blanche, fille du comte de Bourgogne et de Mahaut d'Artois, femme de Charles, furent accusées, sans doute par leur belle-sœur Isabelle, épouse d'Édouard II, roi d'Angleterre, de relations coupables avec deux chevaliers de l'hôtel du roi. Jeanne, sœur de Blanche et femme de Philippe, était complice, mais sans doute non coupable. Les deux chevaliers furent écorchés, écartelés, châtrés, décapités et pendus. Les deux princesses, tondues, mises au cachot à Château-Gaillard : Marguerite en mourut très vite, mais après le roi. A l'heure de la mort du roi Philippe IV, la suspicion était jetée sur la légitimité de la fille aînée de son fils aîné, Louis, et ses trois fils étaient (temporairement) sans femme. Le problème de la postérité dynastique était déjà posé, et la mort de Marguerite de Bourgogne en 1315, suivie du remariage de Louis X avec Clémence de Hongrie, ne le régla pas, par défaut de descendance masculine.

Chez le roi adulte se retrouvent les traces et les principes de son éducation. Du chevalier, il a l'éducation sportive. Depuis le début du siècle, le roi de France ne s'expose plus aux dangers du tournoi, mais il a le droit de chasser et Philippe IV le fait avec ardeur. Du chevalier, il a aussi la beauté des héros de roman, les traits nobles et la haute taille.

Mais son éducation est plus complète. Pour ce fils cadet, que la mort de son frère avait désigné comme héritier de la couronne, son père avait choisi un grand esprit comme maître : Gilles de Rome, issu de la famille Colonna, qui avait fait du couvent des Augustins de Paris un centre de rayonnement du thomisme et avait écrit pour le futur roi un traité du *Gouvernement des princes*. Cet Italien lui apprit l'importance des conseillers dévoués et des officiers diligents dans le gouvernement d'un royaume.

2. *Le Conseil du roi.*

Il n'est pas facile de savoir qui siégeait au Conseil. Les frères du roi y jouent un rôle de premier plan, de même que les grands feudataires qui sont aussi ses cousins. De même que quelques grandes familles comme les Châtillon.

Mais ce sont les légistes qui ont attiré l'attention, les historiens reprenant à leur compte le sentiment d'illégitimité, d'agressive modernité qui prévalut à l'époque. Philippe le Bel est le premier roi à s'être parfois dérobé publiquement derrière ses conseillers. Ils en ont pris un relief singulier, irritant. Affaire de forme, peut-être, autant que de fond.

Ils sont de vingt à trente personnes, aux profils bien différents. Il y a les Méridionaux, les Normands, les Champenois. Il y a les fils des grandes familles, comme Pierre Flotte ou Pons d'Aumelas, des prélats, comme Gilles Aycelin, l'archevêque de Narbonne, des bourgeois, comme Nogaret, et même un juif converti et, de ce fait, filleul du roi, Philippe de Villepreux. Les uns ont marqué de leur influence un domaine particulier, comme Pierre de Châlon l'organisation des douanes, ou Pierre de Latilly la réflexion sur le système fiscal. La plupart ont une compétence très large. Beaucoup restent à l'arrière-plan et font, en quelque sorte, une carrière de haut fonctionnaire ; quelques autres occupent le devant de la scène, Pierre Flotte, Guillaume de Nogaret et Guillaume de Plaisians, Enguerran de Marigny, qui, plus que d'autres peut-être, a marqué de son empreinte les choix politiques d'un roi vieillissant.

Une carrière privée, de juriste, les a formés sur le terrain, carrière qu'ils poursuivent longtemps, même entrés au service des princes. C'est ensuite l'hôtel des princes ou de la reine, où leurs compétences les distinguent et, de là, celui du roi.

Il faut faire un sort particulier aux hommes de finances, les Cocatrix, bourgeois de Paris, et surtout aux talents des Italiens, Biche et Mouche, et Gandoulfe d'Arcelles, le Placentin, et les frères Guidi. Ces banquiers furent les exécuteurs de la politique financière du roi.

Les autres ont été formés dans les écoles de droit. Les relations de clientèle ont sans doute facilité leur ascension, peut-être des amitiés universitaires, un tempérament adapté à la vie de cour, mais aussi de grandes qualités intellectuelles, une manière commune d'envisager l'État et de l'aimer avec passion.

4. Guerre et diplomatie du patriotisme naissant

Ces méthodes et ses sentiments impriment à la politique du royaume, dans ses relations avec la population et avec les autres États, un tour nouveau.

1. Des préoccupations concentrées sur le royaume.

L'ensemble de sentiments et de méthodes que partagent le roi et ses proches conduit à une perception plus précise du royaume. De ses habitants : s'il n'est pas évident qu'ils sont français, du moins sait-on bien ce qu'est un étranger. De son territoire : la politique extérieure ne se confond pas avec la direction du royaume. De là une certaine restriction des horizons : Philippe le Bel est intraitable pour tout ce qui relève de son devoir de roi de France, mais il ne cherche pas à reprendre le rôle international joué par Louis IX.

Sur les frontières du royaume, la pression de ses agents est à son comble. Un exemple l'illustre : les interventions incessantes du bailli de Mâcon de l'autre côté de la Saône. Les différends entre les bourgeois de Lyon et le chapitre cathédral sont de magnifiques occasions. Une armée commandée par le fils aîné du roi acheva de convaincre, en 1312, l'archevêque d'entrer dans la vassalité du roi et de lui laisser la juridiction sur le Lyonnais. L'acquisition de la Champagne fut le point de départ d'un considérable accroissement du domaine et du royaume : parfois par la guerre, comme à l'égard du comte de Bar, allié de l'Angleterre, plus souvent par stratégie matrimoniale, par une coûteuse distribution de fiefs-rentes, par l'éclat de la cour parisienne ou du service du roi. La Comté, la future Franche-Comté, qui restait terre d'Empire, passa ainsi sous l'influence «française».

2. *Une politique extérieure plus « nationale ».*

La géopolitique, la diplomatie et les expéditions lointaines suscitent moins d'intérêt dans l'entourage royal. En théorie, la croisade n'était pas oubliée, d'autant que Saint-Jean-d'Acre tomba en 1291. Des centaines de lettres royales sont consacrées au projet de passage outre-mer et Pierre Dubois n'est que l'un des nombreux auteurs à échafauder des plans pour y parvenir. Mais, différence majeure avec le règne de Saint Louis, le roi ne participe plus lui-même à une expédition lointaine : il se consacre au royaume. S'il n'a pas oublié l'exemple de ces ancêtres, ses conseillers accordent au sort de la Terre sainte beaucoup moins de poids qu'aux affaires proches.

Il faut sans doute distinguer dans ce domaine le roi et ses sujets, car l'Italie du Sud continue à être terre d'élection pour les ambitieux.

3. *Les déceptions de Charles de Valois.*

Quelques visées chimériques virent aussi le jour pendant le règne de Philippe le Bel. Le roi de France, qui était aussi destiné à devenir roi de Navarre (déjà le futur Louis X l'était), pouvait bien prétendre à d'autres couronnes. Et de sa Normandie un Pierre Dubois ne voyait pas d'obstacle à un Philippe le Bel empereur. Mais, à Paris, les projets lointains concernaient les cadets de la famille, les Angevins et surtout le frère cadet du roi, Charles de Valois.

On ne les aiderait pas à tout prix. Le conflit avec l'Aragon fut réglé en 1295 et Charles de Valois ne fut jamais appelé Charles d'Aragon que par dérision ! Mais le roi ne lui ménagerait pas son aide pourvu qu'il revînt si le sort du royaume était en cause.

Charles de Valois épousa donc Catherine de Courtenay et prétendit à l'empire de Constantinople. A la demande du pape, avant que ne survînt le conflit entre le roi et Boniface VIII, il eut son heure italienne, en 1301-1302. Il devait pacifier les territoires pontificaux, aider son cousin d'Anjou et faire fortune. Ses faciles succès militaires ne survécurent pas à ses gaffes politiques en Toscane : l'image des Capétiens en fut durablement ternie. Dans *L'Enfer* de Dante, il y a la descendance d'Hugues Capet ! Après une pause dans les ambitions, au lendemain de la défaite de Courtrai contre les Flamands, Charles de Valois rata de nouveau un trône : celui de l'empereur, en 1308.

4. Paix en Espagne, paix avec le roi d'Angleterre.

Si Philippe le Bel et ses conseillers gardèrent des visées hégémoniques sur l'Europe, elles ne passaient pas par de grandes expéditions, mais par le contrôle de la papauté. Leur diplomatie fut audacieuse, mais leur politique extérieure réaliste, bien plus que celle des règnes précédents.

Le roi de France, qui administrait la Navarre au nom de sa femme, se garda d'intervenir dans les conflits dynastiques castillans, où les prétendants écartés, les infants de la Cerda, étaient pourtant ses petits-neveux.

Avec l'Angleterre (mais s'agit-il du royaume ou de l'échiquier européen ?), les premières années du règne de Philippe le Bel apportèrent un regain de tension en Guyenne : irritation du duc devant les interventions constantes des agents du roi chargés des sénéchaussées voisines et les appels de ses vassaux au parlement de Paris. Sur mer, la guerre faisait rage entre marins normands ou charentais, anglais ou gascons : il s'agissait d'une concurrence privée que le roi de France prit ou voulut prendre pour affaires d'État. On en vint à la guerre, avec de part et d'autre une impatiente recherche d'alliances. 1294-1296 : la campagne de Guyenne fut brillante, mais la paix intervint rapidement. En 1303, le traité était signé : les fiefs rendus au roi-duc et un mariage entre la fille de Philippe le Bel et le fils d'Édouard Ier scellait une alliance durable. Magnanimité de Philippe le Bel : sans doute encore la volonté de suivre le modèle de son saint grand-père.

5. *Les affaires de Flandre.*

La question de Guyenne ne prit pas, sous Philippe IV, l'importance primordiale qu'elle revêtit par la suite. Mais celle de Flandre, qui n'en est pas tout à fait indépendante, fut cruciale.

Le comte de Flandre est un vassal remuant et la vieille question de la succession de Flandre n'a été que superficiellement réglée. L'activité textile de la Flandre et la laine d'Angleterre nouent les liens entre les deux pays. Mais la Flandre n'est pas unanime : les tisserands flamands s'opposent de plus en plus vivement, dans une conjoncture économique difficile pour la région, aux drapiers imprégnés de culture française. Les premiers cherchaient le soutien du comte, les seconds ceux de la fleur de lis, d'où leur nom de *leliaerts*.

Le comte de Flandre rompit sa vassalité à l'égard du roi au lendemain des succès français en Aquitaine. Dès lors, la Flandre ne cessa d'être une préoccupation majeure pour le roi et ses conseillers.

Rappelons très brièvement les événements. Après une campagne victorieuse au cours de laquelle l'armée du roi occupa le comté et arrêta les fils du comte, une émeute à Bruges (les Matines brugeoises, en mai 1302) déclencha une vaste révolte. Les *Annales de Gand* rapportent les faits comme suit : les tisserands, les foulons, les vulgaires fantassins flamands infligèrent à l'ost de France la première sanglante défaite. A Courtrai, la chevalerie française perdit sa gloire. Le chancelier Pierre Flotte y mourut au milieu de beaucoup d'autres chevaliers et les Flamands emportèrent un butin symbolique : les éperons d'or pris sur les chevaliers à terre.

La victoire du roi à Mons-en-Pévèle, en 1304, rétablit son honneur, contraignit le pays à une indemnité et à une amende annuelle écrasante. Haine lourde qui impose chaque année la levée d'un ost. Le mariage de la fille du comte avec Louis de Nevers, gendre de Philippe V, régla le problème féodal ; pas celui d'un pays qui associa désormais sa haine du Français à celui du comte et de la noblesse, jusqu'à la révolte, paysanne et urbaine, de 1328, écrasée par le nouveau roi de France, Philippe VI, à Cassel.

Le problème flamand est loin d'être seulement une affaire politique. Mais cette face des événements éclaire les crises régionales que suscitent le poids de la main du roi sur le royaume. Elle renvoie aussi aux coûts de cette politique et à la nécessité de concevoir et d'imposer au royaume une fiscalité nouvelle.

5. Finances et monnaie

1. Les dépenses de l'État.

Sous Philippe le Bel, l'État vit sur un pied trop grand pour ses ressources.

— Le service du roi.

Rançon du prestige du roi et de l'extension de son influence, les hôtels de la famille royale comptent plusieurs centaines de personnes : près de trois cents à l'hôtel du roi, plus de cent à ceux de la reine et des princes entre les services de la chambre, de la cuisine et de la chapelle. L'on y sert en alternance. Cette machine souple, capable de rendre au roi, sur-le-champ, tous les services dont il a besoin, lui coûte plus de 100 000 livres par an. Nourris, vêtus, gagés — ce n'est pas l'essentiel — et, surtout, pour les plus nobles d'entre eux ou les plus considérables, abondamment pourvus de pensions et de rentes : la noblesse d'Ancien Régime, dont la fidélité est achetée par le roi, commence sous Philippe le Bel.

Héritier du prince féodal, le roi se doit d'être large et festif. A la cour, mariages et chevaleries des princes capétiens sont l'occasion de longues fêtes, où le bon peuple est régalé et où les barons rivalisent de luxe et de dépenses.

— *La complexité croissante de l'administration.*

L'administration centrale ne cesse de croître. Il y a 10 notaires à la chancellerie en 1286, 30 en 1316, 48 en 1328. Comme elle est fixée à Paris, il s'en détache quelques «clercs du secret», qui suivent le roi et prennent le nom de secrétaires. Depuis 1278, le parlement comporte plusieurs organes dont le travail se succède dans l'instruction et le jugement des affaires : la Chambre des requêtes, la Chambre des enquêtes et la Grand-Chambre. Tout ce personnel est désormais constitué en majorité de professionnels salariés. La Chambre des comptes connaît une évolution analogue à peine plus tardive : elle est organisée, en 1320, avec ses archives et son personnel propre. Au total, dans les trente ans du règne de Philippe le Bel, ce haut personnel administratif a dû doubler en nombre.

L'administration locale connaît un développement parallèle et une efficacité décuplée. De cette époque, beaucoup plus que des règnes précédents, date une vraie gestion administrative du royaume. Aux côtés des sénéchaux et des baillis viennent des lieutenants, des juges, un avocat, un procureur ; des vicomtes en Normandie et des viguiers dans le Midi pour les subdivisions des bailliages ; des sergents qui exécutent leurs ordres et dont il faut fixer le nombre et les gages, tant ils s'alourdissent. Les salaires ne sont pas des ponts d'or : 60 livres sont normales pour le service annuel d'un viguier, de 500 à 700 livres pour un bailli. Mais l'effet de masse joue désormais. Et comme l'administration n'est pourtant pas si nombreuse à l'échelle de ce grand pays qu'est le royaume, elle se déplace sans cesse ou envoie des courriers, tous frais qu'il faut couvrir.

— *Ruineuses : la diplomatie et la guerre.*

La «grande politique» coûte plus cher encore. Le roi achète des alliances par des fiefs-rentes. Certains ne sont pas si chers : 500 livres par an pour le comte du Luxembourg ou le dauphin du Viennois. Mais 200 000 livres pour Charles d'Anjou, roi de Naples.

La guerre est encore plus dispendieuse. La moindre garnison, en temps de paix, coûte, dans un château de la frontière pyrénéenne, 500 livres d'entretien. A l'ost de Flandre, un chevalier gagne l'équivalent de 180 livres l'an. Et les campagnes de Gascogne ont coûté près de 3 millions de livres !

Les périodes de crise financière intense sont liées aux frais des campagnes, notamment celles qui suivent la défaite de Courtrai.

2. Les revenus du roi.

Les nouvelles charges de l'État, en France comme dans les autres royaumes, ne pouvaient se financer suivant les modes traditionnels. Les revenus du domaine ne dépassaient pas, au début du règne, 450 000 livres. Les quelques aides exceptionnelles des vassaux et les quelques décimes sur le clergé qui s'y ajoutaient, lorsqu'un projet de croisade les justifiait, ne comblaient pas les besoins. Le problème était apparu dès le règne de Louis IX ; il se posait désormais avec urgence.

Des solutions furent reprises aux règnes précédents et systématisées : des emprunts dès le début du règne auprès de banquiers italiens et des serviteurs du roi dans les organismes centraux. Également, des prêts forcés que des commissaires suscitaient dans les provinces : on savait bien que la probabilité de remboursement était mince, mais cet argent était « avancé » au roi en même temps que d'autres charges, militaires notamment, étaient supprimées.

Des tailles sur les juifs et les Lombards font partie de l'arsenal financier des gouvernements de cette époque. Les décimes sur le clergé, aussi, qui se généralisèrent ; sur les trente années du règne de Philippe IV, il y eut vingt-quatre décimes accordés.

La nécessité d'innover s'imposait.

Autant les autorités municipales comprirent rapidement l'intérêt de la fiscalité indirecte, autant le roi de France l'utilisa peu à cette époque à l'échelle du royaume. Notamment, la gabelle sur le sel, que les princes méridionaux connaissaient depuis le XIIe siècle, ne fut transposée au royaume qu'au temps de Philippe VI.

La première organisation des droits de douane remonte cependant aux environs de 1300. L'idée de fermer les frontières du royaume était venue dès les années 1270 dans un dessein économique et un cadre local : pour quelque temps, la sénéchaussée de Carcassonne empêcha les blés de sortir, afin d'éviter la hausse des prix. A plus grande échelle, de telles interdictions furent reprises en 1277 et 1305, réaménagées en 1324. L'interdiction générale engendrait l'autorisation spéciale et payante d'exporter ou bien l'obtention contre finances que ces mesures soient rapportées. Le roi de France n'en tira cependant jamais un système et un profit analogues à ce que la taxation des laines anglaises apporta au roi d'Angleterre.

Deux autres voies royales s'offraient : celle de l'impôt direct et celle des remuements monétaires. Le roi les pratiqua l'une et l'autre en alternance, et parfois conjointement.

— *La tentative de l'impôt direct.*

En droit féodal, le seigneur a la possibilité de demander l'aide financière de ses vassaux lors de dépenses exceptionnelles, qui diffèrent d'une région à l'autre. En Ile-de-France prévaut le système de l'«aide aux quatre cas». En outre, le seigneur bénéficie de l'aide militaire de ses vassaux et peut demander un équivalent financier en remplacement. Si la défense du seigneur est en cause, il a le droit de convoquer l'arrière-ban, c'est-à-dire de semoncer lui-même ses arrière-vassaux avec le même droit à l'équivalent financier, si le service militaire n'est pas accompli. En tout état de cause, il ne s'agit que d'aides extraordinaires, auxquelles seules des campagnes militaires annuellement répétées peuvent donner un semblant de régularité.

Ces exigences fiscales sont exprimées sous une forme unique à l'échelle du royaume : tous les sujets sont astreints au paiement d'une part de leurs revenus ou de leur capital, telle année un centième, telle autre un cinquantième, souvent plus.

En fait, c'est une multitude de situations particulières qu'il faudrait décrire. D'abord, parce que, hors du domaine, le droit royal de lever un subside dépend de l'accord des grands barons concernés. Chacun négocie cet accord individuellement. Le comte de Rodez n'obtient rien du roi en contrepartie de l'autorisation donnée, tandis que le duc de Bourgogne garde la moitié du produit de la levée. Ensuite, parce que villes et bailliages marchandent. Le poids de cette fiscalité n'est nulle part identique.

La levée de ces subsides et leur assiette diffèrent d'une région à l'autre. D'emblée, les pays du Midi paient un fouage : le roi fixe un tarif pour chaque feu et un nombre de feux pour chaque communauté. Il fixe aussi un seuil d'imposition, variable à chaque imposition. A chaque ville ou village de répartir entre les divers feux, suivant leur richesse, la charge collective. C'est une habile utilisation des compétences que les communautés ont acquises dans l'assiette de l'impôt seigneurial. Le système est étendu peu à peu, suivant des modalités particulières, aux pays du Nord. Il aboutit à l'un des documents les plus étudiés de cette période : l'*État des feux* du royaume, dressé aux environs de 1328.

Les ordonnances sont exécutoires, en vertu de la souveraineté royale, à l'échelle du royaume, mais la réalité fiscale s'adapte à l'hétérogénéité concrète du pays. L'impôt direct ne cesse pas d'être ressenti comme une procédure exceptionnelle. Tout au plus l'exception qui se répète commence-t-elle à fonder une habitude.

— *Monnaies et mutations monétaires.*

Pas plus que le pays n'était prêt à donner à la royauté, par le biais de l'impôt, les moyens de ses ambitions, il n'imaginait de les lui accorder par les bénéfices du monnayage.

Philippe le Bel inaugure une série de rois qui, à l'exception de Charles V, ont eu une fâcheuse réputation de faux-monnayeurs. On a vu dans les mutations monétaires l'une de ces manifestations de l'arbitraire royal. La réalité est beaucoup plus complexe. Il est clair aujourd'hui que le gouvernement a peiné à s'adapter, lui qui avait de grands besoins financiers, à la nouvelle situation monétaire, à la raréfaction du métal précieux et à l'augmentation de son cours commercial.

Au règne de Philippe le Bel, Saint Louis avait légué une autre nouveauté de l'État naissant : la monnaie royale et la frappe d'espèces plus chères, d'argent et d'or, correspondant à un volume d'échanges et de paiements sans cesse croissant.

La frappe de la monnaie est une opération artisanale qu'il faut payer. D'autre part, il est jugé normal qu'un prince tire profit du monnayage. Les pièces frappées ont donc toujours une valeur libératoire un peu supérieure à la valeur exacte du métal précieux qu'elles contiennent. Cependant, il ne paraît pas juste que l'État alimente ses finances en fixant une différence trop haute entre les deux.

Certes, depuis longtemps, les barons avaient découvert le profit qu'ils pouvaient tirer de la frappe des espèces en leur conservant leur cours, mais en affaiblissant leur quantité de métal précieux. Cette dévaluation, qui portait avantage à tous les débiteurs et à tous ceux qui devaient payer la rente seigneuriale en argent, était mal considérée et contribua au succès de la monnaie royale, qui paraissait mieux garantie, de la même manière que paraissait plus sûre la justice royale.

Dans ce système relativement simple, le bimétallisme apporta une troublante complexité : la valeur relative des deux métaux, qui était restée stable jusque vers 1270, fut affectée par de brusques changements. Globalement l'or ne cessa de prendre un surcroît de valeur, mais cette ascension connut de brèves variations en sens inverse. La variation du rapport de l'or à l'argent est une première cause d'instabilité du système des changes.

En fait, le terme de bimétallisme ne traduit pas toute la complexité de la situation, car, à côté de la monnaie «blanche», d'argent presque pur et de valeur élevée, une monnaie «noire» est également frappée, où la part de l'argent est faible. Or c'est ce denier qui sert à la plupart des paiements courants. Toute dévaluation ou réévaluation de l'une ou de l'autre produisent aussi des décrochages générateurs de désordres financiers.

A ces décrochages des métaux et des espèces les uns par rapport aux autres s'ajoute une situation générale de pénurie des métaux précieux. L'argent en particulier, qui est le plus abondamment frappé, manque au monnayage royal.

Les raisons de cette pénurie de métal précieux sont encore mal connues. Certains historiens évoquent la raréfaction de l'arrivée de métal brut sur le marché. Certaines causes d'ordre économique sont aussi avancées : le royaume est ouvert sur le réseau des grands échanges et souffre d'un déficit persistant de la balance commerciale qui draine vers l'Orient une partie du stock monétaire. D'autres proviennent de la spéculation : le royaume demeure un espace économique fragmenté, où, dans un cadre régional, les spéculations sont à leur comble. En cas de dévaluation de la monnaie noire, comme en 1296, la thésaurisation des espèces blanches est une affaire qui rapporte bien plus que la rente foncière. Les agents du roi sont tout à fait incapables de parer ces mouvements et même d'en informer les conseillers royaux. Les mutations monétaires ont sans doute aggravé un phénomène spéculatif naturel.

Le manque de métal précieux est si manifeste que par tous les moyens le roi essaie de le pallier : réglementation du commerce des métaux précieux, fabrication contingentée de la vaisselle d'or ou d'argent, vente forcée d'un dixième de la vaisselle détenue par les particuliers.

La mauvaise foi des conseillers financiers du roi ne semble aujourd'hui attestée que lors de la crise financière de 1302. Dans les années qui précèdent, il est aussi possible que le roi ait essayé, en multipliant les frappes, d'augmenter les bénéfices tirés du monnayage et d'obtenir ainsi des moyens financiers que le pays n'acceptait pas par voie fiscale. Dans les années qui suivent 1306, le retour à la bonne monnaie est tenté : les bénéfices tirés de la politique monétaire sont alors réduits à l'extrême.

Dans les années qui suivent le règne de Philippe le Bel, les mêmes problèmes se posent et ce sont des solutions identiques, avec des périodes de dévaluation à partir de 1322, qui sont adoptées.

6. Les assemblées du royaume ou la propagande royale

La politique financière du roi fut l'objet de vigoureuses critiques contemporaines. Le thème de l'arbitraire d'un pouvoir au développement galopant alimenta de nombreuses satires et fut ensuite repris par les historiens. Une autre tradition historiographique tenace fait de son règne celui de la première réunion des états généraux, en 1302. Un courant plus récent, incarné notamment par l'historien américain Joseph R. Strayer[1], décrit Philippe le Bel comme le premier roi constitutionnel.

De 1302 à 1321, les consultations du pays se succédèrent. Ces réunions de représentants des populations constituent-elles une nouvelle institution, contrôlant une part de l'action du roi, à la manière des parlements anglais?

Les progrès du droit avaient étendu peu à peu le principe de la procuration avec plein pouvoir à des délégués : les communautés méridionales en usaient pour elles-mêmes couramment. Les obstacles théoriques au développement d'institutions représentatives étaient levés[2]. Le même mouvement qui avait vu dans les seigneuries du Midi, au siècle précédent, le service de conseil du seigneur évoluer vers des institutions municipales représentatives des communautés se produit dans un cadre territorial plus vaste et donne naissance à de véritables assemblées : conseil de sénéchaussée, puis assemblée du royaume. Le roi restait libre de convoquer qui il voulait à ces assemblées. On le voit notamment dans le choix des villes représentées, qui ne sont pas les mêmes d'une consultation à l'autre, mais, peu à peu, par approximation successive, l'usage se prit de convoquer telle et telle ville, dont une liste fut dressée en 1319. Et il parut plus efficace de laisser venir les prud'hommes auxquels ces villes faisaient confiance pour les représenter. Le Conseil du roi jouait si parfaitement des subtilités du droit que les pouvoirs qu'il demanda aux communautés de concéder à leurs délégués ne furent pas constants, ajustés aux circonstances et aux besoins.

La forme de ces assemblées est double et révèle, une fois de plus, la structure du royaume. Tantôt la consultation était générale, à l'échelle du royaume (1302, 1303, 1308, 1314), et sans doute a-t-elle contribué à faire progresser l'image nationale, telle que les hommes du roi la concevaient. Tantôt elle se faisait dans le bailliage ou la sénéchaussée, soit que

1. *The Reign of Philip the Fair*, Princeton, 1980, et (231), p. 195-212.
2. Bernard Guenée (36), p. 248.

les envoyés du roi s'y rendissent, soit que les représentants du «pays» vinssent en délégation protester auprès du roi, comme les Normands ou les Saintongeais et les Quercinois, en 1309.

Ces assemblées n'ont pas été des lieux de discussion. Les conseillers du roi s'entendaient admirablement à prévenir les mouvements de mécontentement. Ils ont choisi les thèmes porteurs d'unanimité pour des assemblées qui ont fonctionné comme des plébiscites de la politique royale : l'anticléricalisme était l'un des meilleurs. On réussit même à obtenir du clergé le soutien de l'action contre Boniface VIII et les templiers ! En 1314, les délégués approuvèrent même des mesures que l'opinion publique réprouvait. En revanche, en 1322, Philippe V se vit refuser fermement un nouveau subside.

Les conseillers de Philippe le Bel semblent donc, dans leur recherche de l'efficacité, avoir pris soin d'informer de leur politique les sujets du royaume ; avoir également inspiré à leurs agents dans les provinces le respect d'une certaine forme dans leurs relations avec les populations. Ce souci répondait certainement aussi au désir du roi d'observer les conseils de Saint Louis.

La politique financière fut cependant difficilement expliquée et comprise, malgré les prudences : «Vous devez faire ces levées au moindre esclandre que vous pourrez», était-il recommandé. Autant elle était populaire lorsqu'elle s'en prenait aux juifs, expulsés en 1306 (le retour d'exil, autorisé par Louis X, n'en ramena qu'une petite partie), ou aux Lombards, qui deviennent les boucs émissaires de toute difficulté, autant il lui était difficile de réunir le consensus quand il s'agissait de subsides ou de mutations monétaires. Les dévaluations ruinaient les rentiers et soulageaient les autres ; exiger le paiement des loyers dans la monnaie réévaluée, comme en 1306, fit naître la révolte à Paris ; une révolte vite maîtrisée.

7. Crises et résistances

On aurait pu croire que la succession de Louis le Hutin ouvrirait une crise dans le royaume. A la mort du roi, en juin 1316, la reine, épousée en secondes noces, était enceinte. Le frère du roi, Philippe, s'empara de la régence. L'enfant fut un fils, qui ne vécut pas. Le régent écarta alors les droits de la fille aînée de son frère défunt et se fit couronner. Seuls deux des grands barons assistèrent au sacre. En février 1317, l'inventif nouveau roi réunit une assemblée de nobles, prélats, bourgeois de Paris et docteurs de l'Université qui évoqua, non pas la loi salique, mais la «coutume du royaume» pour justifier ce coup de force. La protestation était celle de la haute noblesse, qui organisa d'ailleurs de son côté une assemblée analogue pour défendre les droits de la fille de Louis X. Le mouvement s'étouffa.

– *Les ligues de 1314-1315.*
Ce sont d'autres objectifs qui alimentèrent le seul mouvement de protestation coordonné dans ces années de genèse de l'État moderne.
La levée du subside, à l'automne de 1314, déclencha la résistance au pouvoir royal. Dans le domaine et hors du domaine, en Champagne, en Anjou, en Picardie, en Normandie et ailleurs, de nombreuses provinces furent agitées par ces «alliances», régionales d'abord, puis fédérées. Comme le remarque Ph. Contamine[1], «il était indispensable aux barons et aux nobles d'intervenir avec [...] détermination s'ils voulaient éviter que la fiscalité royale ne se transformât en ponction annuelle». La protestation est donc fiscale.
Mais politique, aussi : le mouvement est celui des barons au moins autant que de la petite noblesse. Il est rejet de la technocratie : les difficultés fiscales et le guêpier flamand, dont le roi se sort si mal, paraissent prouver l'incompé-

---

1. Philippe Contamine (209).

tence des légistes, non pas individuelle, mais constitutive.

Le programme était vaste et affirmait son souci du bien public : limitation des obligations militaires, des impositions, stabilité monétaire, enquête périodique. Il n'était pas un refus du royaume, mais révélait une sensibilité régionale, pluraliste que les agents royaux méconnaissaient souvent. Les chartes que les trois fils de Philippe le Bel accordèrent aux provinces répondent à cette vision « fédérale » du royaume.

Les ligues réclament aussi le retour aux principes de gouvernement de Saint Louis, qui devient peu à peu un mythe politique encombrant pour la royauté. Mouvement archaïque, et donc condamné à l'échec, ont souvent jugé les historiens. Le rappel du passé est surtout un rite. Comme il le fut pour toutes les ordonnances de réforme promulguées par le roi pour satisfaire aux doléances du pays. Comme il le fut déjà dans le texte fondateur de ces ordonnances, celle de 1303.

Les intentions du mouvement de 1314-1315 allaient plus loin que les demandes de 1303. Elles échouèrent pourtant à fonder un contre-pouvoir effectif à la force des agents du roi. A cet échec, il y a plusieurs raisons. Les défaites de Crécy et de Poitiers, bien plus tard. Sur-le-champ, la famine de 1315 : on pensa à assurer les subsistances avant tout. Mais, plus probablement, les signes d'une méfiance populaire à l'égard des nobles. La défense de la guerre privée et des justices seigneuriales qu'ils produisent sont des arguments qui ne peuvent qu'avoir fait douter de la sincérité de leur inspiration.

Conclusion

Le règne de Philippe le Bel se déroule dans un climat de contradictions, vivant une crise de croissance de l'État, au terme duquel la forme des relations entre le pouvoir royal et le pays n'est nullement jouée.

Le renforcement du pouvoir central suscite l'inquiétude. Aux yeux de la cour, la seule légitimité reste la naissance ; aux yeux des notables du pays, les compétences techniques

peuvent en tenir lieu. Les conseillers qui semblent capter la
confiance du roi sans avoir pour eux ni la naissance ni la
science suscitent des cabales et des réactions violentes. Le premier à en faire les frais fut un proche de Philippe III, Pierre
de la Broce. Le supplice d'Enguerran de Marigny, condamné
pour sorcellerie, car on ne put relever contre lui aucune preuve
de malversation, au lendemain de la mort de Philippe le Bel,
en est demeuré le plus célèbre exemple. Leur fortune, rapidement accumulée, parlait contre eux.

Vis-à-vis de l'État, l'opinion publique pourrait se résumer
en un discours que la réalité dément. Les gens du roi coûtent
cher, il faut en diminuer le nombre. Mais on se presse à la
justice royale et le principal reproche qu'on lui fait est d'être
trop éloignée. On souhaite multiplier le nombre des sièges
de judicature et l'on sait bien que, si la justice royale est meilleure, c'est que les juges en sont plus compétents et mieux
payés.

La contradiction est moins profonde qu'il n'y paraît. Le
discours de protestation contre l'officier royal est certainement inspiré de l'idéologie, encore très forte, de la noblesse
«féodale»; il trouve un écho facile dans certaines couches
de la population où la crainte de l'impôt peut se mêler à une
irritation jalouse ressentie devant les allures de petit chef du
prévôt royal. Mais le pouvoir du roi promet plus qu'il ne
brime. Une part de la noblesse s'est enrôlée au service, militaire ou civil, du roi. La bourgeoisie des bonnes villes trouve
un soutien de ces ambitions dans l'administrateur royal, soucieux de la prospérité du pays, parce qu'elle rapporte au trésor royal. L'image du roi, plus sacrée que jamais, bénéficiant
de l'auréole de Saint Louis, est la plus rassurante des images
politiques : la guérison des écrouelles par le roi, conviction
désormais assurée, est le symbole de l'espoir qu'il porte. Le
roi demeure le ciment fondamental du royaume.

Dans les années 1320, les diversités régionales priment encore, mais elles ne font plus recette. Le cadre du royaume
entre activement dans les consciences, dans celles de l'élite du
moins. L'Europe occidentale comme espace de la formation
intellectuelle et de la circulation des grands maîtres s'efface.
Guillaume de Nogaret, pour sa justification, a dit avoir agi
pour défendre son pays *(patria sua)*, le royaume de France.

Sans doute le service de l'État est-il encore celui du roi :
les conseillers portent le titre de «chevalier du roi» ou de
«clerc du roi». Mais il est déjà tout à fait clair — on l'a vu
en 1328 — que ce roi ne peut être aussi le roi d'Angleterre.

B. Guenée[1] a résumé ainsi le moule que le roi, son lignage,
les moines de Saint-Denis et les légistes de l'Université ont
imposé au pays : en France, l'État a précédé et créé la nation.
Ce moule est alors d'une vigueur redoutable, car il unit la
vertu de l'engagement féodal et la puissance moderne de
l'écrit.

1. Bernard Guenée (83), p. 151-164.

12

Une crise de croissance de l'économie (vers 1270 - 1348)

En 1315 et 1316, on recommença à mourir de faim en France. C'est l'Europe du Nord surtout qui souffrit, l'Angleterre, mais aussi la Flandre. La ville d'Ypres perdit ainsi 10% de sa population dans l'été 1316. En fait, dès 1305, le Bassin parisien connaît une disette, et, en Forez, les années 1280 déjà s'accompagnent de problèmes nouveaux, famines et même mortalité. Un peu partout, les documents commencent à signaler des difficultés frumentaires en plus grand nombre. Il est tentant d'y voir les signes annonciateurs de l'épidémie qui, en 1348, puis de manière récurrente dans les décennies suivantes, ravagea l'Europe occidentale. Cette rechute économique et démographique, après tant d'années de croissance, marque-t-elle le renversement de la conjoncture, la fin de la prospérité médiévale ?

Dans un article fondateur, remontant à 1949, É. Perroy a fait justice des interprétations simplistes en montrant que des crises multiples, agricoles, monétaires, fiscales et démographiques, se succédaient et se nourrissaient l'une l'autre, pour contracter l'économie, surtout après 1330.

Certains historiens tendent aujourd'hui à déceler dès le milieu du XIIIe siècle les signes de crise et d'aucuns y voient l'essoufflement du système économique qui a conduit le développement médiéval. Ce n'est plus seulement la peste ou la guerre à peine antérieure qui sont mises en avant pour expliquer les malheurs du XIVe siècle : on les cherche, non plus dans des accidents de parcours, mais dans les profondeurs de l'économie médiévale.

L'unanimité est loin d'être faite, tant sur les formes et la

chronologie, que sur les causes du ralentissement de la
conjoncture.

*— Les difficultés d'une étude de la conjoncture des années
1270-1350.*

Il n'est pas sûr que nous disposions jamais de tous les éléments pour proposer un schéma cohérent de l'économie des
années 1270-1348. Lorsque les données disponibles seront réunies, l'évolution des cours des denrées sera accessible, à condition de comparer ce qui est comparable, mais il nous
manquera sans doute beaucoup de données globales indispensables à l'explication rigoureuse de la situation. Comment
mesurer l'impact d'une spéculation quand nous en ignorons
complètement l'ampleur ? Comment prendre la mesure de la
déflation quand nous ignorons l'évolution précise de la masse
monétaire ?

Le cloisonnement des économies régionales aggrave la complexité de l'analyse. Le développement de l'Occident n'a pas
été concomitant ; des régions précoces, souvent marginales,
ont tiré le char avant les autres. De la même manière, la prospérité marque le pas dans certaines régions près de deux générations avant d'autres. Ce n'est pas se réfugier dans la facilité
que de prendre en compte cette diversité. Elle est peut-être
le moyen de distinguer le contingent du nécessaire.

Les études concernant cette période sont menées dans le
cadre régional pour des raisons de méthode ; chaque historien, dans le souci très légitime d'une problématique générale, propose pour l'Europe entière le modèle constaté dans
la région qu'il a étudiée. La France est encore suffisamment
diverse pour que les phénomènes économiques y suivent des
rythmes, voire des modèles assez différents ; elle est suffisamment ouverte pour qu'on ne puisse d'emblée écarter la
contagion de la dépression.

Il faut aussi se garder du péché de ne lire une période qu'en
fonction des événements postérieurs. La biologie contemporaine a enseigné le rôle de l'accidentel dans l'histoire de
l'humanité et celui des possibles qui ne se sont pas réalisés.
Il faut également les chercher dans une époque, au risque d'en
tracer une image multiple, voire discordante.

1. Le climat

Le climat a été invoqué pour expliquer la contraction de l'économie au XIVe siècle : un refroidissement général aurait altéré les bons rendements des siècles précédents. Il faudra attendre encore quelque temps pour que les enquêtes physiques et biologiques — dendrochronologie, analyse des pollens fossiles, étude des sédiments de certains lacs et de l'avancée des glaciers — donnent des résultats très cohérents. L'étude conduite par Pierre Alexandre, à partir d'une masse de données textuelles, a l'avantage considérable de distinguer des variantes régionales, notamment le climat méditerranéen de celui du reste de l'Europe, et d'analyser le climat suivant les saisons et suivant deux critères qui ne sont pas toujours liés, la pluviosité et la température.

Le premier résultat fondamental est de montrer que tout le XIIIe siècle appartient sans conteste à l'«optimum climatique médiéval». Le climat méditerranéen ne semble pas connaître de grande modification au début du XIVe siècle : les hivers rudes et les étés secs se poursuivent. En revanche, dans le reste de l'Europe, un changement climatique se manifesterait entre 1310 et 1330. Jusqu'alors, depuis le début du XIIIe siècle, ont prédominé des printemps chauds et des étés secs. Puis commence une série d'étés pluvieux : or, depuis le milieu du XIIe siècle, les périodes d'étés pluvieux correspondent aux années de disette : c'est probablement le plus grave inconvénient climatique pour la céréaliculture en climat non méditerranéen. Cette pluviosité estivale est accompagnée d'une forte pluviosité hivernale, qui se manifeste depuis 1240. Il y aurait donc à partir de 1310 une humidité générale du climat non méditerranéen, inconnue depuis plusieurs siècles. Avec, dans la décennie 1310-1319, un refroidissement des hivers très net, mais qui ne dure pas ; plus inconfortable à vivre que véritablement inquiétant pour les récoltes. Mais, plus graves pour la germination, apparaissent aussi des printemps froids, notamment dans la décennie 1340-1350.

Les conditions climatiques semblent donc excellentes pour la viticulture méditerranéenne, plus incertaines pour la céréaliculture. Dures, incontestablement, après 1310, pour la production agricole du reste de l'Europe, après des conditions optimales encore entre 1270 et 1300.

2. Des régions aux difficultés agricoles précoces : la crise de la céréaliculture dans la France du Nord

Dans le comté de Beaumont-le-Roger, en Normandie, les terres et rentes ont perdu beaucoup de valeur entre 1260 et 1313. Sur les huit moulins qui existaient déjà à cette époque, la moitié en a perdu, deux seulement en ont pris. Les terres sont baillées sur la base de 2 sous 6 deniers l'acre, moins qu'en 1261 ; alors que ce tarif n'avait cessé de croître de 1204 à 1270. Pour J.R. Strayer[1], le boom économique est déjà terminé.

Les analyses démographiques que Guy Bois a conduites pour la Normandie orientale vont dans le même sens : « Les forts accroissements ne sont plus le fait que de quelques petites paroisses, tandis que les bourgs stagnent : signe d'une progression marginale dans un ensemble en voie d'essoufflement. » Puis vient le déclin, plus rapide à la ville qu'à la campagne. Il a commencé entre la fin du règne de Saint Louis et 1347, on ne sait exactement quand.

D'autres régions du Nord de la France présentent des situations proches, dont les variantes permettent de mieux cerner le problème. Ainsi, en pays chartrain, la stagnation commencerait plus tôt encore, peut-être dès le début du règne de Saint Louis, pour un pays qui n'arrive pas à trouver un nouveau souffle économique : ici, ni la viticulture ni la draperie n'ont relayé l'arrêt des défrichements. Comme le souligne A. Ché-

1. Joseph R. Strayer (230), p. 13-27.

deville[1], le Chartrain offre le modèle de pays «convenablement dotés par la nature, mais placés hors des grands courants d'échanges. Des sols fertiles assurèrent un démarrage précoce, mais l'essor prit fin dès que l'agriculture, qui seule le nourrissait, ne progressa plus».

1. La baisse des cours du blé dans la France du Nord.

La crise est donc d'abord celle de la céréaliculture : comme l'Angleterre, la France du Nord souffre dans son ensemble d'un marasme des prix du blé, coupé par de brutales hausses. Nous ne disposons pas d'indices précis pour toute la partie septentrionale de la France, et il serait certainement abusif d'étendre des résultats régionaux sans prudence. Ainsi, l'ouverture du marché flamand a correspondu à une hausse des prix du blé dans le comté de Hainaut, à une époque où il stagne ailleurs. La collecte des prix est particulièrement difficile dans un marché où les cours saisonniers demeurent très inégaux.

L'Ile-de-France nous offre cependant des chiffres et une étude historique d'une qualité telle qu'ils peuvent servir de référence. Les séries relevées, dans les comptes de Saint-Denis, par G. Fourquin[2], montrent que la hausse lente et régulière du prix des céréales, qui a entretenu la prospérité de ces campagnes, s'est interrompue dans les dernières années du XIIIe siècle. En 1330, le setier de blé vaut deux fois moins, rapporté en poids d'argent, que trente ans plus tôt. Cette baisse n'est interrompue que par quelques saccades, dues à un accident climatique, toujours rapidement enrayées.

Paradoxe que cette baisse du cours du blé. Le fait n'est pas d'origine monétaire : la baisse des cours est spécifique des produits céréaliers. Aucun événement extérieur à qui on puisse imputer cette évolution. On imagine donc une distorsion entre l'offre et la demande. L'évaluation de l'offre est très difficile. Certains historiens insistent sur l'usure des terres entraînant la baisse de rendements et sur l'arrêt des défri-

1. André Chédeville (128).
2. Guy Fourquin (140).

chements. Les conditions climatiques sont moins favorables que dans les années précédentes, mais peut-être n'agissent-elles que par des incidents ponctuels qui agitent temporairement les cours, et non comme un réducteur durable de la production. Il est tout aussi difficile d'évaluer les importations de blés à l'échelle européenne ou régionale : l'ouverture des échanges a pu participer à l'évolution descendante des cours céréaliers.

S'il s'avérait que l'offre et les cours sont à la baisse, il faudrait invoquer une réduction de la demande plus forte que celle de l'offre. On n'incriminera pas la diminution du nombre des consommateurs : la démographie stagne, elle ne plonge pas encore de manière sensible lorsque se retourne la tendance des cours céréaliers. Alors pourquoi une diminution de la consommation de blé ?

2. Vins, viandes et bois : la nouvelle demande.

D'autres produits agricoles bénéficient de cours soutenus, liés à une consommation croissante : principalement le bois, la viande et, dans la France du Nord, le vin.

Dans le comté de Beaumont, l'essentiel des revenus de Robert d'Artois provient du domaine : forêts, prévôtés, terres et rentes. La forêt, à elle seule, représente les trois cinquièmes de ce revenu domanial. C'est là l'une des données nouvelles de la conjoncture, nullement particulière à la Normandie, que cette valeur élevée du bois dont les besoins s'accroissent, matière première et énergie, au moment où les défrichements ont cantonné ou détruit les forêts. A Beaumont-le-Roger, il y avait deux cents forges et un « maître des férons » pour lever les taxes qu'ils devaient. La forêt en avait assuré le développement et à leur tour les forges assuraient le haut cours du bois.

Le vin bénéficie aussi de cours soutenus. Il ne semble pas que les pays viticoles aient souffert de ces crises précoces, qui se décèlent dans les pays strictement céréaliers.

Les prix de la viande et la fortune des bouchers dans les premières années du XIVe siècle sont là pour attester la fermeté de ce marché. Plus que les porcins, qui demeurent un élevage principalement domestique, peu intégré aux circuits commerciaux, le bœuf devient l'objet d'un commerce intense et lucratif. On pourrait invoquer une raréfaction des troupeaux dont les zones de pâture ont été restreintes par l'accroissement des labours. Elle n'est pas attestée nettement. Bien que les cuirs participent de l'intérêt de l'élevage bovin, il est plus probable que la pression sur les cours des bêtes correspond à une modification des modes alimentaires.

Sans doute de nouveaux milieux se sont-ils convertis à une consommation accrue de viande et de vin, peut-être même plus largement de tout le *companagium*. De la même manière que la consommation de produits de l'artisanat s'est multipliée et diversifiée, l'alimentation a changé. Certainement pas dans tous les milieux de la même manière et pour les mêmes raisons. Cette évolution de la consommation renvoie donc à la stratification sociale et à l'évaluation des niveaux de vie.

3. Le morcellement des héritages paysans.

Les défrichements cessent, la population continue d'augmenter, même faiblement : la résultante est un amenuisement moyen de la propriété.

Il est tentant mais excessivement difficile d'évaluer la répartition de la propriété aux environs de 1300. Les documents ne sont pas assez cohérents pour le permettre ; en attendant les dénombrements fiscaux, il faut se fonder sur les registres seigneuriaux, qui couvrent rarement tout un village et qui, comme les cadastres ultérieurement, comptent toujours beaucoup plus de cotes qu'il n'y a vraiment de ménages paysans. Les études fondées sur des documents fiscaux méridionaux du XVe et du XVIe siècle ont montré à quel point les structures de la propriété sont variables d'un village à l'autre : la généralisation dans ce domaine est particulièrement dangereuse.

La charge démographique est à son comble : dans beaucoup de régions, il a fallu attendre le XIXe siècle pour trouver un tel niveau de population. Sans doute le seuil de pauvreté correspond-il à des superficies d'exploitation très faibles à l'échelle actuelle. R. Fossier et G. Sivery s'accordent à penser que trois à cinq hectares suffisent à nourrir une famille dans les plaines du Nord du royaume : toutes les ressources de la nature que les paysans savent exploiter alors, le sont fort mal de nos jours. On ne comprendrait pas l'ardeur avec laquelle les communautés paysannes défendent les droits d'usage et les espaces en friche ou en bois, contre les villages voisins et contre les prétentions des seigneurs à les interdire, s'ils n'avaient représenté une ressource indispensable.

Il n'empêche : R. Fossier[1] estime que, dans la Picardie des années 1300, sur dix paysans, un était dans la misère, trois dans la gêne, quatre vivaient modestement et deux seulement connaissaient l'abondance. Pour audacieux que soit ce calcul, on peut sans doute l'étendre à la plupart des régions qui ont vécu les dernières années du XIIIe siècle sur le même modèle économique que les décennies précédentes.

L'accroissement démographique a partout eu une conséquence visible dans le paysage : la pulvérisation des parcelles. Ne font exception que quelques grandes réserves seigneuriales, ecclésiastiques notamment, qui ont patiemment remembré leurs biens depuis plusieurs décennies. Même les plus aisés des paysans ont un patrimoine émietté en petites parcelles.

3. Une intensification, plus ou moins réussie, de l'agriculture

A cet amenuisement des héritages et des parcelles il y avait une réponse : l'intensification de la mise en valeur. Dans le système céréalier, la multiplication des prés de fauche, là où l'irrigation l'aurait autorisée, et la suppression du repos des terres un an sur trois auraient permis cet accroissement du rapport de la terre et du travail humain. La Lombardie a fait cette révolution à peine plus tard. Techniquement, la solution était connue : les comptes, célèbres, de Thierry d'Héris-

1. Robert Fossier (137).

son, le chancelier de la comtesse d'Artois, sont là pour attester que certains «agronomes» pratiquaient déjà la «révolution fourragère» des légumineuses. Dans les environs de Saint-Omer, les résidus urbains étaient utilisés comme engrais et les rendements en grains arrivaient à dépasser les vingt hectolitres à l'hectare, autant qu'en 1850.

Les régions où climat et communications étaient favorables développèrent la viticulture. Pour un patrimoine de taille équivalente, la situation est beaucoup plus facile dans le Sud, viticole, de la plaine de France que dans le Nord du pays.

Dans la France méridionale, ce fut aussi la solution de la viticulture qui prévalut. Elle fut moins rentable que dans le Nord, car la conjoncture était partiellement différente : il ne semble pas que les cours du blé aient faibli à la manière de ceux du Nord, tandis que ceux du vin, au demeurant assez variables d'un lieu à l'autre, enregistrent une baisse. Mais, même dans cette conjoncture des prix, la vigne conserve un bien meilleur rapport foncier et humain. Pour toutes les exploitations paysannes riches de main-d'œuvre, elle est d'un bon rapport. Ainsi s'explique sans doute que, si la démographie marque le pas dans la Provence céréalière, elle continue d'augmenter dans les plaines languedociennes, aussi bien dans la seigneurie de Guillaume de Nogaret que plus à l'ouest, autour de Narbonne.

Pourtant, ici comme dans le Nord, l'intensification de la mise en valeur manque d'imagination. L'agriculture méditerranéenne connaissait une parcelle d'une grande valeur, la ferragine, où croissaient fourrages et graines diverses. La culture n'en fut pas poussée, mais plutôt abandonnée. Ce que la Catalogne de la fin du Moyen Age a conçu, cette valorisation de la terre par l'irrigation et l'adoption de méthodes d'horticulture à l'ensemble des productions culturales, n'a pas vu le jour dans le Midi du royaume de France.

L'extension de la viticulture au seuil du XIVe siècle est donc l'une des solutions à l'amenuisement des patrimoines. Une solution très courante, d'autant plus facile qu'elle répondait à une demande croissante. Toutefois, outre qu'elle nécessite un climat aux printemps cléments et aux étés ensoleillés, la vigne exige des réserves financières : la plantation en est coûteuse et le rapport différé à environ cinq ans. A défaut de réserves, il faut que le coût du crédit ne soit pas exorbitant.

L'économie rurale des années 1280-1348 connaît donc dans certaines régions, relativement nombreuses, des formes de croissance, peu originales il est vrai, mais encore efficaces. Dans le Roussillon du premier XIVe siècle, R.W. Emery[1] a montré que les créances consenties par les juifs n'étaient pas des prêts de nécessité au moment de la soudure, mais que souvent ils correspondaient à un besoin d'investissements.

Pourtant, la paupérisation d'une partie de la paysannerie reste un fait plus que probable. Dans d'autres régions moins à l'aise que le Roussillon, les paysans dans la gêne contractent des rentes perpétuelles, qui prélèvent plus lourdement sur le rapport des parcelles que le cens seigneurial. Parmi les prêteurs, bien souvent des parents, mais aussi les bourgeois de la ville et surtout les plus riches des paysans. De véritables rapports de domination économique se créent qui altèrent les jeunes solidarités villageoises.

Dans la haute Provence, la « stérilité » des temps est invoquée pour expliquer l'émigration temporaire ou définitive vers des régions plus fécondes ou vers la ville. De fait, la ville a attiré une population qui ne trouvait pas sa place dans les campagnes. Espoir ou dépotoir des campagnes ? c'est un problème que nous retrouverons plus loin.

Il n'est pas impossible que cette paupérisation rurale ait contribué à réduire la consommation de blé. Le marasme des cours devait cependant avoir une incidence plus grande sur les exploitations excédentaires. Y a-t-il une crise de la grande exploitation ?

4. Le monde seigneurial : gêne ou ruine ?

Un cliché économique et social, la vente des seigneuries à des bourgeois, répond à un cliché politique, le roi entouré

1. Richard W. Emery (135).

de bourgeois dans son conseil. S'il est vrai que, depuis plusieurs générations, quelques bourgeois, autour des principales villes, ont acheté des seigneuries, le fait est rare. Mais c'est le « scoop » qui retient. La noblesse tient la terre bien en main. Toutefois, elle n'est pas le corps fermé qu'on imagine. Édouard Perroy a montré qu'en Forez les agents seigneuriaux pénétraient en grand nombre dans la noblesse et la renouvelaient. Le noble étant fondamentalement celui que son entourage tient pour tel, les bourgeois qui troquent le genre de vie bourgeois pour celui du noble, lorsqu'ils achètent une seigneurie, ne se distinguent rapidement plus des familles de plus vieille ascension.

La seigneurie ne change guère de mains, ou plutôt si, et même fréquemment, mais, comme le note Guy Bois en Normandie, elle demeure entre des mains nobles. Pourtant, ses revenus ont sensiblement diminué. Elle est touchée par un double plafonnement : celui de ses sujets, si l'essor démographique se ralentit, et celui de sa rente, si les défrichements cessent. Les taux de la seigneurie banale ont partout été entamés par le mouvement de franchises auquel n'ont échappé que quelques seigneuries ou quelques régions comme le Nivernais.

1. La chute de la rente seigneuriale.

Les revenus de la seigneurie foncière ont souffert de l'évolution des redevances. Il faudrait faire une géographie de ces redevances tant leur poids est encore différent d'une région à l'autre. Mais, globalement, l'évolution est voisine : les redevances proportionnelles sont moins lourdes et souvent commuées en cens, les cens, de plus en plus souvent exprimés en argent et réduits lors de cette transformation. On trouverait ici et là des exemples de cens nouveaux exorbitants, établis en profitant d'une vacance de tenure. C'est une minorité.

Surprenante évolution au moment où la saturation démographique devrait produire l'effet inverse. Il est normal qu'on évoque pour la baisse du produit des baux temporaires le marasme des prix céréaliers ; les termes du problème sont différents pour des cens qui ne sont jamais très lourds. Elle

implique qu'en matière de seigneurie ne joue pas seulement
la loi brutale du marché. Il y a l'impéritie de certains seigneurs
qui voient le profit immédiat du rachat de cens payé par le
tenancier, mais ne s'attachent pas à ses conséquences sur ses
revenus à venir. Il y a aussi l'image sociale du seigneur qui
se doit d'être large. Traditionalisme, générosité aristocratique ou incompétence, on ne sait : toujours est-il que les seigneurs n'ont pas profité de la conjoncture pour tenter de
revenir sur les accensements perpétuels qui concouraient beaucoup à la baisse des profits seigneuriaux.

Le strict calcul de rentabilité est absent de la seigneurie :
dans ces temps d'abondante population, les salaires demeurent élevés. Georges Duby a montré qu'il faisait meilleur être
employé par les Hospitaliers de Provence qu'être un petit propriétaire. Là où elle demeure, la journée de corvée est bien
nourrie : elle revient encore à la moitié du coût de la journée
d'un salarié agricole. L'embauche sur les exploitations du
maître demeure un complément recherché des petits exploitants. Et la compression de personnel ne fait pas partie de
l'univers mental des seigneurs. D'une manière générale, il est
difficile de mesurer la redistribution sociale qu'accomplit la
seigneurie, mais elle est considérable.

Générosité des seigneurs, certes. Mais il faut bien vivre et,
dans la mesure du possible, soutenir son état. Le royaume
de France ne semble pas avoir connu de véritable réaction
seigneuriale, si ce n'est le contrôle plus strict des bois et friches, au détriment des droits d'usages des paysans. Il est
admis aujourd'hui que l'amenuisement des profits a jeté les
seigneurs au service du prince : les uns dans l'administration,
les autres dans la guerre du roi, qu'il convient de prolonger
pour en conserver les profits.

L'évolution des prix n'est guère favorable aux seigneurs.
Le marasme des céréales, conjugué aux cours soutenus des
produits manufacturés et aux hauts salaires, leur convenait
mal. La détérioration de la monnaie aussi, qui amenuisait la
valeur des cens. Avec un correctif, cependant : la dévaluation réduisait la charge de remboursement des nobles, fréquemment endettés, par manque de numéraire et par habitude.

Ruine des seigneurs ? Le terme est trop fort. Des hobereaux
qui vivent chichement, il y en a dans toutes les provinces du

royaume. Il y en avait déjà, mais il est probable que leur
nombre a augmenté dans les dernières années du siècle, car
les patrimoines sont entamés par les divisions successorales,
les dots des filles, les donations pieuses et le refus de compter. L'écart s'est creusé avec les seigneuries prospères. Parfois, ces nobles en mal de terres et de revenus sont en
majorité : dans la châtellenie de Bar-sur-Seine au début du
XIVe siècle, il y avait 24 vassaux besogneux sur les 38 pos-
sesseurs de fief. G. Fourquin[1] a relevé par dizaines les cas
de ces noblaillons, vassaux et arrière-vassaux de Philippe VI,
qui, en 1332, en Orléanais ou en Champagne, avaient un
revenu annuel inférieur à la valeur d'un tonneau de vin.

2. Une nécessaire rationalisation des exploitations.

Pour résister à la baisse des revenus céréaliers et à celle
des profits seigneuriaux, une gestion rigoureuse, sans
laisser-aller ni routine, est devenue nécessaire. A cette
condition, la seigneurie a encore de beaux jours devant elle.
L'exemple est bien connu de la situation catastrophique de
l'abbaye Saint-Martin de Tournai, qui avait 30 000 livres de
dettes, lorsque Gilles li Muisis la rétablit par une rigoureuse
attention à la gestion des fermages.

Cette gestion rationnelle progresse incontestablement.
Aux alentours de 1300, la tenue de comptes se fait plus fréquente, surtout, semble-t-il, dans la France du Nord. Le
chiffre n'est plus seulement bourgeois : il a pénétré l'économie seigneuriale. Dans le Midi, ce sont surtout les terriers
qui révèlent cette mise en ordre de la seigneurie : les paysans
y consignent devant notaire les cens dus au seigneur. Les
redevances et la réserve sont concernées par ces réformes de
gestion. Les enquêtes sur les temporels monastiques, faites
sur l'ordre de la papauté à partir de 1335, font pénétrer partout la connaissance des tenues de comptes.

La gestion rationnelle, c'est aussi une attention plus systématique aux profits de la vente : l'exploitation d'un Thierry

---

1. Guy Fourquin (39), p. 568.

d'Hérisson révèle la connaissance des cours des produits agricoles et leur utilisation au mieux de ses intérêts.

3. L'évolution de la réserve. Fermages et «fâcheries».

Les réserves mises en culture ne sont pas immenses. Elles dépassent rarement 100 ou 150 hectares, au-delà desquels, d'ailleurs, les frais de gestion augmentent très vite. En Ile-de-France, la taille normale était de 50 à 75 hectares. Les bas prix du blé et les hauts salaires en grèvent les résultats. Certains seigneurs accensent de grandes pièces de leur réserve en plusieurs petites parcelles mises en tenure : c'est une solution inadaptée, puisque rapidement entamée par l'érosion monétaire. D'autres continuent à gérer en faire-valoir direct, ainsi les commanderies hospitalières de Provence. Mais beaucoup ont commencé, vers le milieu du XIIIe siècle, à affermer leurs réserves.

Diverses raisons ont été avancées pour expliquer cet abandon du faire-valoir direct. La ferme reste la solution normale de gestion des revenus princiers : le roi lui-même donne l'exemple, lui qui confie bien rarement ses revenus en régie directe. Chez les clercs, l'exemple vient aussi de haut : l'abbé de Saint-Denis, Mathieu de Vendôme, l'un des plus proches conseillers de Louis IX. Chez les Cisterciens, la crise du recrutement des convers prive les granges d'une main-d'œuvre de qualité et bon marché dont elles vivaient jadis. Les laïcs possèdent souvent plusieurs seigneuries et, au moins dans le Midi, en sont bien souvent absents. Il est vrai qu'ils sont nombreux à s'être faits hommes de loi.

L'affermage n'est pas toujours une solution de désespoir. Mais les vignes et le cheptel, dont le rapport est plus facile, sont rarement affermés ! Il doit donc y avoir aussi dans la ferme une tentative pour échapper à une gestion ardue.

En même temps, l'argent s'est accumulé chez certains paysans qui sont prêts à prendre à ferme de vastes exploitations. En revanche, dans les campagnes méridionales, c'est la «fâcherie», à part de fruits, souvent mi-fruits, qui l'emporte. On y a vu la preuve d'une absence de capital dans la paysannerie. D'autres raisons peuvent être avancées, qui tiennent à une participation plus grande du seigneur à la mise en valeur de sa réserve ou à d'autres utilisations — par exemple, le prêt d'argent — du capital des riches paysans.

Le fermage, plus encore que le métayage, présente l'inconvénient majeur de limiter les investissements durables. C'est sans doute l'un des grands travers de l'économie seigneuriale que de réinvestir une part très faible de ses gains : à peine 1% du rapport brut dans certaines seigneuries hospitalières de Provence, petites réparations de la maison ou du cheptel. L'investissement en outillage et surtout en moulins, qui fut essentiel dans le développement médiéval, plafonne. Les moindres rivières sont équipées de moulins qui ne tournent que quelques semaines par an, du moins dans le Midi. L'intérêt se porte naturellement vers les secteurs lucratifs de l'agriculture, l'entretien des bois et surtout l'élevage. Mais les intérêts de ces activités étaient souvent trop contraires à ceux des cultivateurs pour que les investissements qui y étaient consacrés concourent à une prospérité générale. La plantation de ceps ne pouvait donner un souffle vraiment nouveau à l'économie rurale du royaume.

5. Les ressources et les crises de l'artisanat

A défaut d'un grand dynamisme rural, l'activité artisanale pouvait porter le royaume. Si le développement de l'élevage ovin se pratiquait suivant des méthodes extensives inquiétantes dans le contexte démographique, la culture du pastel portait la prospérité des régions qui s'y adonnaient. Le Languedoc est l'exemple même d'une région où la draperie soutient le dynamisme régional : de nouvelles foires sont créées, où l'on échange des draps. Au XIIIᵉ siècle, la région fabriquait surtout des draps bruts ; en 1330, avec une claire conscience que la valeur ajoutée accroissait la richesse de la région, on se mit à parer les draps de laine et de lin et les toiles.

Qu'en est-il à l'échelle du royaume ? Y eut-il une crise de

l'artisanat? Fut-elle spécifiquement française?

Ce qui touche aux transactions foncières laisse des traces écrites de plus en plus nombreuses; l'activité artisanale ne se découvre qu'au détour des textes. Elle nous échappe totalement chaque fois qu'elle n'est qu'un complément de l'exploitation agricole, c'est-à-dire probablement dans la majorité des cas. Rien n'indique un recul de l'artisanat rural et, plus généralement, des petits métiers artisanaux. Que l'on continue à consommer de plus en plus de pots, de clefs et d'autres objets fabriqués est peut-être le signe que le pays vit au-dessus de ses moyens, mais aussi que le marasme n'y est pas trop étouffant.

Quant aux productions de luxe, les lois somptuaires et les allusions à la thésaurisation sont là pour affirmer qu'elles se portent bien. L'installation de la cour pontificale à Avignon leur a donné un nouvel élan dans tout le Sud-Est de la France. Les effets en ont été montrés jusque dans le Forez par Étienne Fournial.

1. La nécessaire adaptation de la draperie.

L'activité drapante a assuré la prospérité du royaume de France : cette affirmation est constante dans les mémoires adressés au roi. Dans certaines régions, elle semble désormais sévèrement concurrencée par des ateliers étrangers.

Dans le Midi, la concurrence est catalane; plus rude encore le développement de la draperie italienne, pour laquelle les marchands viennent chercher les laines brutes, qui ne sont plus, de ce fait, travaillées sur place. La draperie normande subit la concurrence des ateliers anglais.

Mais le problème essentiel est celui de la Flandre, qui subit une crise complexe. Il serait d'ailleurs plus exact de dire : bassin de l'Escaut, car la zone drapante dépasse largement les limites du comté de Flandre.

D'abord une évolution de la demande, vers des draps de qualité moindre : les hivers doux? la démocratisation de la demande? La mode des fourrures dont les prix augmentent rapidement dans les premières années du siècle? Et celle des vêtements courts et serrés, le pourpoint de l'homme et le surcot des femmes, qui remplacent les amples robes et manteaux auxquels seyait la lourde tombée des draps épais? Sans que disparaissent complètement les draps luxueux, comme on en tisse à Ypres, ceux-ci ne se vendent plus aussi bien depuis le milieu du XIIIᵉ siècle. Dès 1250, il faut aux villes drapantes la même souplesse d'adaptation qu'aux exploitants agricoles.

Certaines n'y ont pas réussi : Douai. Mais, dans l'ensemble, plus difficilement dans le Sud de la région, l'activité drapante a triomphé en partie des difficultés qui l'assaillent dès le milieu du siècle et que des événements comme l'interruption de l'importation des laines anglaises aggravent temporairement entre 1270 et 1274. Elle en a triomphé par une double stratégie, l'implantation en zone rurale ou dans les petites villes et la transformation d'une partie de sa production à de nouvelles techniques moins coûteuses.

Ainsi, Saint-Omer a d'abord développé une sayetterie, draperie faite de laines médiocres, qui s'est très bien vendue jusqu'en Espagne. Mais le déclin reprit dès avant 1290, et la sayetterie ne survécut que dans les campagnes, sous le contrôle des marchands audomarois. Désormais, on fabriquait à Saint-Omer un drap assez léger, le rayé, plus cher que la saie, et qui trouvait de vastes marchés en Angleterre et en Espagne. Vers 1320, les échevins de Lille envoyèrent des techniciens pour apprendre à Tournai le travail des laines courtes, cassantes, auxquelles il faut adapter le métier à tisser traditionnel.

2. Forces et faiblesses du système de la « fabrique ».

La draperie flamande souffre en fait des limites du système de la fabrique (ou *Verlagsystem*) qui a fait sa force : celui par lequel le marchand est d'abord le propriétaire de la laine et ne s'en dessaisit jamais. Soit il en confie lui-même la transformation à une chaîne de métiers divers, soit il passe contrat avec un maître tisserand qui se charge de répartir le travail entre les divers foulons, teinturiers et apprêteurs.

Jean Boinebroke est comme la caricature de ce patron de choc, tel que le décrit, en 1286, à sa mort, le témoignage de petites gens de Douai : l'artisan n'est payé de son travail que s'il accepte de continuer à travailler pour lui; et il ne reçoit du travail que s'il se montre souple sur le salaire, accommodant sur le loyer de la maison que le même Jean lui baille. Comment se passer de son capital, quand il faut presque un an entre l'achat de la laine et la vente du drap ouvré?

Le marchand peut ainsi jouer d'un tisserand contre l'autre, du rural contre l'urbain, écraser les salaires et dominer la situation. Le système bénéficie d'une souplesse économique, qui facilite l'innovation, mais il engendre des rigidités sociales qui ont l'effet inverse.

Contre cette domination de l'homme d'affaires, l'artisan, maître ou ouvrier, brandit sa justification, son talent, la qualité de son travail, qu'il est conduit à protéger par des règles draconiennes. Réglementation du temps de travail, des salaires, des normes de fabrication, de l'accès au métier : elle est bien moins l'œuvre des grands drapiers que des petits maîtres. Réaction de crispation qui conduit à un protectionnisme inutile et à la haine des grandes villes contre le pays environnant.

La plupart de ces règles ont été édictées pendant le temps où, à la faveur de révoltes, à partir de 1280, les artisans ont réussi à contrôler le pouvoir municipal. Jusqu'alors, ces villes d'ancienne prospérité urbaine qu'étaient les villes d'Artois et de Flandre étaient dominées par un groupe de marchands, riches à milliers de livres de capital, maîtres du pouvoir échevinal et d'un budget «municipal» qui, à Saint-Omer, dépassait, en 1300, les revenus du comte d'Artois; maîtres aussi d'une véritable milice chargée de maintenir l'ordre dans la ville.

Cette richesse qui s'étalait dans des demeures de plus en plus luxueuses devint intolérable aux autres habitants des villes. Les conflits entre le «commun» et les échevins se multiplièrent tout au cours du XIIIe siècle. Du «takehan» de Douai, en 1246, en émeutes diverses, aggravées par une composante «patriotique» contre les interventions du roi de France, la situation sociale ne se détendit pas dans cette région.

3. Tensions sociales et baisse de la production.

D'une ville à l'autre, les mécanismes des révoltes ne sont pas parfaitement identiques. Les facteurs déclenchants non plus : ici fiscaux, ailleurs liés à la cherté du blé, ailleurs encore aux mutations de la monnaie. Tantôt les rancœurs des maîtres tisserands et la paupérisation des manœuvres urbains soudent les exaspérations. Ce fut souvent le cas dans la décennie 1280-1290. Dans les décennies suivantes, les décisions restrictives prises par certains métiers dénouèrent cette «union sacrée» et agitèrent contre eux les métiers moins glorieux.

La haine entre villes et campagnes évita en général de grandes contagions, sauf dans la révolte de la Flandre maritime, entre 1323 et 1328. Même alors les particularismes cantonnèrent le mouvement, au nord et au sud, aux pays d'Ypres et de Bruges.

La baisse de la production fut souvent coordonnée à ce climat de grande tension sociale.

D'autres régions connurent, dans un contexte comparable de difficultés économiques, des commotions urbaines analogues. Ainsi, la Champagne et la Normandie à des dates voisines. Dans d'autres régions encore, elles ne furent pas absentes non plus, mais peut-être freinées, comme l'a montré Philippe Wolff pour le Languedoc, par une politique moins aveugle des officiers royaux, qui ne s'opposaient pas, notamment, à une répartition plus équitable de la pression fiscale. Cette politique plus souple contribua, au milieu d'autres facteurs, à prolonger la dynamique du développement artisanal.

6. Un commerce détourné

Dans le domaine du grand commerce, la tonalité n'est pas très différente. Les difficultés sont souvent locales, mais le négoce connaît aussi quelques problèmes à l'échelle du royaume.

Les dernières années du XIII⁰ siècle apportent au grand commerce leur part de nouveautés. Plus encore que dans les autres activités économiques, la concurrence étrangère est globalement défavorable au royaume.

1. La supériorité des hommes d'affaires italiens.

Un peu partout dans le royaume de France, les hommes d'affaires étrangers remplacent les marchands français des générations antérieures. Ainsi le commerce des laines anglaises est-il passé, à Saint-Omer, entre les mains des Anglais et des Italiens. Et la prospérité des banquiers cahorsins sombre sous la concurrence lombarde et toscane.

De cette supériorité, la présence auprès de Philippe IV de financiers toscans, dont on francisait le nom en Biche et Mouche, est le symbole. Autre signe : vers 1300, la plus grande fortune de Paris serait celle du Placentin Gandoulfe d'Arcelles.

Ce n'est pas le lieu de développer ici les raisons de cette excellence, faite de technique bancaire et marchande, d'une forme d'éducation, d'une situation propre à l'Italie et à ses exils politiques. Leur puissance n'est d'ailleurs pas spécifique au royaume de France : sauf dans le monde hanséatique, les marchands italiens dominent le commerce de l'Europe occidentale.

Ce sont donc les intérêts des compagnies italiennes qui tracent les routes des grands échanges à travers le royaume, avec une rapidité d'évolution que ne freine pas l'inertie des situations locales acquises.

2. Les nouveaux axes du grand commerce.

Entre 1270 et 1300, les grands itinéraires commerciaux se sont modifiés. La redistribution des voies d'échanges répond à l'ouverture de nouveaux dynamismes régionaux. Les croissances anglaise, catalane et rhénane dessinent un cercle circonscrit au royaume, sachant que les marchands italiens demeurent les maîtres du jeu.

Ils vont chercher le drap sur ses lieux de fabrication et, l'Italie produisant désormais elle-même une grande quantité de pièces, ils vont chercher dans les pays d'élevage la laine à ouvrer. Ainsi sont supprimées des étapes intermédiaires coûteuses. Les négociants sont lancés dans l'aventure moderne qui cherche par tous les moyens à faire baisser les coûts des produits. Et le transport est l'un des postes les plus lourds.

La voie de mer remplace les chemins traditionnels : l'ouverture de la navigation autour de Gibraltar est décisive. De 1277 aux environs de 1320, elle se fait plus courante, puis tout à fait régulière. La laine anglaise n'est plus acheminée à travers l'Aquitaine vers les ports languedociens : la draperie locale supplée heureusement cet abandon. Plus grave, les Italiens vont désormais eux-mêmes à Bruges et dans les foires flamandes.

Le coût du crédit est l'autre terme sur lequel jouent les hommes d'affaires «modernes», qui sont à la fois banquiers et marchands. Ils sont pris entre deux désirs contraires, pas toujours simultanés : celui de trouver un crédit bon marché et un rendement avantageux des prêts. Les pays jeunes, où l'argent est encore rare et les besoins nombreux, attirent les banquiers. Dès 1260, deux Gênois, les frères Di Grigori, écrivent clairement à l'un de leurs associés que les taux d'intérêt sont plus élevés en Angleterre qu'en Champagne. Les hommes d'affaires d'Arras replient leurs capitaux de la Champagne vers le bassin de l'Escaut, notamment à Gand et à Bruges. L'Europe entre alors dans l'ère des spéculations financières, où les mouvements de capitaux, mal contrôlés, entraînent parfois de retentissantes faillites. Les années 1340 ont été à cet égard particulièrement sévères.

Liberté du travail, salaires moins élevés, intérêt de l'argent plus important, matière première accessible : le royaume de France a déjà, vers 1300, des «dragons» exotiques qui le concurrencent. Outre le Midi, où Avignon se fait capitale financière pour la cour et la fiscalité pontificales, Paris tire brillamment son épingle du jeu. Elle attire une part des échanges qui se pratiquaient jadis aux foires de Champagne. Et les foires de Chalon, comme d'ailleurs tout l'axe rhodanien, profitent de l'animation qui gagne alors l'Est de la France actuelle.

3. *Les problèmes de la Champagne.*

Les foires de Champagne sont donc les perdantes de la nouvelle donne. Elles cessent d'abord d'être le lien principal entre les pays du Nord et ceux de la Méditerranée, puis voient décliner leur fonction de cœur financier de l'Europe.

La réaction des Champenois est très « française ». La responsabilité en est au roi : le déclin viendrait des tracasseries des agents royaux. La solution serait aussi « royale » : puisque la gabelle des draps décidée en Languedoc une première fois en 1277, puis en 1318, correspond à une période d'expansion de la draperie locale, l'extension en est demandée aux pays de langue d'oïl. S'il est vrai que la garantie donnée par le comte, puis le roi, a été à l'origine de la prospérité champenoise, s'il est vrai que les privilèges de Chalon y ont fixé le nœud des échanges, il y a quelque aveuglement à voir la source des maux et des remèdes dans l'État naissant.

Conclusion

La crise des échanges ne doit donc pas être surestimée. Jusque vers 1330-1340, elle est surtout une modification des itinéraires commerciaux et un déplacement des centres financiers ; le volume global des échanges n'est pas en régression. Alors la guerre et quelques crises de confiance propres au monde financier l'ébranlent. La peste et la désorganisation des communications et de tous les circuits économiques portent une responsabilité d'une tout autre échelle. Mais il n'est pas impossible que l'État naissant, avec son mercantilisme, n'ait pas poussé vers le négoce une élite sociale qu'attire la gloire du service du roi et qu'allèchent les hautes carrières ecclésiastiques.

Dans les dernières décennies du XIIIe siècle, le royaume de France connaît une situation économique complexe, où s'allient difficultés conjoncturelles et structurelles. Leur gravité n'est pas simple à mesurer. Les historiens sont pessimistes; les textes et les chantiers de fouille, peut-être trop peu nombreux encore pour fonder une certitude, le sont moins.

De toute évidence, le monde rural manque d'investissements. Or le temps est passé où la simple dilatation de l'espace cultivé suffisait à satisfaire les principaux besoins alimentaires et à assurer le train de vie des maisons seigneuriales. Sans réforme de gestion, l'économie seigneuriale subit une passe de faiblesse et entraîne dans ses difficultés une main-d'œuvre qui dépend directement d'elle et tout un monde de transactions qu'elle irrigue.

Les exploitations rurales qui se divisent demandent une intensification et une modernisation que seules certaines régions et certaines strates de la paysannerie peuvent fournir. Les profits tirés de l'économie rurale n'y retournent pas assez. R.S. Lopez[1] avait incriminé jadis la construction des cathédrales, cette gigantesque immobilisation des capitaux que le clergé tirait de ses domaines. Comme explication principale, cette hypothèse a été contestée, mais elle illustre la difficulté de l'économie du XIII⁰ siècle à assurer la redistribution minimale des capitaux entre la ville et le monde rural. La chute des profits de la céréaliculture s'accompagne d'une augmentation des prix du bois et de l'élevage, caractéristiques d'une agriculture extensive. La vigne ou la culture du pastel sont des solutions partielles. La stagnation de la charge démographique, souvent très haute, s'explique sans doute par une adaptation à celle de la production agricole.

La société urbaine semble souffrir de maux semblables. Ici aussi, l'argent circule mal. Les moyens de paiement manquent, puisque l'argent se fait rare, mais les effets de cette situation doivent être en partie contrebalancés par l'assouplissement des formes du crédit. Une partie de la société urbaine, nourrie d'un afflux de manœuvres ruraux sans qualification technique, se paupérise et semble ne plus profiter de la croissance. Les mesures fiscales et financières, dont les effets ne sont pas connus à l'avance ni maîtrisés, tourmentent les échanges, les paiements à terme et les

1. Roberto Lopez (188).

rentes. Les agents économiques eux-mêmes brutalisent l'économie par la spéculation et des modifications trop rapides des taux d'intérêt.

Le royaume de France, dont la prospérité est ancienne, souffre plus que d'autres de cette crise de croissance et de la nécessité d'innover. Gérard Sivery a montré que, dès le XIIe siècle, les régions les plus avancées connaissent une histoire économique heurtée.

D'une région à l'autre, les mécanismes sont voisins, dès lors que les échanges ont pris une certaine ampleur, mais les rythmes sont très différents. De même que, plus tard, chaque région va avoir sa propre histoire épidémique, chacune a ses périodes de déficits alimentaires ou d'offre démesurée. Le Forez pense en avoir fini avec les périodes noires au moment où le Languedoc ressent quelques atteintes. On spécule d'un bout à l'autre de l'Europe, mais le cloisonnement des marchés n'a pas disparu.

D'où l'impression d'instabilité qui prévaut. Le règne de Saint Louis est, au premier XIVe siècle, ce que la Belle Époque est aux générations de l'après-guerre. Pourtant, malgré les plaintes, polémiques ou intéressées, les contemporains n'ont pas eu le sentiment qu'un cataclysme se préparait. Parfois même, ce sont des notes optimistes qui se lisent sous des plumes diverses. Rien de commun avec le lamento de la deuxième moitié du siècle, quand se déchaînent la guerre et la peste. Que la guerre ait été intégrée au plus profond du système économique et social de l'époque, nul n'en doute plus. Mais, au risque d'être aussi myope que les contemporains, je ne suis pas sûre que la peste, qui frappe toutes les catégories sociales, hautes et basses — c'est le thème de toutes les danses macabres — ait été inscrite comme un réajustement malthusien nécessaire.

Conclusion

Si la cathédrale résume le XIIIe siècle, c'est parce qu'elle naît d'un modèle mis au point dans l'élan du siècle précédent; parce qu'elle symbolise l'exploit technique; parce qu'elle est ce désir de clarté qui inspire aussi les recherches savantes contemporaines; parce que sa façade harmonique largement ouverte pour la population illustre l'essor de la communication; parce que ses dimensions sont celles de l'optimisme d'un monde qui croit encore tout possible; et qu'elle est l'image du dynamisme urbain. Mais elle est aussi le signe du pouvoir que l'Église entend exercer sur les consciences et celui d'un labeur paysan dont les dîmes pétrifient le produit. Le XIIIe siècle est bien le « temps des cathédrales ».

Il est temps d'équilibres. La richesse des villes n'étouffe pas la prospérité des campagnes : dans une pénétration plus profonde des deux économies, les régions se sont animées. Équilibre du matériel et du spirituel dans les aspirations populaires, du terrestre et du céleste : c'est sur place et non dans une Jérusalem lointaine et mythique qu'il est devenu possible d'assurer son salut, un salut conciliable avec une certaine joie de vivre, de produire et d'enfanter. Équilibre des pouvoirs : les franchises ont rogné l'arbitraire seigneurial, la pression fiscale et les contraintes du travail forcé paysan. Les pouvoirs s'organisent, aux contours souvent incertains; ligues de nobles, assemblées de villages, conseils de villes construisent leur part d'autonomie, en attendant d'être relayés par des états provinciaux et généraux. Paris concentre, avec la richesse afférente, le pouvoir du roi et de ses services. Mais les provinces gardent leur spécificité. La centralisation progresse sans perdre la souplesse que donne au royaume l'héritage de la monarchie féodale, où les principautés, comtés et seigneuries ne sont attachés que par leur lien commun au souverain, comme une sorte de Commonwealth.

Mais le XIIIᵉ siècle est aussi temps de ruptures. Non pas une grande rupture : celle-ci est pour l'année 1348. Mais une multitude de petites fractures, dans lesquelles il n'est pas facile de distinguer les lézardes qui menacent la solidité du système de celles qui sont seulement ouverture de joints de dilatation.

Peut-être la nature, qui paraissait dominée, rappelle-t-elle à l'Europe occidentale qu'elle a bénéficié d'un optimum climatique et qu'il lui faut désormais supporter les aléas d'un climat moins régulier.

Mais il y a aussi de l'apprenti sorcier dans un royaume — et même plus largement un Occident — qui a mis au point des instruments politiques et économiques dont il ne prévoit ni ne comprend toutes les incidences. « Exaspération de l'État », selon J. Le Goff[1] : de fait, un risque de totalitarisme politique perce, aux côtés de celui d'une Église inquisitoriale. L'un et l'autre justifient par le « bien commun » beaucoup d'atteintes aux personnes. Qu'on le sente, ce jeune État, enclin aux excès de pouvoir ou fondé sur un dialogue avec le « peuple », un dialogue qui est assurément à l'initiative du roi dans le royaume de France plus qu'ailleurs, il ne fait aucun doute qu'il est en train de devenir le cadre du patriotisme et que la transformation du cadre de l'affectivité politique est une césure essentielle de l'histoire.

Il est difficile de mesurer l'incidence de la construction de l'État sur l'économie du royaume. Elle alourdit une ponction fiscale, qui reste faible, mais d'une irrégularité gênante. Le roi légifère en matière monétaire avec une amplitude trop grande, comme un barreur inexpérimenté. Il ne s'agit pas de condamner au nom du libéralisme, aujourd'hui triomphant, une politique mercantiliste qui se dessine alors et a su, plus tard, protéger la constitution d'une jeune activité industrielle. Mais les milieux dirigeants du royaume savent l'importance des décisions de l'autorité politique et ils en jouent peut-être trop fort, sans la claire conscience de leurs effets lointains.

Le développement de tous les moyens techniques, de cet

1. Jacques Le Goff (37), p. 119-126.

usage des machines, de l'écriture et du chiffre met l'Occident au seuil d'un capitalisme que le royaume de France est peut-être moins armé que d'autres à développer. Le service du roi n'offre-t-il pas aux élites une noble gloire, plus prisée que la marchandise la plus opulente ? Bien des témoins étrangers s'accordent déjà à penser que les *Galli* ont une clarté d'esprit, un sens de l'observation et une superbe qui les poussent au service de l'État.

Sachant user de ces nouveaux moyens mis à leur disposition, les milieux dominants du XIIIe siècle ont creusé un écart social d'une ampleur nouvelle avec le reste de la population. La rupture culturelle majeure est probablement postérieure, mais d'ores et déjà les intérêts des uns et des autres sont trop divergents pour que subsiste cette sociabilité consensuelle qui caractérise la plupart des villes et des villages du XIIIe siècle aux premiers temps de leur histoire institutionnelle. S'ajoutent à ces tensions de la pauvreté les aigreurs d'une paysannerie parvenue, pour qui l'ascension sociale se fait difficile. Cependant, les tensions internes à cette société s'effacent temporairement devant les étrangers qui servent de boucs émissaires. Juifs, Lombards, lépreux et autres, déjà fort malmenés depuis un siècle, sont des victimes désignées, lorsque l'épidémie déclenche la grande peur.

Chronologie

RÈGNE DE PHILIPPE AUGUSTE : 1180-1223

1198-1216	*Pontificat d'Innocent III*
1200	Mariage de Louis (VIII) et de Blanche de Castille.
1204	**Conquête de la Normandie.**
1207	Prédication de Dominique en Languedoc.
1210	Interdiction aux maîtres parisiens d'enseigner Aristote.
1210-1240	Activité prédicatrice et littéraire de Jacques de Vitry
1209-1213	**Croisade des Albigeois**; statuts de Pamiers; bataille de Muret.
1211-1311	Chantier de la cathédrale de Reims.
1212	Début de la construction de l'enceinte de Paris.
1214	**Bataille de Bouvines.**
	Naissance de Louis (IX).
1216-1227	*Pontificat d'Honorius III.*
1216-1250	*Frédéric II, roi des Romains, puis empereur.*
1216	Expédition de Louis (VIII) en Angleterre.
1216-1277	*Règne d'Henri III en Angleterre.*
1218	Mort de Simon de Montfort.
1219	Premiers franciscains en France.
1220	Achèvement de la cathédrale de Chartres.
	Premiers statuts de l'université de médecine de Montpellier.
1221	Mort de saint Dominique.
1220 (vers)-1250 (vers)	Activité prédicatrice et littéraire d'Étienne de Bourbon.
1223	14 juillet Mort de Philippe Auguste : premières grandes funérailles royales.
1226	Mort de saint François.

RÈGNE DE LOUIS VIII : 1223-1226

1224-1225	Affaire du faux Baudouin de Flandre.
1225	Saint Antoine de Padoue en France.

| 1226 | Croisade royale en Languedoc. |
| 1227 | Synode de Narbonne sur la recherche des hérétiques. |

RÈGNE DE LOUIS IX : 1226-1270

Régence de Blanche de Castille.

1227	Libération de Ferrand de Portugal, comte de Flandre.
1228	**Révolte des barons (le roi bloqué à Montlhéry).**
1228-1249	Guillaume d'Auvergne, évêque de Paris.
1229	Traité de Meaux-Paris avec le comte de Toulouse.
1229	Début de la construction de l'église des Jacobins de Toulouse.
1229-1231	Grève de l'université de Paris.
1230-1240	Guillaume de Lorris écrit la première partie du *Roman de la Rose*.
1230 (vers)	Attribution d'une circonscription aux baillis du roi.
1233	**Institution de l'Inquisition en Languedoc.**
1233	Mort de Philippe Hurepel.
1234	Mariage de Louis IX.

De 1234 à 1242 Saint Louis exerce peu à peu le pouvoir personnellement.

1234	Soumission de Pierre Mauclerc, comte de Bretagne.
1235	Ligue des barons contre la juridiction ecclésiastique.
1240	Révolte de Trencavel, héritier des vicomtes de Carcassonne et de Béziers.
	Traduction de l'*Éthique* d'Aristote.
	Controverse entre juifs et chrétiens au palais royal.
1240-1248	Enseignement d'Albert le Grand à Paris.
1241	Fêtes pour l'adoubement d'Alphonse, comte de Poitiers.
1241	Révolte d'Hugues de Lusignan.
1242	**Campagne de Poitou : victoires de Taillebourg et de Saintes.**
1242	Massacre des inquisiteurs à Avignonet.
1242-1244	Dernière révolte des barons languedociens et de Raimond VII de Toulouse. Siège de Montségur.
1243	Trêve avec l'Angleterre.
1243-1248	Construction de la Sainte-Chapelle à Paris.
1243-1254	*Pontificat d'Innocent IV*.
1244	Maladie du roi et vœu de croisade.
	Chute de Jérusalem.
1245	Concile de Lyon.
	Takehan de Douai.
1246	Par son mariage, Charles d'Anjou devient comte de Provence.
1246	Conclusion de l'accord entre les Avesnes et les Dampierre au sujet du comté de Flandre.

1247	Premier envoi des enquêteurs royaux.
	Mémoire royal sur la fiscalité pontificale.
1247-1272	Construction de la cathédrale de Beauvais.
1248	Le roi part de Paris pour la croisade.
1248	Comptes des baillis et prévôts.
1248-1257	Enseignement de saint Bonaventure à Paris.
1250	(vers) Carnets de Villard de Honnecourt.
1249	(5 juin) Prise de Damiette.
1250	**(9 février) Défaite de Mansourah.**
	(6 avril) Capture du roi.
	(6 mai) Libération du roi.
	Mort de Frédéric II.
1251	(mai-juin) Croisade des pastoureaux.
1252-1259	**Principale période de l'enseignement de Thomas d'Aquin à Paris.**
	Une seule chaire de théologie par *studium*.
	Querelle des séculiers et des réguliers à l'université de Paris.
1250-1270	(vers) Nombreuses fondations de bastides en Aquitaine.
1250	(vers) Vincent de Beauvais travaille au *Speculum majus*.
1252	(novembre) Mort de Blanche de Castille.
1252-1284	*Règne d'Alphonse le Sage en Castille.*
1253	Arrivée de Guillaume de Rubrouck à la cour du khan mongol.
1254	Embarquement du roi à Acre.
	(décembre) Ordonnance sur la réformation du royaume.
	La formule *Rex Franciae* est définitivement adoptée par la chancellerie royale.
1255	Premier registre des *olim* du parlement.
1256	Dit de Péronne : arbitrage de Louis IX sur le différend entre les Avesnes et les Dampierre.
1256	Condamnation de Guillaume de Saint-Amour.
1258	Ordonnance instituant la procédure d'enquête dans les cours royales.
	Fondation d'un collège par Robert de Sorbon.
	Traité de Corbeil avec le roi d'Aragon.
	Traité de Paris avec le roi d'Angleterre.
	Interdiction de la guerre privée.
	Étienne Boileau, prévôt de Paris.
1258	*Manfred couronné roi de Sicile.*
1260	Lettre des frères Di Grigori sur les taux d'intérêt aux foires de Champagne.
	(vers) Rutebeuf écrit *Le Miracle de Théophile*.
1261	Interdiction du duel judiciaire.
1260-1270	Rédaction par Étienne Boileau du *Livre des métiers*.
	Rédaction du *Livre de justice et de plet*.

1261-1268	*Pontificat d'Urbain IV.*
1262	Adam de la Halle écrit le *Jeu de la feuillée.*
1263	Réorganisation de la nécropole de Saint-Denis.
	Ordonnance sur le cours des monnaies. Écu d'or.
	Premières estimes de Toulouse.
1264	Dit d'Amiens : arbitrage de Louis IX entre le roi d'Angleterre et ses barons.
	Brunetto Latini écrit en français le *Livre du trésor.*
1264-1266	**Charles d'Anjou conquiert l'Italie du Sud.**
1266	Création du gros tournois.
1267	Saint Louis reprend la croix.
1268	Bataille de Tagliacozzo ; mort de Conradin.
1269	Traité sur l'aimant de Pierre de Maricourt.
1270	Mort d'Isabelle, sœur du roi.
	(mars) Embarquement à Aigues-Mortes.
	(3 août) Mort de Jean Tristan, fils du roi.
	(25 août) Mort de Louis IX à Tunis.

RÈGNE DE PHILIPPE III LE HARDI : 1270-1285

1270	(16 novembre) Une tempête anéantit la flotte française au large de la Sicile.
1271	Ensevelissement de Louis IX à Saint-Denis.
	Mort d'Alphonse de Poitiers. Annexion du comté de Toulouse au domaine royal.
1272-1307	*Règne d'Édouard Ier en Angleterre.*
1272-1275	Geoffroy de Beaulieu écrit la *Vie de Saint Louis.*
1274	Concile de Lyon : union des Églises catholique et byzantine.
	Primat offre au roi les *Grandes Chroniques de France.*
1275	Jean de Meung écrit la seconde partie du *Roman de la Rose.*
1277	**Syllabus d'Étienne Tempier, évêque de Paris.**
1278	Exécution de Pierre de la Broce.
	(vers) Subdivisions du parlement.
1279	Traité d'Amiens avec l'Angleterre.
1280	Émeutes urbaines.
1282	**Vêpres siciliennes.**
	Début de la construction de la cathédrale d'Albi.
1283	Philippe de Beaumanoir écrit les *Coutumes de Beauvaisis.*
1284	Effondrement du chœur de la cathédrale de Beauvais.
1284-1285	Expédition de Philippe III en Aragon.
	Mariage de Philippe (IV) avec Jeanne de Navarre-Champagne.
1285	Mort de Charles d'Anjou.

RÈGNE DE PHILIPPE IV LE BEL : 1285-1314

1290	Première dévaluation.
1293	Édouard Ier cité devant la cour du roi.
1294-1303	*Pontificat de Boniface VIII.*
1295	Première grave crise monétaire.
1296	Le conflit avec le Saint-Siège s'engage pour la décime (bulle *Clericis laicos*).
1297	Canonisation de Saint Louis.
1299	Traité franco-anglais.
1301	Affaire de Bernard Saisset.
	Bulle *Ausculta filii*.
1302	**Assemblée de Notre-Dame contre le pape.**
	Révolte des Flandres après les Matines de Bruges et défaite royale à Courtrai.
1303	Crise financière et dévaluation.
	Révoltes à Carcassonne. Bernard Délicieux.
	Attentat d'Anagni.
	Fondation de l'université d'Avignon.
1304	Victoire de l'ost royal en Flandre à Mons-en-Pévèle.
1304-1309	Joinville écrit l'*Histoire de Saint Louis*.
1305-1315	*Pontificat de Clément V (Bertrand de Got).*
1306	Expulsion des juifs.
	Réévaluation de la monnaie.
	Privilèges du pape pour l'université d'Orléans.
1307	Arrestation des templiers.
	Nogaret devient garde des Sceaux.
1308	Mariage d'Isabelle avec Édouard II.
	Assemblée d'états à Tours à propos des templiers.
1309	**Clément V s'installe à Avignon.**
	Confiscation des biens des Lombards.
	Dévaluation.
1312	Concile de Vienne. Suppression de l'ordre du Temple.
1312-1313-1314	Osts de Flandre.
1312	Réunion de Lyon au domaine.
1313	Tentative de réévaluation de la monnaie.
1314	Affaire des belles-filles du roi.

RÈGNE DE LOUIS X LE HUTIN : 1314-1316

1315	**Ligues féodales.**
	Arrestation d'Enguerran de Marigny.
1315-1317	**Intempéries et famines dans le Nord de l'Europe.**
1316-1334	*Pontificat de Jean XXII (Jacques Duèse).*

RÈGNE DE PHILIPPE V LE LONG : 1316-1322

1317   (janvier) Sacre de Philippe V à Reims.
              L'assemblée de Paris déclare que «femme ne succède
              pas au royaume de France».
1320   Organisation de la cour des comptes.
1320   Guillaume d'Ockham enseigne à Paris.
              (vers) Jacques Fournier, évêque de Pamiers, interroge
              les habitants de Montaillou.

RÈGNE DE CHARLES IV LE BEL : 1322-1328

1326   (vers) *État des paroisses et des feux.*

RÈGNE DE PHILIPPE VI DE VALOIS : 1328-1350

1328   Défaite des révoltés flamands à Cassel.
1337   Confiscation de la Guyenne.
              Soulèvement d'Artevelde à Gand.
1339   Débarquement anglais.
1340-1346   Crise financière et monétaire.

*Arbres généalogiques
et cartes*

LES PETITS-FILS DE PHILIPPE AUGUSTE

Philippe AUGUSTE
1165-1180-1223

+ 1. Isabelle de HAINAUT (ARTOIS)

+ 2. Ingeburge de Danemark

+ 3. Agnès de Méranie

+ une demoiselle d'Arras

LOUIS VIII
+ Blanche de Castille

Philippe Hurepel
+ Mahaut de Bourgogne

Marie

Pierre Charlot
ev. de Noyon

4 enfants morts en bas âge dont Philippe

Isabelle
1242-1271
+ Thibaut de NAVARRE

LOUIS IX
1214-1226-1270
+ Marguerite de Provence

Louis

Philippe III

Alphonse
comte de POITIERS
+ Jeanne comtesse de TOULOUSE

Isabelle

Robert
comte d'ARTOIS
+ Mahaut de Brabant

Charles
1226-1266-1285
comte d'ANJOU
roi de Sicile
+ Béatrice de Provence

Jean Tristan
comte de VALOIS
+ Jeanne comtesse de BLOIS

Blanche
1253-1323
+ Ferdinand de la Cerda (Castille)

Marguerite
1254-1271
+ Jean duc de BRABANT

Robert
1256-1318
+ Béatrice de BOURBON

Agnès
1260-1327
+ Robert II de BOURGOGNE

LA DESCENDANCE DES FRÈRES DE LOUIS IX

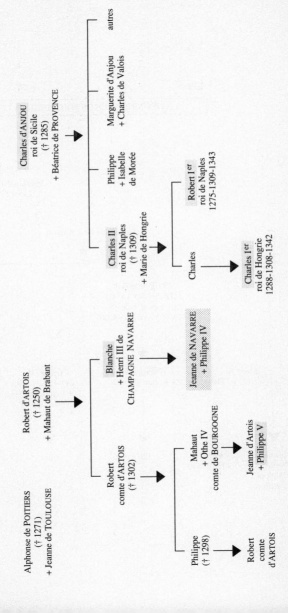

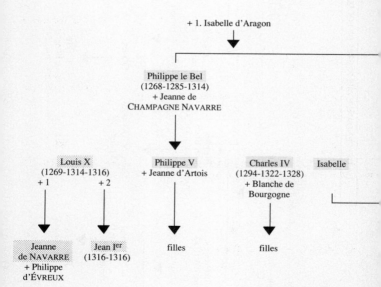

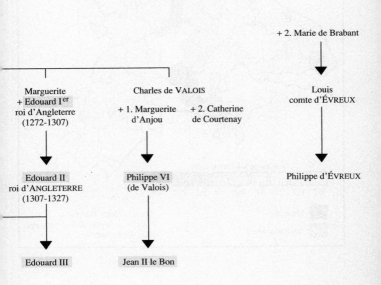

+ 2. Marie de Brabant

Marguerite
+ Edouard Ier
roi d'Angleterre
(1272-1307)

Charles de VALOIS

+ 1. Marguerite   + 2. Catherine
d'Anjou   de Courtenay

Louis
comte d'ÉVREUX

Edouard II
roi d'ANGLETERRE
(1307-1327)

Philippe VI
(de Valois)

Philippe d'ÉVREUX

Edouard III

Jean II le Bon

Les feux du diocèse de Rouen au XIIIᵉ siècle

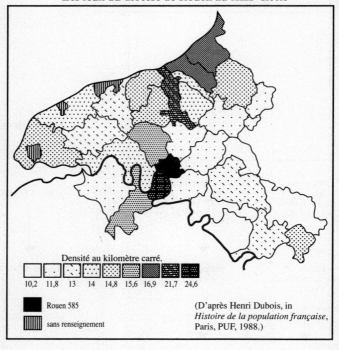

Densité au kilomètre carré.

10,2 11,8 13 14 14,8 15,6 16,9 21,7 24,6

Rouen 585

sans renseignement

(D'après Henri Dubois, in
Histoire de la population française,
Paris, PUF, 1988.)

Le peuplement de la région parisienne
au début du XIVᵉ siècle

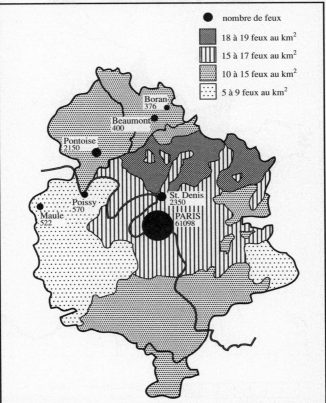

● nombre de feux

▨ 18 à 19 feux au km²

▥ 15 à 17 feux au km²

▦ 10 à 15 feux au km²

⠂ 5 à 9 feux au km²

Densité au kilomètre carré, d'après G. Fourquin et H. Dubois, in *Histoire de la population française*, Paris, PUF, 1988.
G. Fourquin insiste sur l'opposition entre la plaine de France céréalière et les régions périphériques, comme Hurepoix (au sud), Beauce (à l'ouest) et Brie (à l'est).

Essai de reconstitution des densités régionales (feux par kilomètre carré), d'après l'état des paroisses et des feux de 1328

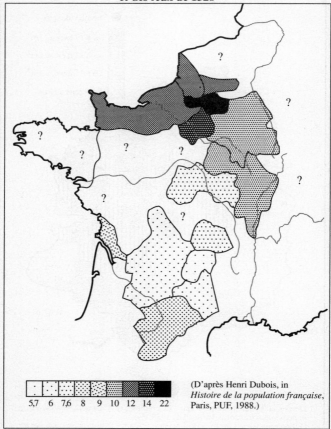

5,7   6   7,6   8   9   10   12   14   22

(D'après Henri Dubois, in
Histoire de la population française,
Paris, PUF, 1988.)

La répartition de la richesse dans le royaume de France au milieu du XIIIᵉ siècle

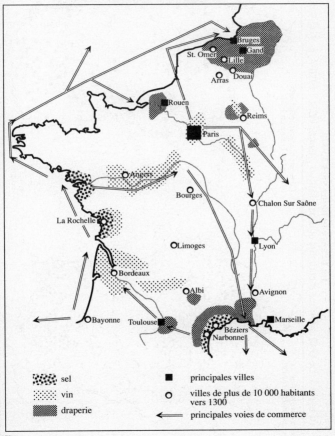

▓▓▓ sel	■ principales villes
∴∴∴ vin	○ villes de plus de 10 000 habitants vers 1300
▓▓▓ draperie	← principales voies de commerce

La France urbaine vers 1300

(d'après J. Le Goff, «Ordres mendiants et urbanisation», *Annales ESC*, 1970-4, p. 924, 946)

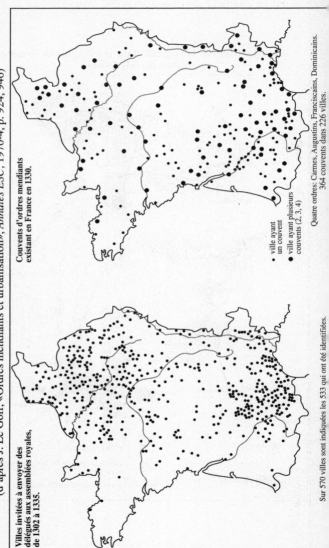

Villes invitées à envoyer des
délégués aux assemblées royales,
de 1302 à 1335.

Couvents d'ordres mendiants
existant en France en 1330.

• ville ayant
   un couvent

● ville ayant plusieurs
   couvents (2, 3, 4)

Quatre ordres: Carmes, Augustins, Franciscains, Dominicains.
364 couvents dans 226 villes.

Sur 570 villes sont indiquées les 533 qui ont été identifiées.

Structure territoriale du royaume de France au XIIIᵉ siècle

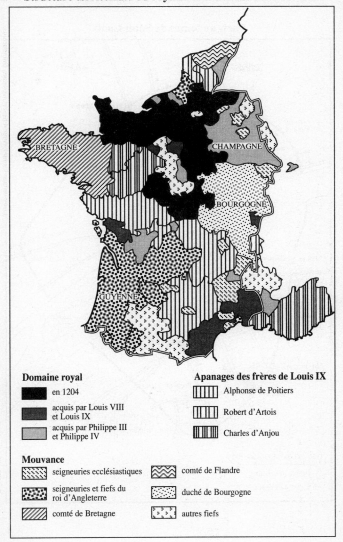

BRETAGNE

CHAMPAGNE

BOURGOGNE

GUYENNE

Domaine royal

■ en 1204

▨ acquis par Louis VIII
et Louis IX

▨ acquis par Philippe III
et Philippe IV

Mouvance

▨ seigneuries ecclésiastiques

▨ seigneuries et fiefs du
roi d'Angleterre

▨ comté de Bretagne

▨ comté de Flandre

▨ duché de Bourgogne

▨ autres fiefs

Apanages des frères de Louis IX

▥ Alphonse de Poitiers

▥ Robert d'Artois

▥ Charles d'Anjou

Paris au temps de Saint Louis

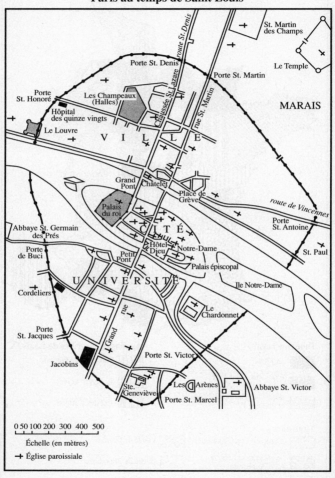

St. Martin
des Champs

Le Temple

Porte St. Denis

Porte St. Martin

MARAIS

Porte
St. Honoré

Les Champeaux
(Halles)

Hôpital
des quinze vingts

Le Louvre

V I L L E

Grand
Pont

Châtelet

Place de
Grève

route de Vincennes

Palais
du roi

Abbaye St. Germain
des Prés

C I T É

Porte
St. Antoine

Porte
de Buci

Hôtel
Dieu

Notre-Dame

St. Paul

Petit
Pont

Palais épiscopal

U N I V E R S I T É

Ile Notre-Dame

Cordeliers

Le
Chardonnet

Porte
St. Jacques

rue Grand

Porte St. Victor

Jacobins

Les Arènes

Abbaye St. Victor

Ste.
Geneviève

Porte St. Marcel

0 50 100 200 300 400 500

Échelle (en mètres)

✝ Église paroissiale

Plan du palais de la Cité

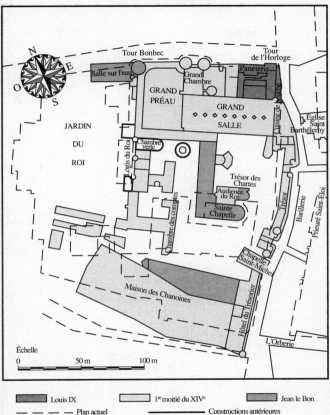

Plan du palais de la Cité

Tour Bonbec
Tour de l'Horloge
Salle sur l'eau
Grand Chambre
Paneterie
GRAND PRÉAU
GRAND SALLE
Cuisine de Saint-Louis
Église Saint Barthélemy
JARDIN DU ROI
Logis du Roi
Chambre verte
Chambre des comptes
Trésor des Chartes
Audience du Roi
Sainte Chapelle
Trésor
Barillerie
Prieuré Saint-Éloi
Chapelle Saint-Michel
Maison des Chanoines
Hôtel du Trésorier
L'Orberie

Échelle
0   50 m   100 m

Louis IX   1re moitié du XIVe   Jean le Bon

– – – Plan actuel   ——— Constructions antérieures

d'après Jean Guérout, *in* R. Cazelles, *Nouvelle Histoire de Paris*, Paris, Hachette, 1972

Bibliographie

Sources

Au risque de choquer l'usage, j'ai classé les auteurs médiévaux suivant l'ordre alphabétique de leur prénom ou de leur surnom, en me référant à la manière actuelle de les désigner.

Chroniques et sources littéraires

1. (Un choix a été fait, privilégiant la langue française, les ouvrages et les éditions les plus accessibles. L'essentiel était de rappeler la nécessaire référence aux œuvres de la littérature du XIIIe siècle. On pourra aussi utiliser les volumes correspondants des *Recueils des historiens de France* et *l'Histoire littéraire de la France.)*

2. Philippe de Beaumanoir, *Les Coutumes de Beauvaisis,* éd. Salmon, Paris, A. Picard, « Collection de textes pour servir à l'étude et à l'enseignement de l'histoire », 1899-1900.

3. Philippe de Beaumanoir, *La Manekine,* mise en français par C. Marchello-Nizia, Paris, 1980.

4. Étienne Boileau, *Le Livre des métiers*, éd. René de Lespinasse et François Bonnardot, Paris, Imprimerie nationale, coll. « Histoire générale de la ville de Paris », 1879.

5. Guillaume de Lorris et Jean de Meung, *Le Roman de la Rose*, Félix Lecoy éd., Paris, H. Champion, coll. « Les classiques français du Moyen Age », 1965-1970.

6. Guillaume de Puylaurens, *Chronique*, éd. et trad. de Jean Duvernoy, Paris, CNRS, 1976.

7. Guilaume de Saint-Pathus, *La Vie et les Miracles de Monseigneur Saint Louis*, éd. Percival B. Fay, Paris, Champion, 1931.

8. Jean de Joinville, « Histoire de Saint Louis », in *Historiens et Chroniqueurs du Moyen Age*, Paris, Gallimard, 1963, p. 195-366.

9. *Livre de justice et de plet (Le)*, éd. P. Rapetti, Paris, 1850.

10. *Roman de Renard le contrefait (Le)*, éd. Mario Roques, Paris, H. Champion, coll. «Les classiques français du Moyen Age», 1955.

11. Rutebeuf, *Œuvres complètes*, éd. Edmond Faral et Julia Bastin, Paris, A. et J. Picard, 1969.

Recueils composés

12. Roger Berger, *Le Nécrologe de la confrérie des jongleurs et des bourgeois d'Arras*, Commission départementale des monuments historiques du Pas-de-Calais, Arras, 2 vol., 1963-1970.

13. Célestin Douais, *Documents pour servir à l'histoire de l'Inquisition*, Paris, 1900.

14. Gustave Fagniez, *Documents relatifs à l'histoire de l'industrie et du commerce en France*, Paris, A. Picard et fils, «Collection de textes pour servir à l'étude et à l'enseignement de l'histoire», 1898-1900.

15. Jean Favier, *Cartulaire et Actes d'Enguerran de Marigny*, «Collection de documents inédits sur l'histoire de France», Paris, 1965.

16. Robert Fawtier, Charles-Victor Langlois, *Comptes du trésor* (1296, 1316, 1384, 1477), Paris, Imprimerie nationale, «Recueils d'historiens de la France, Documents financiers», 1930.

17. André Giry, *Documents sur les relations de la royauté avec les villes de France de 1180 à 1314*, Paris, 1885.

18. Robert Fawtier, François Maillard, *Comptes royaux (1285-1314)*, Paris, Imprimerie nationale, «Recueils des historiens de France, Documents financiers», 1953-1957.

19. Robert Fossier, *Chartes de franchise de Picardie (XIᵉ-XIIIᵉ)*, Paris, «Collection de documents inédits sur l'histoire de France», 1974.

20. Lecoy de la Marche, *Anecdotes historiques, Légendes et Apologues tirés du recueil inédit d'Étienne de Bourbon, dominicain du XIIIᵉ siècle*, Paris, 1877.

21. Karl Michaelsson, *Le Livre de la taille de Paris*, Göteborg, Elanders Bokhyek, 1951 (1313); 1958 (1296); 1962 (1297).

22. Auguste Molinier, *Correspondance administrative d'Alphonse de Poitiers*, Paris, «Collection de documents inédits sur l'histoire de France», 1900.

23. David O'Connell, *Les Propos de Saint Louis*, Paris, Gallimard, coll. «Archives», 1974.

24. *Recueil des actes de Philippe Auguste, roi de France*, éd. Delaborde, F. Henri, J. Monicat, Jacques Boussard, Michel Nortier, Paris,

Chartes et diplômes relatifs à l'histoire de France, publiés par l'académie des Inscriptions et Belles-Lettres, 1916, 1943, 1966, 1979.

Ouvrages généraux

25. *La France médiévale*, sous la dir. de Jean Favier, Paris, Fayard, 1983.

26. Bernard Chevalier, *L'Occident de 1280 à 1492*, Paris, A. Colin, «Collection U», 1969.

27. Bernard Chevalier, *Les Bonnes Villes de France du XIVᵉ au XVIᵉ siècle*, Paris, Aubier Montaigne, «Collection historique», 1982

28. Roger Dion, *Les Frontières de la France*, Paris, Hachette, 1947.

29. Georges Duby, *Le Temps des cathédrales. L'art et la société 980-1420*, Paris, Gallimard, coll. «Bibliothèque des histoires», 1976.

30. Georges Duby, Robert Mandrou, *Histoire de la civilisation française*, Paris, Armand Colin, «Collection U», 1967.

31. Edmond Faral, *La Vie quotidienne au temps de Saint Louis*, Paris, Hachette, 1942.

32. Jean Favier, *Philippe le Bel*, Paris, Fayard, 1978.

33. Guy Fourquin, *Histoire économique de l'Occident médiéval*, Paris, A. Colin, «Collection U», 1969.

34. *La France de Philippe Auguste. Le temps des mutations*, publié sous la dir. de R.H. Bautier, Paris, CNRS, 1982.

35. Léopold Génicot, *Le XIIIᵉ Siècle européen*, Paris, PUF, coll. «Nouvelle Clio», 1968.

36. Bernard Guenée, *L'Occident aux XIVᵉ et XVᵉ siècles. Les États*, Paris, PUF, coll. «Nouvelle Clio», 1971.

37. *Histoire de la France. L'État et les pouvoirs*, sous la dir. d'André Burguière et Jacques Revel : Jacques Le Goff, «Le Moyen Age», Paris, Éd. du Seuil, 1989.

38. *Histoire de la France urbaine*, sous la dir. de Georges Duby : Jacques Le Goff, «L'apogée de la France urbaine et médiévale», Paris, Éd. du Seuil, 1980.

39. *Histoire de la France rurale*, sous la dir. de Georges Duby : Guy Fourquin, «Le temps de la croissance», Paris, Éd. du Seuil, 1980.

40. *Histoire de la France religieuse*, sous la dir. de Jacques Le Goff et René Rémond : André Vauchez, «Le christianisme roman et gothique», et Jean-Claude Schmitt, «Les superstitions», Paris, Éd. du Seuil, 1988.

41. William Chester Jordan, *Louis IX and the Challenge of the Crusade*, Princeton, Princeton University Press, 1979.

42. Charles-Victor Langlois, *Le Règne de Philippe III,* Paris, Hachette, 1887.

43. Jean-François Lemarignier, *La France médiévale. Institutions et sociétés*, Paris, A. Colin, « Collection U », 1970.

44. Marie-Thérèse Lorcin, *La France au XIIIe siècle*, Paris, Nathan, coll. « Fac », 1975.

45. Marie-Thérèse Lorcin, *Société et Cadre de vie en France, Angleterre et Bourgogne (1050-1250)*, Paris, CDU-SEDES, 1985.

46. Charles Petit-Dutaillis, *Étude sur la vie et le règne de Louis VIII*, Paris, Librairie Émile Bouillon, 1894.

47. Jacques Paul, *Histoire intellectuelle de l'Occident médiéval*, Paris, A. Colin, « Collection U », 1973.

48. Jean Richard, *Saint Louis*, Paris, Fayard, 1983.

49. Gérard Sivery, *Saint Louis et son siècle*, Paris, Tallandier, coll. « Figures de proue », 1983.

50. Gérard Sivery, *L'Économie du royaume de France au siècle de Saint Louis*, Lille, Presses universitaires de Lille, 1984.

51. *VIIe Centenaire de la mort de Saint Louis. Actes du colloque de Royaumont et de Paris (21-27 mai 1970),* Paris, Les Belles Lettres, 1976.

Archéologie et civilisation matérielle

52. Patrice Beck, sous la dir. de, *Une ferme seigneuriale au XIVe siècle. La grange du Mont (Charny, Côte-d'Or),* Paris, Maison des sciences de l'homme, « Documents d'archéologie française », 1989.

53. Jacqueline Caille, « Narbonne au Moyen Age. Évolution de la topographie et du paysage urbain », *110e Congrès des Sociétés savantes*, Montpellier, 1985, Histoire médiévale, II, p. 57-96.

54. *Céramique (La) (Ve-XIXe). Fabrication - Commercialisation - Utilisation,* Société d'archéologie médiévale, Caen, 1987.

55. Gabrielle Demians d'Archimbaud, *Rougiers, village médiéval. Approche archéologique d'une société rurale méditerranéenne*, Paris, CNRS, 1982.

56. Pierre du Colombier, *Les Chantiers des cathédrales*, Paris, A. et J. Picard, 1973.

57. Alain Erlande-Brandebourg, *La Cathédrale*, Paris, Fayard, 1989.

58. Gabriel Fournier, *Le Château dans la France médiévale*, Paris, Aubier Montaigne, «Collection historique», 1978.

59. Jean Gimpel, *La Révolution industrielle du Moyen Age*, Paris, Éd. du Seuil, coll. «Points Histoire», 1975.

60. Dieter Kimpel, «L'organisation de la taille des pierres sur les grands chantiers d'églises du XIe au XIIIe siècle», dans *Pierre et Métal dans le bâtiment au Moyen Age*, Études réunies par Odette Chapelot et Paul Benoît, Paris, EHESS, 1985.

61. Pierre Lavedan, Jeanne Hugueney, *L'Urbanisme au Moyen Age*, Paris, Arts et Métiers graphiques, 1974.

62. Jean-Pierre Leguay, *La Rue au Moyen Age*, Ouest-France Université, Rennes, 1984.

63. Claude Lorren, «La demeure seigneuriale de Rubercy (milieu XIIe-début XIIIe)», *Château-Gaillard*, 1977, VIII, p. 185-192.

64. *Louvre des rois (Le), Dossiers Histoire et archéologie*, 1986, p. 110.

65. Jean Mesqui, *Le Pont en France avant le temps des ingénieurs*, Paris, Picard, 1986.

66. Jean Nicourt, *Céramiques médiévales parisiennes. Classification et typologie*, Paris, JPGF, 1986.

67. *Paris, Genèse d'un paysage*, Paris, Picard, coll. «Villes et sociétés», 1989.

68. Jean-Marie Pesez, «L'habitation paysanne en Bourgogne médiévale», *La Construction au Moyen Age*. Histoire et archéologie, Actes du congrès de la Société des médiévistes de l'enseignement supérieur, Annales littéraires de l'université de Besançon, Paris, Les Belles Lettres, 1973, p. 219-238.

69. Jean-Marie Pesez, Françoise Piponnier, «Les maisons fortes bourguignonnes», *Château-Gaillard*, 1972, V, p. 143-164.

70. Philippe Wolff, «Structures sociales et morphologies urbaines dans le développement historique des villes (XIIe-XVIIIe)», *Cahiers bruxellois,* 1977, XXII, p. 5-72.

Religion et culture

71. Michel Aubrun, *La Paroisse en France des origines au XVe siècle,* Paris, Picard, 1986.

72. Nicole Bériou, «La prédication au béguinage de Paris pendant l'année liturgique», *Recherches augustiniennes,* 1978, XIII, p. 105-229.

73. Nicole Bériou, « L'art de convaincre dans la prédication de Ranulphe d'Homblières », *Faire croire. Modalités de la diffusion et de la réception des messages religieux du XIIᵉ au XVᵉ siècle*, Paris-Rome, « Collection de l'École française de Rome », 51, 1981, p. 39-65.

74. Jean-Louis Biget, « Recherches sur le financement des cathédrales du Midi au XIIIᵉ siècle », *La Naissance et l'Essor du gothique méridional au XIIIᵉ siècle*, Cahiers de Fanjeaux, nᵒ 9, Toulouse, Privat, 1974, p. 127-163.

75. Dominique Boutet, Armand Strubel, *Littérature, politique et Société dans la France du Moyen Age*, Paris, PUF, 1979.

76. Norman Cohn, *Les Fanatiques de l'Apocalypse. Courants millénaristes révolutionnaires du Xᵉ au XVIᵉ siècle*, Paris, Fayard, 1962.

77. *Credo, la Morale et l'Inquisition (Le),* Cahiers de Fanjeaux, nᵒ 6, Toulouse, Privat, 1971.

78. *Effacement du catharisme (XIIIᵉ-XIVᵉ s.) (L'),* Cahiers de Fanjeaux, nᵒ 20, Toulouse, Privat, 1985.

79. *Évêques, les clercs et le roi (1250-1300) (Les)*, Cahiers de Fanjeaux, nᵒ 7, Toulouse, Privat, 1972.

80. Alberto Forni, « La nouvelle prédication des disciples de Foulques de Neuilly : intentions, techniques et réactions », *Faire croire. Modalités de la diffusion et de la réception des messages religieux du XIIᵉ au XVᵉ siècle*, Paris-Rome, « Collection de l'École française de Rome », 51, 1981, p. 19-37.

81. Jack Goody, *La Logique de l'écriture*, Paris, Colin, 1986.

82. André Gouron, « Enseignement du droit, légistes et canonistes à la fin du XIIIᵉ et au début du XIVᵉ siècle », *Recueil de mémoires et travaux publié par la société de droit... écrit*, 1966, 2, p. 211 sq.

83. Bernard Guenée, *Histoire et Culture historique dans l'Occident médiéval,* Paris, Aubier Montaigne, « Collection historique », 1980.

84. *Hérésies et Sociétés dans l'Europe pré-industrielle XIᵉ-XVIIIᵉ siècles*, Paris-La Haye, Mouton, 1968.

85. *Histoire des bibliothèques françaises*, sous la dir. d'André Vernet, t. I : *Les Bibliothèques médiévales*, Paris, 1989.

86. *Histoire des universités en France*, sous la dir. de Jacques Verger, Toulouse, Privat, coll. « Bibliothèque historique », p. 17-76.

87. Danielle Jacquart, *Le Milieu médical en France du XIIᵉ au XVIᵉ siècle*, Genève-Paris, Droz Champion, 1981.

88. Omer Jodogne, « La personnalité de l'écrivain d'oïl du XIIᵉ au XIVᵉ siècle », *L'Humanisme médiéval dans les littératures romanes du XIIᵉ au XIVᵉ siècle,* Paris, A. Fournié, 1964, p. 87-106.

89. Georges de Lagarde, *La Naissance de l'esprit laïque au déclin du Moyen Age*, Louvain, 2e éd., 1956-1962, t. I.

90. Charles-Victor Langlois, *La Vie en France de la fin du XIIe siècle au milieu du XIVe siècle*, Paris, 1904-1925, 4 vol.

91. A. Lecoy de la Marche, *La Chaire française au Moyen Age, spécialement au XIIIe siècle*, Paris, Didier, 1868.

92. Jacques Le Goff, *Les Intellectuels au Moyen Age,* Paris, Éd. du Seuil, coll. «Points Histoire», rééd. 1985.

93. Jacques Le Goff, «Ordres mendiants et urbanisation dans la France médiévale», *Annales ESC,* 1970, 4, p. 924-946.

94. Jacques Le Goff, *Naissance du purgatoire*, Paris, Gallimard, coll. «Bibliothèque des histoires», 1981.

95. Jacques Le Goff, *La Bourse et la Vie. Économie et religion au Moyen Age*, Paris, Hachette, 1986.

96. Jacques Le Goff, «La ville médiévale et le temps», *Villes, Bonnes Villes, Cités et Capitales. Mélanges offerts à Bernard Chevalier,* Tours, Presses de l'université de Tours, 1989, p. 325-332.

97. Jacques Le Goff, «Le temps de l'*exemplum*», *Le Temps chrétien de la fin de l'Antiquité au Moyen Age*, Paris, CNRS, 1984, p. 553-557.

98. Alain de Libera, *La Philosophie médiévale*, Paris, PUF, coll. «Que sais-je?», 1989, 2e éd.

99. Marie-Thérèse Lorcin, *Façons de sentir et de penser : les fabliaux français*, Paris, H. Champion, 1979.

100. Serge Lusignan, *Parler vulgairement. Les intellectuels et la Langue française aux XIIIe et XIVe siècles*, Paris-Montréal, Vrin-Presses de l'université de Montréal, 1986.

101. Henri-Jean Martin, *Histoire et Pouvoirs de l'écrit,* Paris, Perrin, coll. «Histoire et décadence», 1988.

102. Hervé Martin, *Les Ordres mendiants en Bretagne. Pauvreté volontaire et prédication à la fin du Moyen Age (vers 1230-vers 1530)*, Paris, Klincksieck, 1975.

103. Philippe Ménard, *Les Fabliaux. Contes à rire du Moyen Age*, Paris, PUF, 1983.

104. Pierre Michaud-Qentin, *Universitas. Expression du mouvement communautaire dans le Moyen Age*, Paris, J. Vrin, 1970.

105. John H. Mundy, «Charity and social work in Toulouse (1100-1250)», *Traditio*, 1966, 22, p. 203-237.

106. J.J. Murphy, *Rhetoric in the Middle Ages : a History of Rhetorical Theory from Saint Augustine to the Renaissance*, Berkeley-Los Angeles, University of California Press, 1974.

107. Alexander Murray, *Reason and Society in the Middle Ages*, Oxford, Clarendon Press, 1978.

108. Jacques Paul, *Histoire intellectuelle de l'Occident médiéval*, Paris, Armand Colin, «Collection U», 1973.

109. Jean-Claude Payen, *Littérature française. I. Le Moyen Age*, Paris, Arthaud, 1983.

110. Édouard Perroy, *La Vie religieuse au XIIIe siècle*, Paris, CDU, 1969.

111. Daniel Poirion, *Précis de littérature française du Moyen Age*, Paris, PUF, 1982.

112. *Prêcher d'exemples. Récits de prédicateurs du Moyen Age.* Présenté par Jean-Claude Schmitt, Paris, Stock, coll. «Moyen Age», 1985.

113. *Religion populaire en Languedoc du XIIIe à la moitié du XIVe siècle (La),* Cahiers de Fanjeaux, n° 11, Toulouse, Privat, 1976.

114. Paul Saenger, «Silent reading», *Viator*, 1982, 13, p. 367-414.

115. Alain Saint-Denis, *L'Hôtel-Dieu de Laon (1150-1300)*, Nancy, Presses universitaires de Nancy, 1983.

116. Jean-Claude Schmitt, «Recueils franciscains d'exempla et perfectionnement des techniques intellectuelles du XIIIe au XVe siècle», *Bibliothèque de l'École des chartes*, CXXXV, 1977, p. 5-21.

117. René Taton, sous la dir. de, *Histoire générale des Sciences*, Paris, PUF, 1966, t. I : Guy Beaujouan, *La Science dans l'Occident médiéval chrétien*.

118. Marie Ungureanu, *Société et Littérature bourgeoises d'Arras aux XIIe et XIIIe siècles*, Arras, Mémoires de la commission des Monuments historiques du Pas-de-Calais, 1955.

119. *Universités du Languedoc au XIIIe siècle (Les),* Cahiers de Fanjeaux, Toulouse, Privat, 1970.

120. Jacques Verger, *Les Universités en France au Moyen Age*, Paris, PUF, 1973.

121. Jacques Verger, sous la dir. de, *Histoire des universités en France*, Toulouse, Privat, 1986.

122. Michel Zink, *La Prédication en langue romane avant 1300*, Paris, Champion, coll. «Nouvelle Bibliothèque du Moyen Age», 1976.

123. Michel Zink, *La Subjectivité littéraire. Autour du siècle de Saint Louis*, Paris, PUF, coll. «Écriture», 1985.

Diversité régionale du royaume

Les collections d'histoire des provinces et d'histoire des villes publiées par les éditions Privat et également par d'autres éditeurs constituent, sur ce chapitre, un instrument de travail de première qualité. Ces ouvrages sont trop nombreux pour être cités individuellement.

124. Jean-Louis Biget, «Aspects du crédit dans l'Albigeois à la fin du XIIIᵉ siècle», *Actes du XXVIᵉ Congrès d'études régionales,* Castres, 1970.

125. Guy Bois, *Crise du féodalisme*, Paris, Presses de la Fondation nationale des sciences politiques, 1976.

126. Monique Bourin-Derruau, *Villages médiévaux en Bas-Languedoc (Xᵉ-XIVᵉ s.)*, Paris, L'Harmattan, 1987.

127. Raymond Cazelles, *Paris de la fin du règne de Philippe Auguste à la mort de Charles V, 1223-1380*, in *Nouvelle Histoire de Paris*, Paris, Diffusion Hachette, 1972.

128. André Chédeville, *Chartres et ses campagnes, XIᵉ-XIIIᵉ siècle*, Paris, Klincksieck, 1973.

129. Noël Coulet, *Aix-en-Provence. Espace et relations d'une capitale (milieu XIVᵉ s. -milieu XVᵉ s.)*, Aix-en-Provence, Université de Provence, 1988, 2 vol.

130. Pierre Desportes, *Reims et les Rémois aux XIIᵉ et XIVᵉ siècles*, Paris, Picard, 1979.

131. Henri Dubois, *Les Foires de Chalon et le commerce dans la vallée de la Saône à la fin du Moyen Age, vers 1280-vers 1430*, Paris, Publications de la Sorbonne, 1976.

132. Alain Derville, sous la dir. d', *Histoire de la ville de Saint-Omer*, Lille, Presses universitaires de Lille, 1981.

133. Guy Devailly, *Le Berry du Xᵉ siècle au milieu du XIIIᵉ*, Paris-La Haye, Mouton, 1973.

134. Georges Duby, «La seigneurie et l'économie paysanne. Alpes du Sud, 1338», in *Hommes et Structures du Moyen Age*, Paris-La Haye, Mouton, 1973, p. 167-201.

135. Richard W. Emery, *The Jews of Perpignan. An Economic Study based on Notarial Records*, New York, Columbia University Press, 1959.

136. Georges Espinas, *Aux origines du capitalisme. I. Sire Jehan Boinebroke, patricien et drapier douaisien*, Lille, 1933. *II. Sire Jehan de France, patricien et rentier douaisien. Sire Jacques Le Blond, patricien et drapier douaisien*, Lille, Émile Raoust, 1936.

137. Robert Fossier, *La Terre et les Hommes en Picardie jusqu'à la fin du XIIIe siècle*, Louvain-Paris, Béatrice Neuwelaerts, 1968, 2 vol.

138. Étienne Fournial, *Les Villes et l'Économie d'échange en Forez aux XIIIe et XIVe siècles*, Paris, Les Presses du Palais-Royal, 1967.

139. Gabriel Fournier, Pierre-François Fournier, « La vie pastorale dans les montagnes du Centre de la France », extrait du *Bulletin historique et scientifique de l'Auvergne*, n° 676, Clermont-Ferrand, 1983, p. 199-358.

140. Guy Fourquin, *Les Campagnes de la région parisienne à la fin du Moyen Age, du milieu du XIIIe siècle au début du XVIe siècle*, Paris, PUF, 1964.

141. André Gouron, *La Réglementation des métiers en Languedoc au Moyen Age*, Genève, Droz-Minard, 1958.

142. André Gouron, « Le rôle social des juristes dans les villes méridionales », *Annales de la faculté des sciences humaines de Nice*, IX-X, 1969, p. 55-67.

143. Charles Higounet, *Le Comté de Comminges de ses origines à son annexion à la couronne*, Paris-Toulouse, Privat-Didier, 1949, 2 vol.

144. Charles Higounet, *La Grange de Vaulerent,* Paris, SEVPEN, 1965.

145. Charles Higounet, « Problèmes du Midi au temps de Philippe Auguste », in *La France de Philippe Auguste. Le temps des mutations*, Colloques internationaux du CNRS, n° 602, Paris, 1982, p. 311-321.

146. *Juifs et judaïsme de Languedoc*, Cahiers de Fanjeaux, n° 12, Toulouse, Privat, 1977.

147. Jean-Pierre Leguay, et Hervé Martin, *Fastes et Malheurs de la Bretagne ducale, 1213-1532,* Rennes, Ouest-France, 1982.

148. Emmanuel Le Roy Ladurie, *Montaillou, village occitan, de 1294 à 1324*, Paris, Gallimard, 1975.

149. Jean Lestocquoy, « Tonlieu et peuplement urbain à Arras », *Annales ESC,* 1955, p. 391-395.

150. Jean Lestocquoy, *Patriciens du Moyen Age. Les dynasties bourgeoises d'Arras du XIIe au XVe siècle*, Arras, Mémoires de la Commission des monuments historiques du Pas-de-Calais, 1945.

151. Anne Lombard-Jourdan, *Paris, Genèse de la « Ville » : la rive droite de la Seine des origines jusqu'en 1223*, Paris, CNRS, 1985.

152. Philippe Martel, « Le XIIIe siècle : ordre chrétien et ordre monarchique », in *Histoire d'Occitanie*, Paris, Hachette, 1979, p. 291-344.

153. Marcel Pacaut, « Naissance et renaissance d'une petite ville. Louhans du XIIIe au XVIe siècle », in *Villes, Bonnes Villes, Cités et Capitales. Mélanges offerts à Bernard Chevalier*, Tours, Presses de l'université de Tours, 1989, p. 123-132.

154. Charles Parain, « France du Nord et France du Sud », in *Outils, ethnies et développement historique*, Paris, 1979, p. 129-134.

155. Édouard Perroy, *Les Familles nobles du Forez. Essais de filiation*, Paris, 1976.

156. Yves Renouard, « Les Cahorsins, hommes d'affaires français du XIIIe siècle », *Études d'histoire médiévale*, SEVPEN, Paris, 1968, 1, p. 617-637.

157. Kathrin Reyerson, « Patterns of population attraction and mobility. The case of Montpellier », *Viator*, 10, 1979, p. 257-281.

158. Jean Richard, *Les Ducs de Bourgogne et la Formation du duché du XIe au XVIe siècle*, Dijon, 1954.

159. Albert Rigaudière, *Saint-Flour, ville d'Auvergne, au bas Moyen Age*, Paris, PUF, 1982.

160. Guy Romestan, « Draperie roussillonnaise et draperie languedocienne dans la première moitié du XIVe siècle », *XLIIe Congrès de la Fédération historique de Languedoc-Roussillon*, Montpellier, 1970, p. 31-59.

161. Michel Roquebert, *L'Épopée cathare. 1198-1212 : l'invasion*, Toulouse, Privat, 1973.

162. Alain Saint-Denis, « Marchands des campagnes laonnoises au milieu du XIIIe siècle », *Le Marchand au Moyen Age*, Actes du colloque de la Société des médiévistes de l'enseignement supérieur, Reims, 1988 (à paraître).

163. Jean-Luc Sarrazin, « Maîtrise de l'eau et société en marais poitevin (vers 1190-1283) », *Annales de Bretagne et des pays de l'Ouest*, 1985, 92, 4, p. 333-354.

164. Thérèse Sclafert, *Cultures en haute Provence*, Paris, SEVPEN, 1959.

165. Jean Schneider, *La Ville de Metz aux XIIIe et XIVe siècles*, Nancy, Imprimerie G. Thomas, 1950.

166. Louis Stouff, « Peuplement, économie et société de quelques villages de la montagne de Lure (1250-1450) », *Cahiers du Centre d'études des sociétés méditerranéennes*, 1, p. 35-109.

167. Louis Stouff, *Arles au bas Moyen Age*, Aix-Lille, Université de Provence, ANRT de Lille, III, 1986.

168. Adrian Verhulst, « La laine indigène dans les anciens Pays-Bas entre le XIIe et le XVIIe siècle », *Revue historique*, oct-déc. 1972.

169. Monique Zerner-Chardavoine, *La Croisade albigeoise*, Paris, Gallimard-Julliard, coll. « Archives », 1979.

Économie et société

170. Pierre Alexandre, *Le Climat en Europe au Moyen Age. Contribution à l'histoire des variations climatiques de 1000 à 1425, d'après les sources narratives de l'Europe occidentale*, Paris, EHESS, 1987.

171. Dominique Barthélemy, *Les Deux Âges de la seigneurie banale. Coucy (XIᵉ-XIIIᵉ siècle)*, Paris, Publications de la Sorbonne, 1984.

172. Robert-Henri Bautier, « Les foires de Champagne. Recherches sur une évolution historique », *La Foire*, Recueils de la Société Jean-Bodin, V, Bruxelles, 1953, p. 97-148.

173. Robert-Henri Bautier, « Recherches sur les routes de l'Europe médiévale, I, de la Méditerranée à Paris et aux foires de Champagne par le Massif Central », *Bulletin philologique et historique*, 1960, p. 99-143.

174. Bernard Chevalier, « La boutique et l'atelier », in *La France médiévale*, Paris, Fayard, 1983, p. 345-361.

175. Robert Delort, *Le Commerce des fourrures en Occident à la fin du Moyen Age*, Rome-Paris, Publications de l'École française de Rome, 1978.

176. Raymond De Roover, *L'Évolution de la lettre de change (XIVᵉ-XVIIᵉ siècle)*, Paris, Armand Colin, coll. « Affaires et gens d'affaires », 1953.

177. Raymond de Roover, *La Pensée économique des scolastiques. Doctrines et méthodes*, Montréal, 1971.

178. Georges Duby, *L'Économie rurale et la Vie des campagnes dans l'Occident médiéval (IXᵉ-XVᵉ siècle). Essai de synthèse et perspectives de recherches*, Paris, Aubier Montaigne, « Collection historique », 1962, 2 vol.

179. Georges Duby, « La situation de la noblesse au début du XIIIᵉ siècle », *Hommes et Structures du Moyen Age*, Paris-La Haye, Mouton, 1973, p. 343-342.

180. Pierre Desportes, *Reims et les Rémois aux XIIᵉ et XIVᵉ siècles*, Paris, Picard, 1979.

181. Jean Favier, *De l'or et des épices. Naissance de l'homme d'affaires au Moyen Age*, Paris, Fayard, 1987.

182. Étienne Fournial, *Histoire monétaire de l'Occident médiéval*, Paris, Nathan, 1970.

183. Léopold Génicot, « Les grandes villes de l'Occident en 1300 », *Économies et Sociétés au Moyen Age. Mélanges offerts à É. Perroy*, Paris, 1973, p. 199-219.

184. Bronislaw Geremek, *Le Salariat dans l'artisanat parisien aux XIIIᵉ-XVᵉ siècles,* Paris-La Haye, Mouton, 1968.

185. Charles Higounet, *Paysages et Villages neufs du Moyen Age,* Bordeaux, Fédération historique du Sud-Ouest, coll. «Études et documents d'Aquitaine», 1975.

186. *Histoire de la population française*, sous la dir. de J. Dupâquier, Paris, PUF, 1988, t. I : *Des origines à la Renaissance* : Henri Dubois, «L'essor médiéval», p. 207-265 ; Arlette Higounet-Nadal : «La croissance urbaine», p. 267 sq.

187. *Histoire générale du travail*, sous la dir. de L. Parias, Paris, Nouvelle Librairie de France, 1960, t. I : Philippe Wolff, Frédéric Mauro, *L'âge de l'artisanat.*

188. Roberto Lopez, «Économie et architecture médiévale. Ceci aurait-il tué cela ?», *Annales ESC,* 1952, p. 433-438.

189. Michel Mollat, *Les Pauvres au Moyen Age*, Paris, Complexe, 1984, p. 147-234.

190. Michel Mollat, Philippe Wolff, *Ongles bleus, Jacques et Ciompi. Les révolutions populaires en Europe aux XIVᵉ et XVᵉ siècles,* Paris, Calmann-Lévy, coll. «Les grandes vagues révolutionnaires», 1970.

191. G. Nahon, «Pour une géographie administrative des Juifs dans la France de Saint Louis», *Revue historique*, 1975, 254, p. 305-343.

192. Édouard Perroy, *Le Travail dans les régions du Nord du XIᵉ siècle au début du XIVᵉ*, cours CDU, Paris, 1962.

193. Édouard Perroy, *La Terre et les Paysans en France aux XIIᵉ et XIIIᵉ siècles*, Paris, SEDES, coll. «Textes et documents», 1973.

194. Jean-Robert Pitte, *Histoire du paysage français,* Paris, Tallandier, coll. «Approches», 1983, t. I : *De la préhistoire au XVᵉ siècle.*

195. Yves Renouard, *Études d'histoire médiévale*, Paris, SEVPEN, 1968, 2 vol.

196. *Transports au Moyen Age (Les),* Actes du VIIᵉ Congrès des historiens médiévistes, *Annales de Bretagne,* 85, 1978, p. 2.

197. Philippe Wolff, *Automne du Moyen Age ou printemps des temps nouveaux. L'économie européenne aux XIVᵉ et XVᵉ siècles,* Paris, Aubier Montaigne, 1986.

Histoire politique

198. André Artonne, *Le Mouvement de 1314 et les Chartes provinciales de 1315*, Paris, Université de Paris, Bibl. de la faculté des lettres, XXIX, 1912.

199. John W. Baldwin, « Studium et regnum : the Penetration of University into French and English Administration at the Turn of the Twelth and Thirteenth Century », *Revue des études islamiques*, 1976, 44, p. 199-215.

200. John W. Baldwin, *The Government of Philipp Augustus. Foundations of French Royal Power in the Middle Ages,* Berkeley-Los Angeles, 1986.

201. Colette Beaune, *Naissance de la nation France*, Paris, Gallimard, coll. « Bibliothèque des histoires », 1985.

202. Thomas N. Bisson, *Assemblies and Representation in Languedoc in the XIIIth Century,* Princeton, Princeton University Press, 1964.

203. Bernard Blumenkranz, *Histoire des Juifs en France*, Toulouse, Privat, 1972.

204. Elizabeth Brown, « Reform and Resistance to Royal Authority in XIVth Century France : the leagues of 1314-1315 », *Parliament, Estates and Representations,* I, 2, 1981, p. 109-137.

205. Elizabeth Brown, « Philipp the Fair, Plena Potestas and the Aid pour Fille Marier of 1308 », *Representative Institutions in Theory and Practice*, Bruxelles, 1970, p. 3-27.

206. Élisabeth Carpentier, « Histoire et informatique. Recherches sur le vocabulaire des biographies royales françaises », *Cahiers de civilisation médiévale*, 1982, p. 3-30.

207. Raymond Cazelles, « Quelques réflexions à propos des mutations de la monnaie royale française, 1295-1360 », *Le Moyen Age*, 1966, p. 83-105 et 251-278.

208. Philippe Contamine, « De la puissance aux privilèges : doléances de la noblesse française envers la monarchie aux XIVe et XVe siècle », *La Noblesse au Moyen Age*, Paris, PUF, 1976, p. 235-260.

209. Philippe Contamine, *La Guerre au Moyen Age*, Paris, PUF, coll. « Nouvelle Clio », 1986.

210. Alain Demurger, *Vie et Mort de l'ordre du Temple,* Paris, Éd. du Seuil, coll. « Points Histoire », 1989, 2e éd.

211. Georges Duby, *Le Dimanche de Bouvines, 27 juillet 1214,* Paris, Gallimard, coll. « Trente journées qui ont fait la France », 1973.

212. Marion F. Facinger, « A Study of Medieval Queenships : Capetian France, 987-1237 », *Studies in Medieval and Renaissance France*, V, 1968, p. 3-47.

213. Jean Favier, *Un conseiller de Philippe le Bel, Enguerran de Marigni*, Paris, PUF, 1963.

214. Jean Favier, *Finances et Fiscalité au bas Moyen Age*, Paris, SEDES, coll. « Regards sur l'histoire », 1971.

215. Robert Fawtier, «L'attentat d'Anagni», *Mélanges d'archéologie et d'histoire publiés par l'École française de Rome*, 1948, 60, p. 153-175.

216. Robert Fawtier, «Comment le roi de France pouvait-il au début du XIVe siècle se représenter son royaume?», *Mélanges P.E. Martin*, Genève, 1961, p. 65-77.

217. Guy Fourquin, *Le Domaine royal en Gâtinais d'après la prisée de 1332*, Paris, SEVPEN, coll. «Les Hommes et la terre», 1963.

218. Claude Gauvard, «Ordonnance de réforme et pouvoir législatif en France», *Renaissance du pouvoir législatif en France et genèse de l'État*, Montpellier, Publications de l'université de Montpellier, 1988, p. 89-98.

219. Bernard Guenée, «État et nation en France», «Espace et État dans la France du Bas Moyen Age», «Les limites de la France», dans *Politique et Histoire au Moyen Age*, Paris, Publications de la Sorbonne, 1982.

220. Bernard Guillemain, *La Cour pontificale d'Avignon. 1309-1376*, Paris, Bibliothèque des Écoles françaises d'Athènes et de Rome, 1962.

221. André Gouron, «Enseignement du droit, légistes et canonistes dans le Midi de la France à la fin du XIIIe siècle et au début du XIVe», *Recueil de mémoires et travaux publiés par la Société d'histoire du droit des anciens pays de droit civil*, V, 1966, p. 1-33.

222. Odile Kammerer, «Le haut Rhin entre Bâle et Strasbourg a-t-il été une frontière médiévale?», Congrès des Sociétés savantes, Strasbourg, 1988 (à paraître).

223. André Leguai, «Les Troubles urbains dans le Nord de la France à la fin du XIIIe et au début du XIVe siècle», *Revue d'histoire économique et sociale*, 1976, 54, p. 281-303.

224. Gaines Post, «Status Regis», *Studies in Medieval and Renaissance History*, I, 1964, p. 5-103.

225. Albert Rigaudière, «Législation royale et construction de l'État en France au XIIIe siècle», *Renaissance du pouvoir législatif et genèse de l'État*, Montpellier, 1988, p. 203-236.

226. Jan Rogozinsky, «The Counsellors of the Seneschal of Beaucaire and Nîmes», *Speculum*, 1969, 44, p. 421-439.

227. Percy Ernest Schramm, *Der König von Frankreich. Das Wesen der Monarchie von 9. zum 16. Jahrhundert*, 2e éd., Weimar, Wissenschaftliche Buchgesellschaft Darmstadt, 1960.

228. Gérard Sivery, «La description du royaume de France par les conseillers de Philippe Auguste et par leurs successeurs», *Le Moyen Age*, 1, 1984, p. 65-85.

229. Joseph R. Strayer, *Les Gens de justice en Languedoc sous Philippe le Bel,* Toulouse, Cahiers de l'Association Marc-Bloch de Toulouse, Études d'histoire méridionale, 1970.

230. Joseph R. Strayer, *Medieval Statecraft and the Perspectives of History*, Princeton, Princeton University Press, 1971.

231. Charles H. Taylor, « An Assembly of French Towns in March 1318 », *Speculum*, 1938, XIII, p. 295-303.

232. Charles H. Taylor, « Assemblies of French Towns in 1316 », *Speculum*, 1939, XIV, p. 273-299.

233. Karl-Ferdinand Werner, « Die Legitimität des Kapetinger und die Entstehung des *Reditus regni Francorum ad stirpem Karoli* », *Die Welt als Geschichte*, 12, 1952, p. 203-225.

234. *1274 : année charnière. Mutations et continuités*, Paris, CNRS, 1978.

Index

Table

COMPOSITION : CHARENTE PHOTOGRAVURE À L'ISLE-D'ESPAGNAC (16340)
IMPRESSION : IMPRIMERIE BRODARD ET TAUPIN À LA FLÈCHE (11-94)
DÉPÔT LÉGAL : OCTOBRE 1990. N° 12220 (6356 K-5)

Collection Points

SÉRIE HISTOIRE